SOLUTIONS DE CONSTRUCTION

RECUEIL DE SOLUTIONS À L'INTENTION DES CONSTRUCTEURS ET RÉNOVATEURS

La SCHL offre de nombreux renseignements relatifs à l'habitation.
Pour plus d'information, veuillez composer le 1 800 668-2642
ou visitez notre site *Web* : www.cmhc-schl.gc.ca

This publication is also available in English under the title
Building Solutions NHA 2004

Le lecteur assume la responsabilité de toute décision ou mesure prise sur la foi des renseignements contenus dans le présent ouvrage. Il lui revient d'évaluer avec discernement les renseignements, les matériaux et les techniques présentés dans cet ouvrage, et de consulter les ressources documentaires pertinentes et les spécialistes du domaine concerné pour déterminer si, dans son cas, les renseignements, matériaux et techniques sont sécuritaires et conviennent à ses besoins. La SCHL se dégage de toute responsabilité relativement aux conséquences résultant de l'utilisation des renseignements, des matériaux et des techniques contenus dans le présent ouvrage.

Données de catalogage avant publication (Canada)

Vedette principale au titre :

Solutions de construction : recueil de solutions à l'intention des constructeurs et rénovateurs

Publ. aussi en anglais sous le titre: Building solutions.
Comprend des références bibliographiques.
ISBN 0-660-95940-2
No de cat. NH15-195/1998F

1. Habitations — Construction — Qualité — Contrôle.
2. Habitations — Réfection — Qualité — Contrôle.
I. Société canadienne d'hypothèques et de logement.

TH4811.B89414 1998 690'. C98-980279-5

Imprimé au Canada
Réalisation : SCHL

CONTENU

PRÉFACE 1

CHAPITRE 1 FONDATIONS

Introduction 3

Section 1.1 Murs de fondation en béton 4
Introduction 4
1.1.1 Détérioration et dommages d'ordre structural . 5
1.1.2 Infiltration d'eau 21

Section 1.2 Dalles sur le sol 30
Introduction 30
1.2.1 Détérioration et dommages d'ordre structural . . 31
1.2.2 Infiltration d'eau 35
1.2.3 Isolation 36

Section 1.3 Fondations en bois traité 37
Introduction 39
1.3.1 Détérioration et dommages d'ordre structural . . 39
1.3.2 Infiltration d'eau 49

Section 1.4 Autres lectures 56

CHAPITRE 2 PLANCHERS

Introduction 57

Section 2.1 Transmission des charges 58
Introduction 58
2.1.1 Bruit 59
2.1.2 Appui inadéquat 64

Section 2.2 Fléchissement et vibrations 68
Introduction 68
2.2.1 Vibrations et mouvement 69
2.2.2 Résistance structurale 73

Section 2.3 Revêtements de sol 81
Introduction 81
2.3.1 Matériaux 82

Section 2.4 Autres lectures 94

Chapitre 3 Murs

Introduction 95

Section 3.1 Humidité et murs 96
Introduction 96
3.1.1 Humidité et bois 97
3.1.2 Humidité et fuites d'air 100
3.1.3 Humidité extérieure 101

Section 3.2 Problèmes d'ossature 103
Introduction 103
3.2.1 Détérioration d'ordre structural 104
3.2.2 Humidité et bois 106

Section 3.3 Portes et fenêtres 110
Introduction 110
3.3.1 Manœuvre difficile 111

Section 3.4 Bardages et parements 117
Introduction 117
3.4.1 Problèmes génériques 118
3.4.2 Bardage en bois ou en panneaux de fibres durs 121
3.4.3 Bardage en vinyle ou en métal 125
3.4.4 Placage de brique 128
3.4.5 Stucco 133

Section 3.5 Plaques de plâtre 140
Introduction 140
3.5.1 Soulèvement des clous 141
3.5.2 Fissuration 143
3.5.3 Joints 147
3.5.4 Humidité 149

Section 3.6 Autres lectures 150

Chapitre 4 Toits et plafonds

Introduction 151

Section 4.1 Matériaux de couverture 152
Introduction 152
4.1.1 Détérioration et dommages d'ordre structural 153
4.1.2 Infiltration d'eau 160

Section 4.2 Charpente du toit 167
Introduction 167
4.2.1 Détérioration et dommages d'ordre structural . .168
4.2.2 Infiltration d'eau 173

Section 4.3 Revêtements intérieurs de finition 176
Introduction 176
4.3.1 Détérioration et dommages d'ordre structural . .177
4.3.2 Infiltration d'eau 181

Section 4.4 Autres lectures 183

CHAPITRE 5 QUALITÉ DE L'AIR INTÉRIEUR ET VENTILATION

Introduction 185

Section 5.1 Élimination à la source 187
Introduction 187
5.1.1 Gaz souterrains — radon et vapeur d'eau . . .188
5.1.2 Polluants extérieurs 192
5.1.3 Formaldéhyde et COV 197
5.1.4 Particules 201
5.1.5 Fumée d'un foyer ou d'un poêle à bois 204
5.1.6 Gaz de combustion d'un foyer ou d'une cuisinière à gaz 206
5.1.7 Moisissure 209

Section 5.2 Installation de ventilation d'extraction et air de compensation 214
Introduction 214
5.2.1 Débit d'air insuffisant 215
5.2.2 Fonctionnement des ventilateurs d'extraction .220

Section 5.3 Sensibilisation des occupants à la qualité de l'air intérieur 224

Section 5.4 Vérification des polluants de l'air intérieur 226

Section 5.5 Autres lectures 227

Annexe A Sources d'information 228

Annexe B Polluants 229

CHAPITRE 6 ISOLEMENT ACOUSTIQUE

Introduction 231

Section 6.1 Murs, planchers et plafonds 233

Section 6.2 Transmission indirecte du son 246

Section 6.3 Bruits de tuyauterie 253

Section 6.4 Bruit de l'extérieur 257

Section 6.5 Appareils extérieurs 262

Section 6.6 Appareils intérieurs 264

Sections 6.7 Autres lectures 268

Annexe A Isolement acoustique des murs 270

Annexe B Isolement acoustique des planchers à ossature de bois 273

PRÉFACE

La présente publication a pour objet d'aider les constructeurs à réduire les coûts et les contretemps reliés aux défauts et aux rappels. En cernant les causes de la plupart des problèmes courants et en examinant les problèmes eux-mêmes, ils pourront mettre l'accent sur la prévention des défectuosités en améliorant leurs méthodes.

À long terme, bien construire finit presque toujours par rapporter, tant sur le plan financier que sur le maintien d'excellentes relations avec la clientèle.

La présente publication permettra aux constructeurs d'expérience d'actualiser leurs connaissances et les sensibilisera aux risques de prendre des raccourcis ou de suivre des méthodes inadéquates de contrôle de la qualité.

Elle ne constitue pas un guide pratique, puisqu'on présume que les constructeurs connaissent bien les exigences du Code national du bâtiment du Canada et les méthodes de construction régionales. Dans certains cas, les solutions proposées dépassent les exigences minimales des codes du bâtiment. Le cas échéant, elles pourront certes occasionner un supplément, mais se justifier amplement par la réduction du nombre de rappels ou de réparations.

CHAPITRE 1 Introduction

FONDATIONS

Les fissures et infiltrations sont fréquemment l'objet de rappels et de plaintes signalées dans le cadre des programmes de garanties des maisons neuves. Survenant autant dans les fondations et les dalles en béton coulé que dans les murs en blocs de béton et les fondations en bois traité (FBT), elles indiquent en général des déficiences en matière de conception et de construction.

La réparation des fondations entraîne presque toujours des coûts plus élevés que de bonnes méthodes de construction.

Le présent chapitre cerne les causes de nombreux problèmes courants reliés aux fondations de maisons neuves; de plus, il propose des solutions témoignant de meilleures méthodes de conception et de construction qu'adoptent les constructeurs chefs de file et livre les conseils pratiques experts des chercheurs du secteur du bâtiment, des associations professionnelles et de l'industrie de la construction résidentielle. Dans bien des cas, elles reflètent les exigences du Code national du bâtiment du Canada (CNB) et établissent des renvois au Code de 1995. Dans d'autres cas, les solutions offertes vont au-delà des exigences minimales du CNB, fournissant ainsi une assurance supplémentaire contre le risque de défauts ou de rappels.

Section 1.1 Murs de fondation en béton

INTRODUCTION

D'usage prédominant au Canada, les fondations en béton s'entendent des murs en béton coulé ou en blocs de béton (les dalles sur le sol font l'objet de la section 1.3). Grâce à des techniques de construction tout indiquées, ces deux types de fondations peuvent s'avérer durables et exempts de défauts. Par contre, si elles laissent à désirer, il peut en résulter des défauts de construction coûteux.

Les principaux problèmes se rangent en deux catégories : les défauts occasionnant une détérioration et des dommages d'ordre structural, d'une part, et ceux qui entraînent des infiltrations d'eau et des méfaits attribuables à l'humidité, d'autre part. Les causes se ressemblent souvent.

Pour parer à toute éventualité, les constructeurs doivent spécifier les matériaux d'usage, suivre les techniques de mise en place et de cure appropriées et faire appel à de judicieuses pratiques de drainage et de contrôle de l'humidité.

1.1.1 DÉTÉRIORATION ET DOMMAGES D'ORDRE STRUCTURAL

PROBLÈME

FISSURATION ET EFFRITEMENT DU BÉTON EN RAISON DE SA RÉSISTANCE INSUFFISANTE

CAUSE

Résistance de calcul insuffisante

Le CNB prescrit la résistance minimale du béton, mais les techniques de construction et les caractéristiques de l'emplacement en affaiblissent souvent la résistance, soit à cause de l'ajout d'eau sur le chantier ou de l'incidence des conditions météorologiques.

SOLUTIONS

Exiger du béton dont la résistance minimale à la compression dépasse les exigences minimales du CNB, comme en fait foi l'illustration ci-dessous.

- Pour en accroître la résistance et en améliorer l'étanchéité, utiliser du béton de 20 MPa (2 900 lb/po^2) pour les murs de fondation et les dalles de sous-sol.
- Bon nombre de constructeurs recommandent de porter sa résistance minimale à 30 MPa (4 350 lb/po^2) dans le cas des dalles de garage et des ouvrages soumis à des cycles de gel et de dégel.
- L'occlusion d'air améliore la durabilité et la résistance du béton aux cycles de gel et de dégel. Le CNB prescrit de 5 à 8 p. 100 d'air occlus pour les planchers de garages et d'abris d'autos ainsi que pour les perrons.
- Le CNB requiert que le dosage du béton ne subisse pas d'affaissement de plus de 100 mm (4 po) pour les dalles et de 150 mm (6 po) dans le cas des murs.

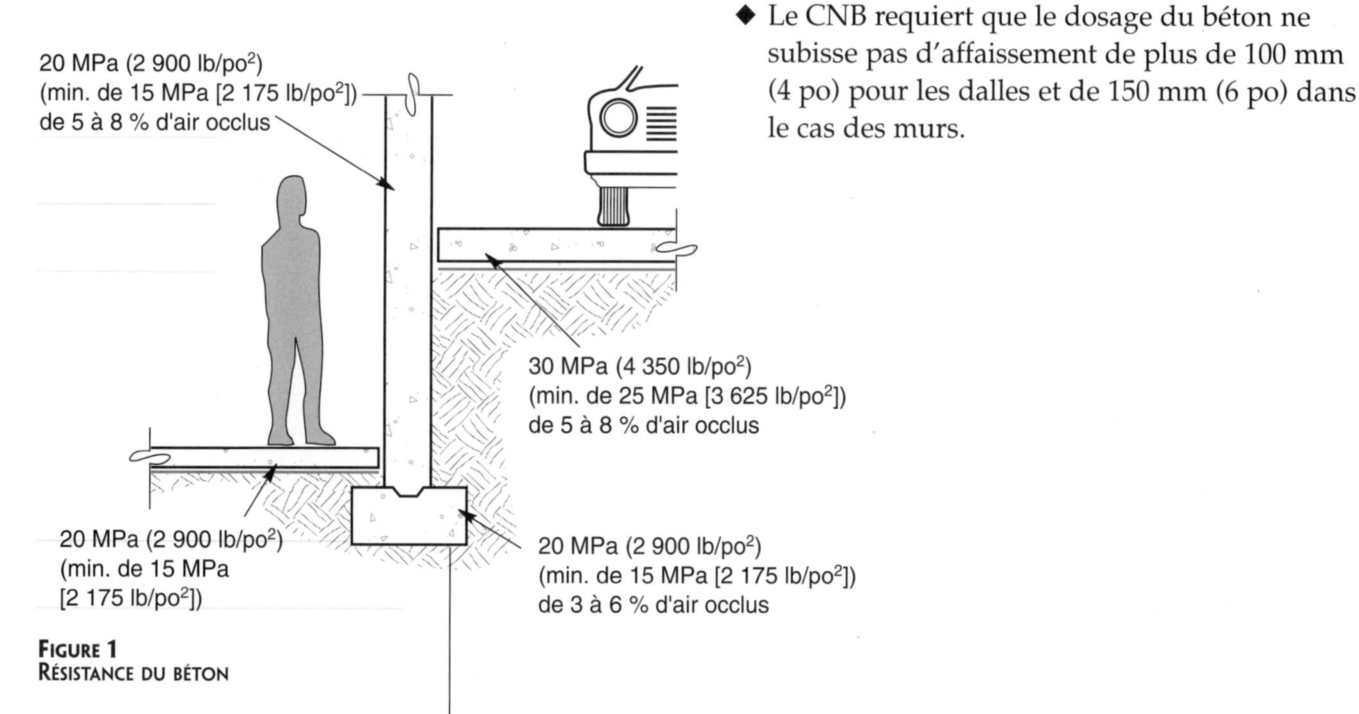

FIGURE 1
RÉSISTANCE DU BÉTON

PROBLÈME

FISSURATION ET EFFRITEMENT DU BÉTON EN RAISON DE SA RÉSISTANCE INSUFFISANTE

CAUSE

Dimensions insuffisantes

Dans certains cas, les constructeurs réduisent les dimensions requises des semelles et des murs en béton par souci d'économie. Dans d'autres cas, ils réduisent par mégarde l'épaisseur de la dalle en deçà du minimum requis. Enfin, ils négligent souvent de recourir à de l'armature pour accroître la résistance du béton en sols difficiles.

SOLUTIONS

L'épaisseur des murs et des semelles doit être conforme aux exigences minimales énoncées dans le CNB, selon l'illustration ci-dessous.

- Dans les sols difficiles, ou dans les endroits où la nappe phréatique est peu profonde, augmenter l'épaisseur des murs et des semelles.
- Préserver l'épaisseur minimale de la dalle de 75 mm (3 po), même si la dalle est inclinée vers un avaloir de sol.

Quoique non requise par le CNB, l'armature des murs et des semelles en sols difficiles contribuerait à parer à tout problème éventuel.

- L'armature consiste généralement en deux barres 10M placées en partie supérieure du mur, sous les baies de fenêtres, ou en une barre disposée à 300 mm (12 po) du dessus et une autre au niveau du sol.
- L'armature des semelles permet de compenser l'inégalité de l'appui.
- Par souci d'efficacité, poser le treillis d'armature des dalles à mi-hauteur ou légèrement au-dessus. Recourir à du treillis plat et placer des coussinets ou des cales pour le tenir à cette hauteur.
- Le treillis en fibre de verre ou en fibre de polypropylène peut contribuer à limiter la largeur des fissures et l'effritement superficiel. En général, le treillis s'ajoute au dosage à raison de 1 kg/m³ de béton. Les fibres doivent bien se disperser dans le dosage et afficher de bonnes propriétés d'adhérence.

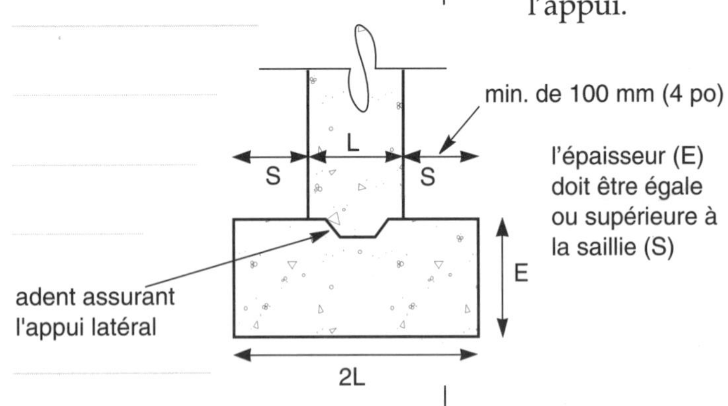

FIGURE 2
RAPPORT DES DIMENSIONS DE LA SEMELLE

PROBLÈME

Fissuration des fondations et de la dalle due au tassement et au mouvement

Cause

Appui insuffisant

Le tassement et la fissuration sont souvent causés par le mouvement du bâtiment. Lorsque la capacité portante du sol se révèle insuffisante, des problèmes risquent de se manifester.

Solutions

Bien préparer le sol.

- ◆ Si le sol devant recevoir les fondations a été remué, ajouter un remblai granulaire que l'on prendra soin de bien consolider et compacter.
- ◆ Ne jamais couler du béton par-dessus le sol gelé. Par temps froid, couler le béton aussitôt que possible après l'excavation, ou assurer sa protection contre le gel. Conserver le béton humide et chaud pendant trois jours.
- ◆ Bien compacter le remblai granulaire par-dessus les canalisations d'égout qui passent sous les semelles. Vérifier qu'aucune tranchée de services ne se trouve sous les coins des fondations.
- ◆ Le CNB requiert que la hauteur verticale entre les parties horizontales ne dépasse pas 600 mm (24 po) et que la distance horizontale entre les parties verticales ne soit pas inférieure à 600 mm (24 po). Adoucir le plus possible l'intersection ressaut/palier de façon à prévenir la rupture par cisaillement aux points faibles.

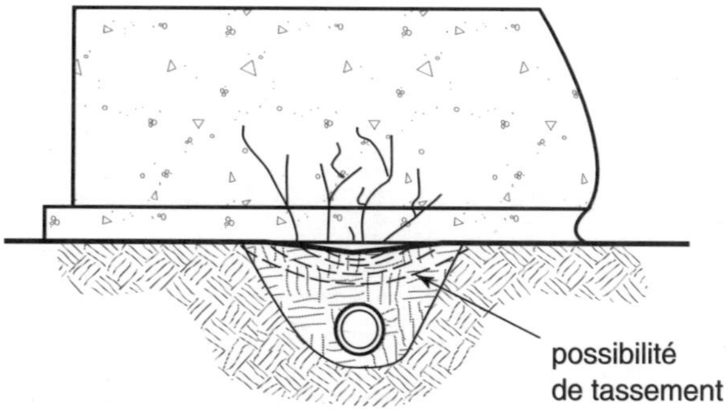

Figure 3
Tassement dans une tranchée de canalisation

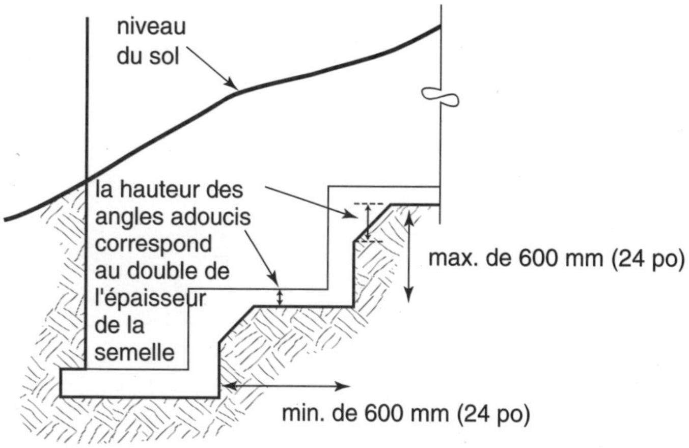

Figure 4
Semelles en gradins

PROBLÈME

FISSURATION ET EFFRITEMENT RÉSULTANT DE MAUVAISES TECHNIQUES DE CONSTRUCTION

CAUSE

Mauvaises techniques de mise en place et de finition

Les mauvaises techniques de mise en place et de finition du béton peuvent occasionner la ségrégation des particules fines et des granulats.

SOLUTIONS

Bien préparer et mettre en place le béton.

- Humecter le sol environnant, mouiller ou lubrifier les coffrages pour éviter qu'ils absorbent l'eau du béton. Lubrifier les coffrages avant de les ériger afin d'empêcher toute accumulation de lubrifiant sur la semelle.
- Couler le béton moins de deux heures après sa préparation par temps frais et en deçà d'une heure par temps chaud.
- Procéder au serrage du béton à l'aide d'un pilon ou d'un vibrateur après chaque coulée, surtout autour des ouvertures, des attaches des coffrages et aux angles.
- Pour éviter les joints de reprise horizontaux dans les murs, érafler le dessus de la coulée précédente et serrer la suivante au pilon ou au vibrateur (voir figure 5).
- Pour éviter les joints de reprise dans les dalles de plancher, mélanger le nouveau béton au béton déjà coulé.
- Minimiser la hauteur de chute du béton afin d'empêcher une forte ségrégation des granulats, cause de perte de résistance et d'étanchéité. Une chute maximale de 1,5 m (5 pi) est recommandée lorsqu'on fait usage d'armature.
- Se servir de goulottes, de godets ou pomper le béton afin de l'amener le plus près possible de sa destination finale. Éviter de déplacer le béton au râteau ou au vibrateur par crainte d'en provoquer la ségrégation.
- S'abstenir de finir le béton en présence de ressuage. Enlever le surcroît à l'aide d'une toile de jute ou d'une raclette. Éviter de trop lisser le béton pour ne pas libérer l'air entraîné et réduire la durabilité du béton.

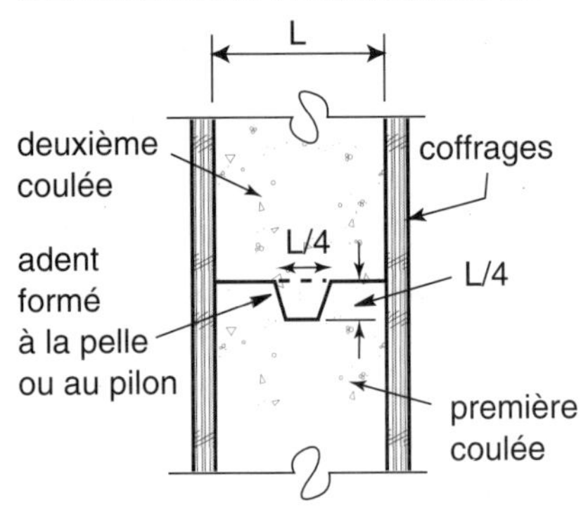

FIGURE 5
JOINT DE CONSTRUCTION HORIZONTAL

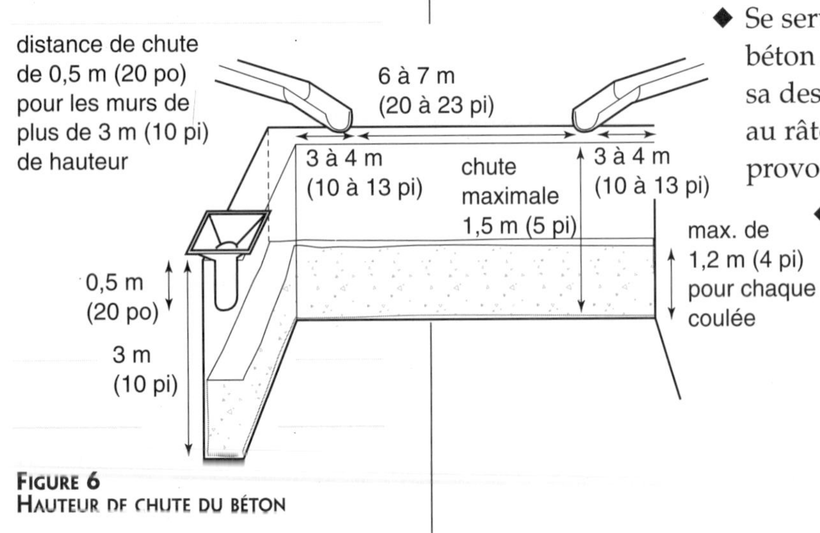

FIGURE 6
HAUTEUR DE CHUTE DU BÉTON

PROBLÈME

Fissuration et effritement résultant de mauvaises techniques de construction

Cause

Sursaturation

Ajouter 4 L (1 gal) d'eau à 1 m^3 (1,3 verge cube) de béton en diminue la résistance de plus de 1 MPa (145 lb/po^2) et en augmente l'affaissement de 25 mm (1 po) (voir figure 7).

Solutions

Ne jamais ajouter d'eau sur le chantier de construction.

- Modifier le rapport eau-ciment du dosage en ajoutant de l'eau affaiblit le béton, augmente les risques de retrait, en plus d'en réduire la durabilité et l'étanchéité.
- Si l'on prévoit qu'il sera difficile de travailler et de déplacer le béton sur le chantier de construction, utiliser du béton pompé ou demander au fournisseur d'accroître l'affaissement en changeant les proportions des granulats, en ajoutant un super-plastifiant ou en augmentant le pourcentage d'air occlus.
- Couler le béton des murs de sous-sol à partir d'un certain nombre de points de manière à éviter de déplacer le béton dans les coffrages.
- Éliminer l'eau du terrain détrempé à l'aide d'une pelle ou d'une pompe afin d'empêcher l'eau stagnante et la boue de se mêler au béton coulé. Couler le béton sur le sol non remué ou sur un remblai bien compacté.

Cause

Cure incorrecte

- Le béton n'atteindra sa pleine résistance de calcul que si la cure a lieu dans des conditions qui l'empêchent de perdre de son humidité d'origine. Au cas où le décoffrage se produirait tôt, le remblayage du mur pourrait se révéler désastreux si le béton n'a pas acquis suffisamment de résistance.

Figure 7
Effets de la sursaturation

Solutions

Soumettre le béton à une cure humide le plus longtemps possible.

- Tenir le béton constamment humide à moins que les coffrages ne soient laissés en place pendant au moins 24 heures. La cure donne de meilleurs résultats si les coffrages demeurent en place pendant au moins deux jours. Il est aussi recommandé de soumettre les dalles à une cure humide pendant au moins trois jours.
- Améliorer la cure des murs de fondation :
  - en les aspergeant ou en les arrosant;
  - en les recouvrant d'une toile humide ou d'un papier ou matériau imperméable;
  - en recouvrant les faces extérieures de produits de cure (suivant les recommandations du fabricant);
  - en recouvrant les faces intérieures et extérieures des murs, aussitôt le décoffrage effectué.

La sursaturation et la cure incorrecte peuvent avoir pour effet combiné d'affaiblir considérablement le béton. Prenons, par exemple, le cas du béton dont le dosage lui confère une résistance minimale de 15 MPa (2 175 lb/po²); si l'on y ajoute 18 L (4 gal) d'eau par mètre cube sur place et qu'on enlève les coffrages en moins de 18 heures, le béton obtenu pourra n'avoir une résistance de calcul à 28 jours que de 5 MPa (725 lb/po²). Faute de s'en tenir aux méthodes de cure correctes, utiliser du béton de 30 MPa (4 350 lb/po²).

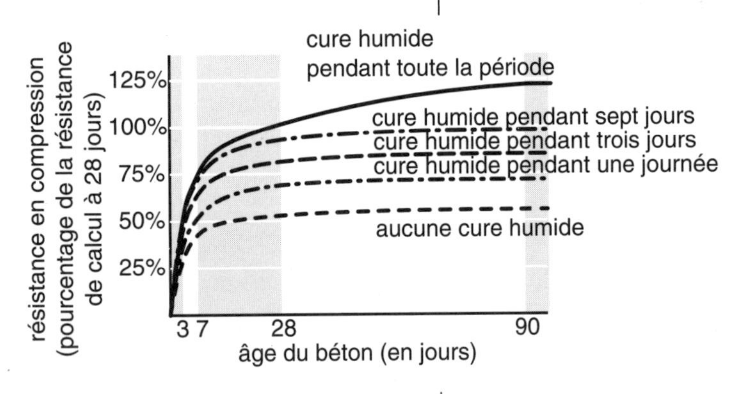

Figure 8
Effet de la cure sur la résistance du béton

PROBLÈME

Fissuration et effritement résultant de mauvaises techniques de construction

Cause

Manque de protection par temps froid — température inférieure à 5 °C (41 °F)

Le béton qui gèle avant d'avoir subi un traitement de cure complet perd à tout jamais de sa résistance et de son imperméabilité.

Solutions

Assurer la protection du béton par temps froid.

- Confier la supervision des opérations de bétonnage à une personne qualifiée.
- Maintenir la température du béton au-dessus de 10 °C (50 °F) pendant la mise en place et les trois jours suivants. Laisser les coffrages des murs en place pendant deux jours pour profiter de la chaleur d'hydratation. Recouvrir les dalles de matériau isolant ou de paille, puis de toile ou de polyéthylène.
- Utiliser du béton ayant une faible teneur en eau et y ajouter des plastifiants au besoin. Préciser du béton à prise rapide de haute résistance.
- Demander au fournisseur de le chauffer à l'aide d'eau chaude et de granulats secs.
- Si le béton contient un accélérateur de chlorure de calcium, limiter sa quantité à moins de 2 p. 100 du poids du ciment, étant donné qu'il peut accroître la possibilité de fissuration par retrait. Éviter d'ajouter du chlorure de calcium au béton comportant des éléments métalliques. S'abstenir d'utiliser des accélérateurs sans chlorure. Ne pas non plus utiliser de chlorure de calcium pour faire fondre la glace de l'excavation.
- Dans l'ouest du Canada, les constructeurs encastrent souvent les solives de plancher dans les murs de fondation, ce qui permet de les recouvrir d'une toile et de les chauffer plus facilement.

En cas d'utilisation d'appareils de chauffage à l'intérieur du bâtiment, assurer une ventilation suffisante, car, en produisant une quantité importante de monoxyde de carbone, ils risquent d'entraîner la carbonatation (poussiérage) à la surface du béton. Étant donné que le monoxyde de carbone est plus lourd que l'air, évacuer l'air de la zone à proximité du sol.

Cause

Manque de précautions contre la chaleur — température supérieure à 30 °C (86 °F)

Le séchage trop rapide du béton par temps chaud en réduit la résistance. Par temps chaud, le béton prend très vite au cours de sa mise en place.

Solutions

Minimiser la perte d'humidité du béton.

- Humidifier le sol de l'excavation et les coffrages avant de couler le béton.
- Demander au fournisseur un dosage de béton tout indiqué pour la mise en place par temps chaud. Il peut être avantageux de réduire la température du béton et d'utiliser des retardateurs de prise. Éviter d'en retarder le transport vers le chantier et la mise en place (par temps chaud, couler le béton moins d'une heure après son malaxage). Mettre le béton en place tôt le matin ou dans la soirée. Empêcher le béton de sécher trop vite sous l'effet de l'ensoleillement direct et du vent. Asperger le béton immédiatement après la mise en place et avant la finition, puis le couvrir de polyéthylène opaque entre les étapes de la finition.
- Les fournisseurs peuvent calculer la bonne quantité d'eau à ajouter au mélange, d'après le taux de perte d'eau dû à la température ambiante, l'humidité relative, la vitesse des vents et la température du béton.

PROBLÈME

FISSURES DUES AU RETRAIT

CAUSE

Séchage normal du béton

Le retrait correspond à la contraction des particules de ciment et des granulats destinée à remplir les vides laissés par l'évaporation de l'eau de gâchage excédentaire du béton.

SOLUTIONS

Minimiser le retrait.

- Pour minimiser le retrait :
  - éviter d'ajouter de l'eau sur le chantier de construction. Opter plutôt pour un entraîneur d'air ou un super-plastifiant qui, en plus d'améliorer la maniabilité du béton, réduira les risques de fissuration attribuable au retrait;
  - utiliser la grosseur maximale de granulat permise;
  - porter une attention appropriée à la cure (soumettre le béton à une cure humide pendant trois jours et laisser en place les coffrages des murs pendant au moins 24 heures lorsque la température voisine les 13°C [56 °F]);
  - ajouter des cendres volantes au mélange ralentit la prise du béton.

face
intérieure
L/8
L
OU
L/8
L/4
tasseaux de bois biseautés
fixés aux coffrages

FIGURE 9
DÉTAIL D'UN JOINT DE FISSURATION VERTICAL

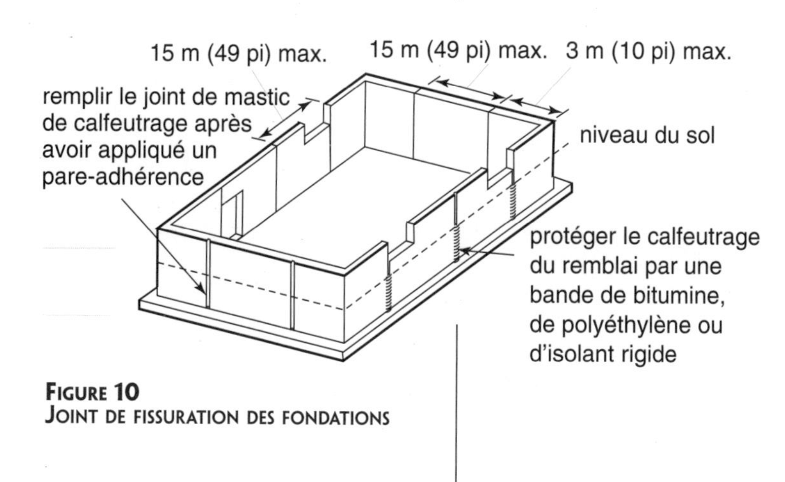

FIGURE 10
JOINT DE FISSURATION DES FONDATIONS

Pratiquer des joints de fissuration dans le but de contrer les fissures et infiltrations aléatoires. Ces joints permettent de déterminer à l'avance où se produiront les fissures dues au retrait, puisqu'ils affaiblissent intentionnellement la dalle ou le mur. Recourir à de tels joints peut réduire de 90 p. 100 les rappels pour les fondations.

- ◆ Pour être efficaces, les joints de fissuration doivent réduire l'épaisseur du mur de 25 p. 100. Fixer des tasseaux de bois biseautés aux parois des coffrages ou pratiquer des joints à la scie tout de suite après le décoffrage (voir la figure 9).
- ◆ Le CNB requiert de prévoir des joints de fissuration à des intervalles de 15 m (49 pi) au plus dans les murs de fondation qui ont une longueur supérieure à 25 m (82 pi) (voir figure 10).
- ◆ Sceller au pistolet les joints extérieurs avec du mastic à base d'huile après avoir appliqué un pare-adhérence (voir figure 11). Couvrir le mastic de papier bitumé, de polyéthylène épais ou d'isolant rigide, et ce, jusqu'au niveau du sol.
- ◆ Façonner les joints de fissuration des dalles de plancher lors de la finition. Pratiquer les joints à la scie 6 à 18 heures après la mise en place et les espacer de 4,5 à 6 m (15 à 20 pi) pour les sous-sols et de 3,5 à 4,5 m (12 à 15 pi) pour les garages. Faire correspondre la profondeur des joints au quart de l'épaisseur de la dalle.

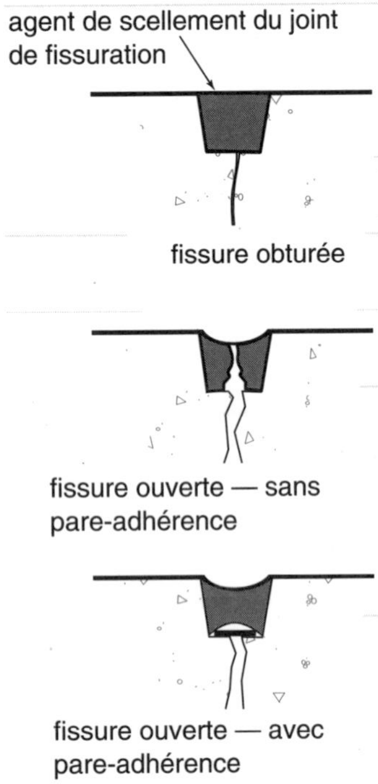

agent de scellement du joint de fissuration

fissure obturée

fissure ouverte — sans pare-adhérence

fissure ouverte — avec pare-adhérence

Figure 11
Effet du pare-adhérence

PROBLÈME
Fissuration des fondations et de la dalle par suite de tassement et de mouvement

Cause

Mouvement différentiel

Les murs de fondation et la dalle de sous-sol peuvent subir différentes pressions ou conditions susceptibles de causer un certain mouvement. En l'absence de joints de désolidarisation, le mouvement d'un élément risque de faire fissurer l'autre.

Solutions

Prévoir des joints de désolidarisation ou un pare-adhérence entre les matériaux sujets à un déplacement différentiel.

- Séparer la dalle de sous-sol des murs de fondation par une garniture de joint prémoulée, du papier de construction ou un matériau de joint de dilatation. La dalle sera désolidarisée de la semelle par le polyéthylène ou un autre matériau pare-adhérence que requiert le CNB comme mesure de protection contre les gaz du sol (voir figure 12).
- Désolidariser la dalle de sous-sol du poteau à l'aide d'un joint correspondant.
- Désolidariser la fondation du sous-sol de celle du garage à l'aide d'un joint correspondant. Le joint doit se prolonger à travers le revêtement de maçonnerie afin d'assurer une protection contre le mouvement différentiel.

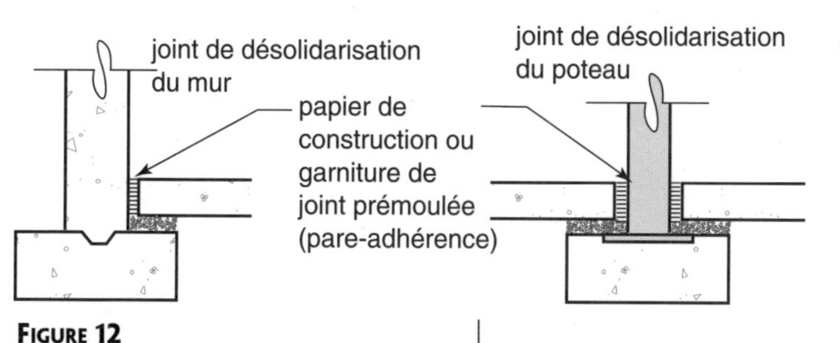

Figure 12
Joints de désolidarisation

Cause

Mouvement différentiel et fissuration de la dalle de garage

Le tassement plus prononcé des dalles de garage à leur rive qu'au centre entraîne la fissuration.

Figure 13
Fissuration de la dalle de garage

Solutions

Vérifier que le remblai granulaire est réparti également et bien compacté sous la dalle de garage.

- Creuser jusqu'à une profondeur minimale de un mètre (40 po) sous le garage. Le tassement différentiel peut se produire lorsque le centre de l'excavation du garage est beaucoup plus élevé qu'au pourtour (voir figure 13).
- Compacter le remblai granulaire dans le but de réduire la possibilité de tassement différentiel.

PROBLÈME

FISSURATION DES FONDATIONS ET DE LA DALLE PAR SUITE DE TASSEMENT ET DE MOUVEMENT

CAUSE

Sols difficiles

Les sols difficiles que l'on rencontre souvent au Canada désignent les sols tourbeux, les sols organiques, les sols de décharges sanitaires désaffectées et les sols argileux (normaux, gonflants et sensibles).

SOLUTIONS

Modifier le plan de maison en fonction de la composition du sol.

- En présence de sols laissant à désirer, excaver jusqu'au sol stable ou faire analyser le sol de manière à pouvoir déterminer les exigences conceptuelles des fondations.
- Les sols tourbeux ou organiques se tassent alors que l'humidité s'en extirpe. Prévoir, à cette fin, des raccordements de service souples. Ainsi, pour minimiser les problèmes de tassement :
  - remplacer les dépôts de tourbe peu profonds par un remblai granulaire compacté;
  - installer des pieux à frottement ou à semelle portante;
  - mettre en place un radier de fondation;
  - mettre en place de larges semelles armées (voir figure 14).
- En sol argileux consolidé naturellement (Windsor, lac Saint-Clair, certains endroits du nord du Manitoba, de l'Ontario et du Québec), faire usage de pieux pour éviter le tassement à long terme.
- En sol argileux (Manitoba, Saskatchewan et Alberta) sujet à des gonflements et à des retraits, selon qu'il absorbe de l'eau ou s'assèche, procéder comme suit :
  - prévoir des murets de fondation armés comme mesure de renforcement et les faire reposer sur des pieux (aux angles) et vis-à-vis les poteaux télescopiques (voir figure 15);

Note : La conception des fondations et semelles doit être confiée à un expert, conformément à la partie 4 du CNB

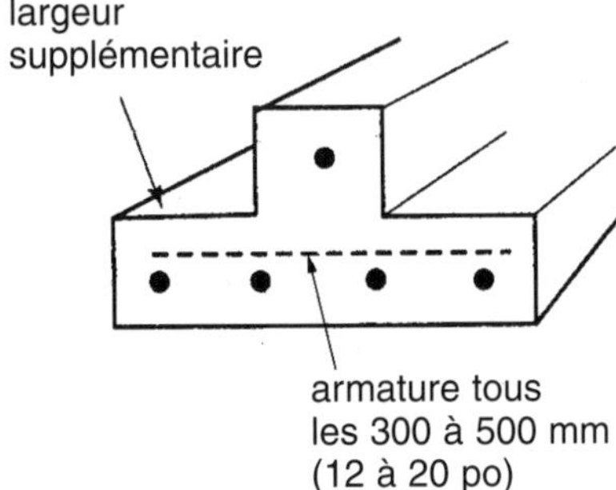

FIGURE 14
SEMELLE POUR SOL TOURBEUX

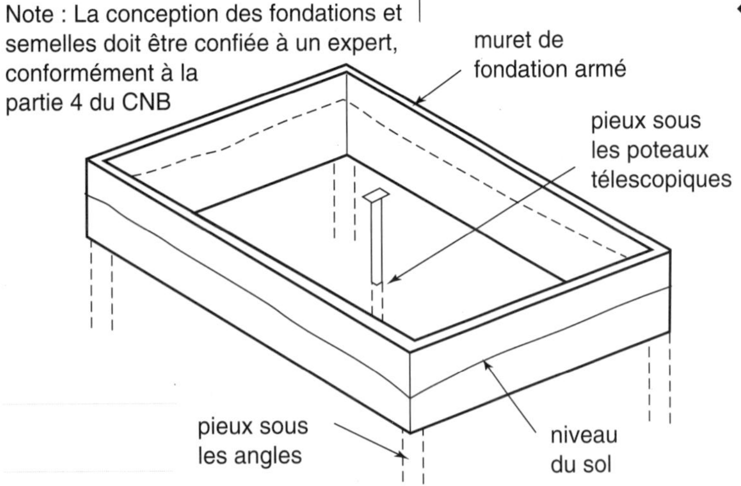

FIGURE 15
FONDATIONS ARMÉES EN SOL ARGILEUX SENSIBLE

- mettre en place un système de fondation rigide, constitué de murs armés et de plancher creux, destiné à contrer l'affaissement différentiel et la torsion;
- utiliser un plancher en bois suspendu plutôt qu'une dalle afin d'annuler les pressions de soulèvement agissant sur le plancher du sous-sol.

◆ Remblayer à l'aide d'un mélange de sable et de bentonite (en général 20 % par poids) afin de réduire les poussées des terres sur les murs du sous-sol et empêcher les fluctuations extrêmes de la teneur en eau du sol à la base des fondations.

◆ Augmenter la teneur en eau du sol de l'excavation avant de couler le béton pour contrer les pressions de soulèvement sur la dalle.

◆ Éviter de planter des arbres à proximité des fondations afin de ne pas modifier la teneur en eau du sol environnant.

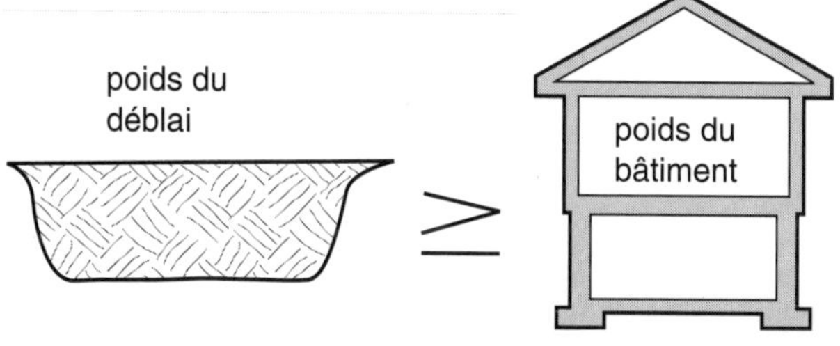

FIGURE 16
CONSTRUCTION EN SOL ARGILEUX SENSIBLE

◆ En sol argileux sensible (Bas Saint-Laurent), éviter de remanier le sol sous la semelle et faire en sorte qu'il ne soit ni détrempé ni gelé. S'assurer que le poids du bâtiment ne dépasse pas celui du déblai (voir figure 16).

◆ En sol alcalin, utiliser du béton résistant aux sulfates.

◆ Dans les lieux de décharge, prolonger les semelles ou les pieux jusqu'au sol non remanié. S'il s'agit d'une décharge sanitaire, décider de la façon d'éliminer le méthane, car son introduction dans l'aire habitable risque de compromettre sérieusement l'état de santé des occupants.

PROBLÈME

FISSURATION DES FONDATIONS ET DE LA DALLE EN RAISON DU SOULÈVEMENT DÛ AU GEL ET DU GEL

CAUSE

Les semelles ne reposent pas sous la limite de pénétration du gel.

Ce problème touche le plus souvent les murs de garage et les sous-sols avec sortie à l'extérieur, dont l'assise ne se trouve pas sous la limite de pénétration du gel.

SOLUTIONS

S'assurer que toutes les semelles se trouvent sous la limite de pénétration du gel ou sont protégées par une enveloppe isolante.

- Toutes les semelles, y compris celles qui supportent le garage et celles qui se trouvent sous la sortie à l'extérieur, doivent se prolonger sous la limite de pénétration du gel. Le service du bâtiment municipal est en mesure d'indiquer la limite de pénétration du gel dans la localité (voir figure 17).
  - Confier à des experts la conception de semelles peu profondes afin de minimiser l'effet de pénétration du gel. Protéger les semelles par de l'isolant disposé à la verticale et à l'horizontale (voir figure 18).

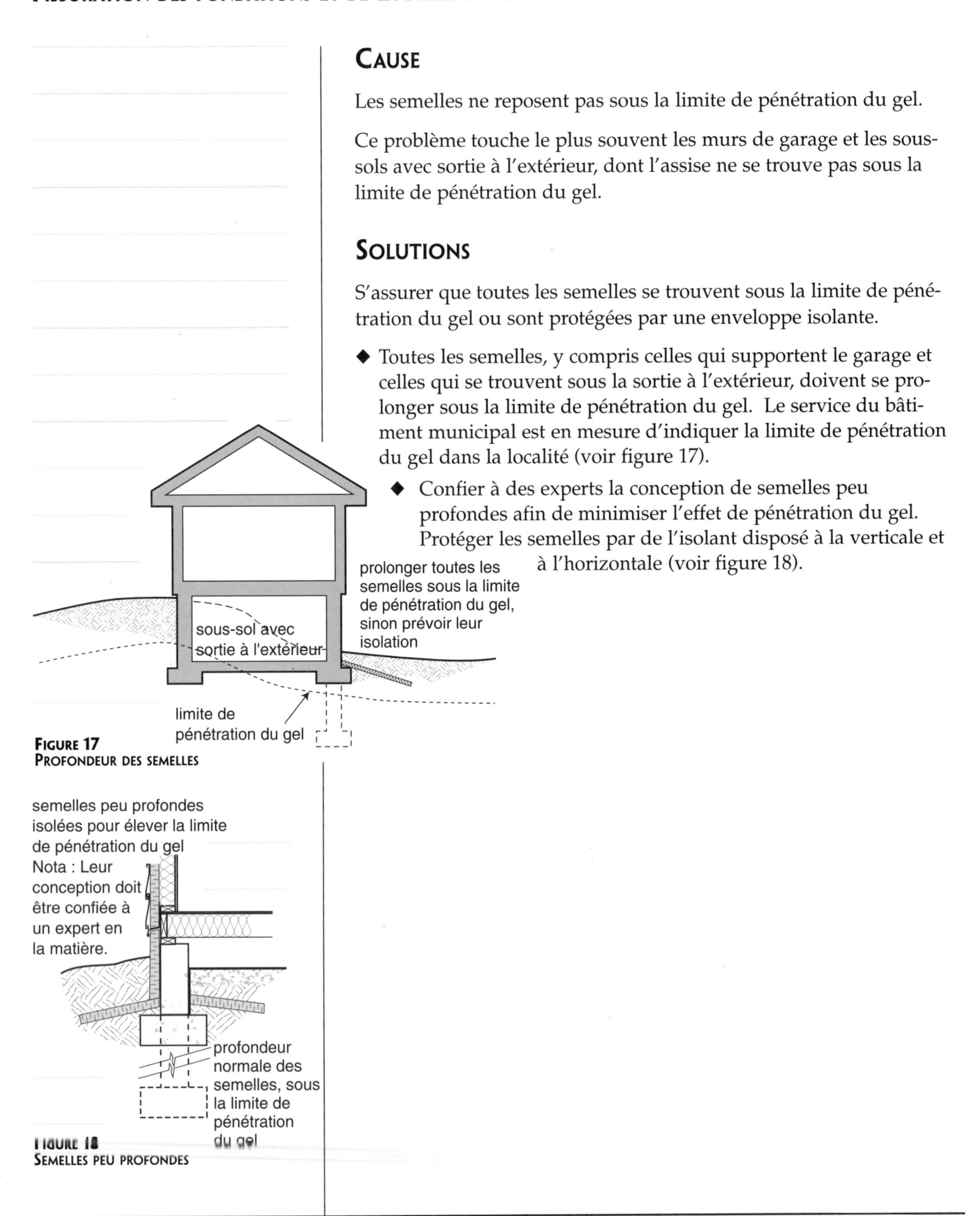

FIGURE 17
PROFONDEUR DES SEMELLES

FIGURE 18
SEMELLES PEU PROFONDES

Cause

Adhérence du sol au mur de fondation provoquée par le gel de l'eau contenue dans le sol et soulèvement des fondations

Ce problème touche généralement les murs de garage ne se prolongeant pas sous la limite de pénétration du gel et ne bénéficiant pas d'une chaleur intérieure suffisamment élevée.

Protéger le mur contre l'eau contenue dans le sol ou minimiser la possibilité que l'eau du sol entre en contact avec le mur de fondation.

- Éloigner des murs de fondation les sols sensibles au gel. Prévoir une coupure de capillarité entre le sol et le mur de fondation. Utiliser du remblai s'égouttant bien, des panneaux isolants de drainage, ou une membrane à lame d'air afin de protéger le mur de fondation contre les sols saturés d'eau (voir figure 19).
- Installer un tuyau de drainage qui éliminera l'eau autour des semelles, ou étendre une couche de drainage granulaire sur le sol ménagé en pente vers un puisard.
- Séparer les fondations du garage et de la maison des éléments au-dessus du niveau du sol en pratiquant des joints de désolidarisation dans le but de prévenir toute contrainte ou anomalie imputable à un mouvement différentiel.

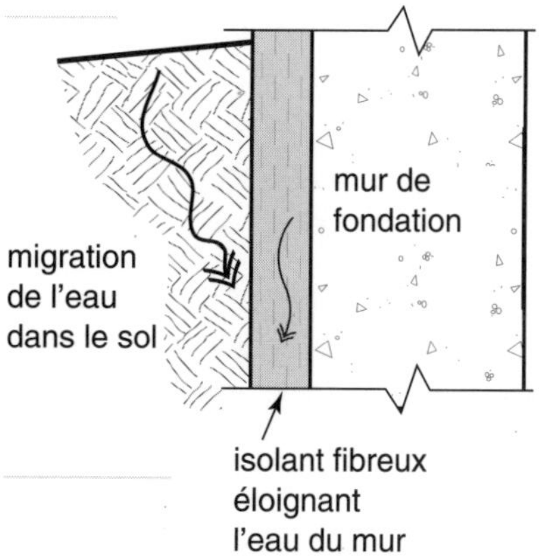

Figure 19
Couche de drainage

PROBLÈME
DÉTÉRIORATION DUE AU SEL

CAUSE

Béton faible et perméable

Après plusieurs années d'exposition au sel de déglaçage, certains bétons se détériorent à vue d'œil. Le sel qui pénètre le béton risque d'entraîner épaufrure et fissuration.

SOLUTIONS

Rechercher du béton de qualité supérieure, résistant au sel.

Comparer les trottoirs de la municipalité et les dalles de garage et les voies d'accès privées pour automobiles permet souvent de constater une importante différence de durabilité : le béton des trottoirs dure beaucoup plus longtemps et affiche un plus bel aspect. L'amélioration du comportement est attribuable à l'usage de béton de résistance supérieure et à de meilleures méthodes de mise en place.

- Utiliser un dosage de béton ayant une plus grande résistance de calcul (30 MPa [4 350 lb/po^2]), une plus grande quantité d'air occlus (5 à 8 %), ou du béton résistant aux sulfates. Veiller à ce que la cure de la dalle se fasse correctement.
- Éviter de trop lisser le béton (surtout à la truelle d'acier) pour ne pas libérer l'air entraîné ni augmenter le rapport eau-ciment à la surface de la dalle. Pour la finition, utiliser plutôt une taloche en bois et une brosse pour en accroître la durabilité.
- Obturer les joints de fissuration et les traits de scie pratiqués dans la dalle de garage à l'aide d'un agent de scellement flexible destiné à empêcher l'infiltration de sel et d'eau imputable aux cycles de gel et de dégel (voir figure 20)
- Laisser la voie d'accès privée pour automobile et la dalle de garage sécher à l'air pendant au moins 30 jours avant de les exposer à des cycles de gel et de dégel.

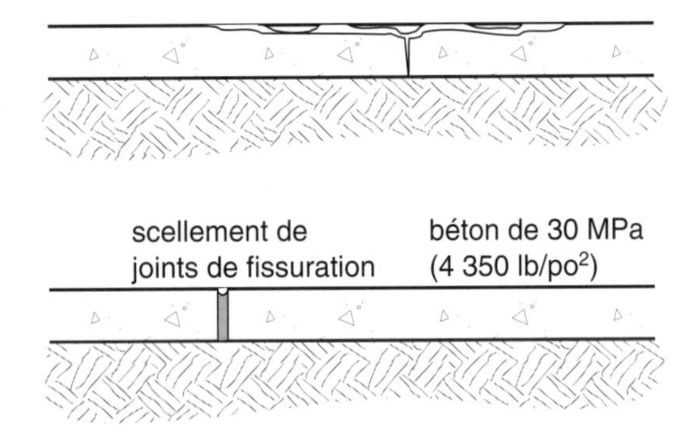

FIGURE 20
DIMINUTION DES DOMMAGES CAUSÉS PAR LE SEL

1.1.2 INFILTRATION D'EAU

PROBLÈME

INFILTRATION D'EAU PAR LES FONDATIONS

CAUSE

Mauvais écoulement des eaux de surface

SOLUTIONS

Diriger à l'opposé des fondations l'écoulement des eaux pluviales.

- Même s'il est couramment précisé d'aménager une pente descendante de 2 p. 100 à partir des murs de fondation, on recommande une pente de 10 p. 100 pour les deux premiers mètres (pente de 8 po sur 6 pi 6 po). Augmenter ainsi la pente éloignera à coup sûr les eaux du bâtiment après que le sol se sera tassé autour des fondations (voir figure 21).
- Placer les descentes au pourtour du bâtiment de manière à éloigner l'eau des murs. Faire usage de déflecteurs pour en favoriser l'écoulement et prévenir l'érosion.
- Sur un terrain en pente, implanter le bâtiment en biais afin d'éviter qu'il s'oppose à l'écoulement naturel des eaux de surface, sinon ménager une pente depuis le centre vers les angles de la maison (voir figure 22). Prévoir des rigoles pour faciliter l'écoulement des eaux.

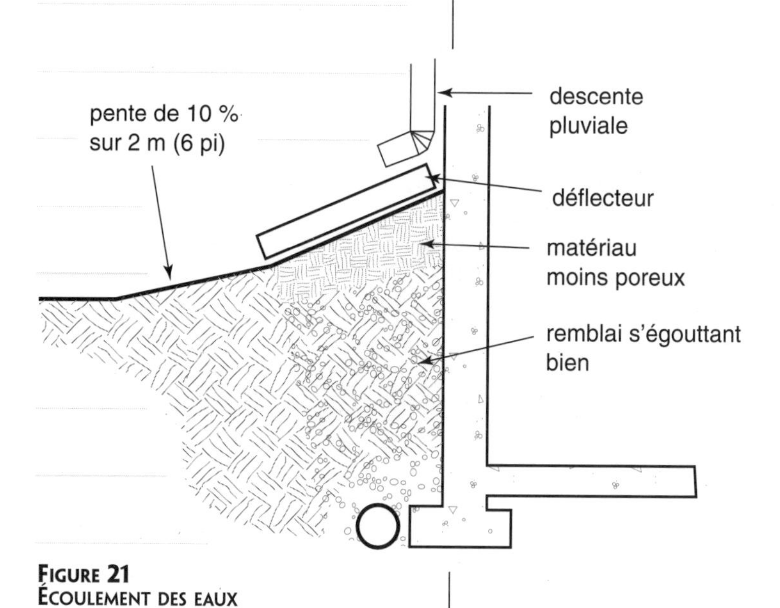

FIGURE 21
ÉCOULEMENT DES EAUX

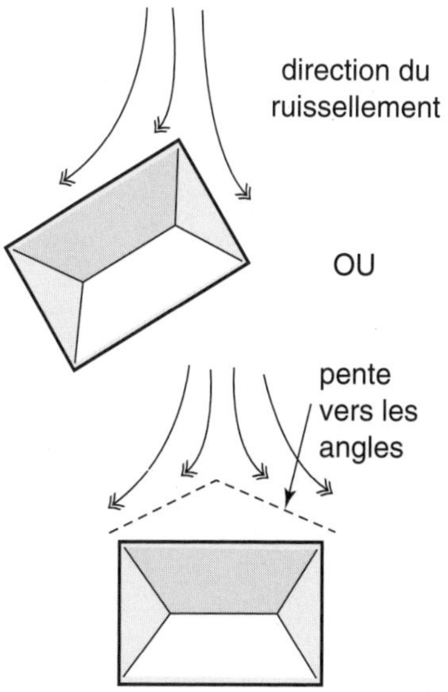

direction du
ruissellement

OU

pente
vers les
angles

FIGURE 22
TERRAINS EN PENTE

PROBLÈME

INFILTRATION D'EAU PAR LES FONDATIONS

CAUSE

Tuyau de drainage mal posé

Le tuyau de drainage n'aura pas la tenue en service escomptée s'il n'a pas l'inclinaison voulue, s'il s'obstrue ou s'il n'éloigne pas l'eau des lieux.

SOLUTIONS

Vérifier la pose appropriée du tuyau de drainage ou prévoir une couche de drainage granulaire.

- Laisser un espace de 35 à 50 mm (1 1/2 po à 2 po) entre le tuyau de drainage et la semelle pour éviter tout risque d'obstruction à cet endroit et accroître la surface de drainage.
- Placer le tuyau de drainage au pied de la semelle sur le sol non remanié ou compacté. Vérifier que le tuyau de drainage en entier se trouve en dessous de la face inférieure de la dalle de sous-sol ou du plancher du vide sanitaire. Recouvrir le tuyau de drainage d'une couche granulaire d'au moins 150 mm (6 po). Pour prévenir toute accumulation de particules fines et de limon dans le tuyau de drainage, couvrir le tuyau proprement dit ou la couche granulaire de géotextile ou de fibre de verre en matelas (voir figure 23).
- Vérifier que l'eau des puits de fenêtre se rende jusqu'au tuyau de drainage, sans toutefois s'accumuler à la jonction de la semelle et des murs de fondation. Prévoir un drain en pierres sèches ou un conduit d'évacuation vertical rempli de gravier ou de matériau granulaire (voir figure 24).
- Étendre une couche de matériau granulaire (propre, ne contenant pas plus de 10 p. 100 de granulats pouvant traverser un tamis de 4 mm [6 po]) jusqu'à une profondeur de 125 mm (5 po) sous le bâtiment, se prolongeant sur au moins 300 mm (12 po) à partir du bord extérieur des semelles. Le fond de l'excavation drainée par un lit de matériau granulaire doit être nivelé de manière que toute la surface soit drainée vers un puisard. Le puisard doit être à au moins 300 mm (12 po) sous le niveau de la dalle de plancher afin d'assurer un bon drainage.

pierre concassée ou gravier grossier

niveau le plus élevé du tuyau de drainage sous la face inférieure de la dalle ou du plancher du vide sanitaire

géotextile

50 mm (2 po)

150 mm (6 po)

FIGURE 23
DÉTAIL DU TUYAU DE DRAINAGE

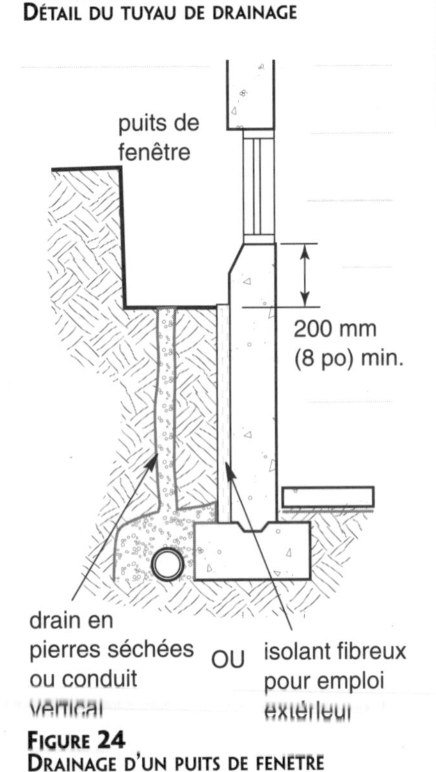

FIGURE 24
DRAINAGE D'UN PUITS DE FENÊTRE

PROBLÈME
INFILTRATION D'EAU PAR LES FONDATIONS

CAUSE

Infiltration par les trous de passage des attaches de coffrage

Lors du décoffrage, les trous de passage des attaches traversant le mur de fondation peuvent permettre à l'eau de pénétrer facilement si le mur n'est pas bien hydrofugé.

SOLUTIONS

Imperméabiliser les trous de passage des attaches de coffrage et les autres endroits réparés avant d'appliquer un matériau de protection contre l'humidité.

- Éviter de créer des vides sous les attaches de coffrage en suivant de bonnes techniques de mise en place et de consolidation.
- Creuser sur au moins 15 mm (5/8 po) et élargir d'autant les trous de passage des attaches et les autres zones réparées (voir figure 25).
- Obturer tous les trous avant d'appliquer le matériau de protection contre l'humidité. Faire usage de coulis à prise rapide, de mortier de ciment Portland gâché très sec ou de mastic conçu pour adhérer au béton frais (voir figure 26).
- Vérifier que les retouches affleurent à la surface du mur de fondation afin de prévenir tout dommage pendant le remblayage.

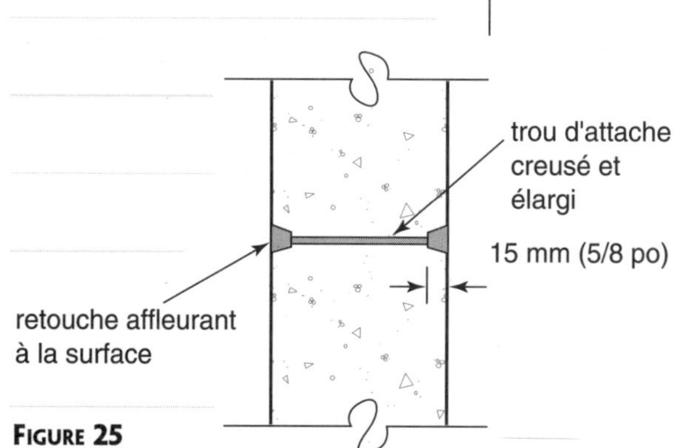

FIGURE 25
OBTURATION DES TROUS DES ATTACHES DE COFFRAGE

Toutes les attaches de coffrage doivent être sectionnées au ras du mur de béton.

Dans la majorité des cas, l'eau qui s'infiltre par les fondations passe par les trous des attaches. Par conséquent, il est aussi recommandé d'enduire de crépi les trous des attaches de coffrage avant d'appliquer le matériau de protection contre l'humidité.

Dans un murs de béton devant être protégé contre l'humidité, les trous et renfoncements dus à l'enlèvement des attaches de coffrage doivent être obturés par du mortier ou un matériau de protection contre l'humidité.

FIGURE 26
OBTURATION DES TROUS DES ATTACHES DE COFFRAGE

PROBLÈME

Condensation sur la paroi intérieure des murs de fondation

Cause

Protection insuffisante contre l'humidité

Au contact de surfaces froides, l'air intérieur humide peut, au printemps et en été, se condenser quelque peu sur les murs de fondation. Par contre, la condensation ou l'humidité excessive au sous-sol résulte souvent du mouvement de l'humidité du sol à travers les murs de fondation et la dalle de plancher. Les constructeurs ne doivent pas confondre protection contre l'humidité et protection contre l'eau. La protection contre l'humidité vise à faire obstacle au mouvement de vapeur d'eau contenue dans le sol et non à prévenir l'infiltration d'eau par les fissures et les trous des murs.

Figure 27
Protection contre l'humidité des murs et de la dalle de fondation

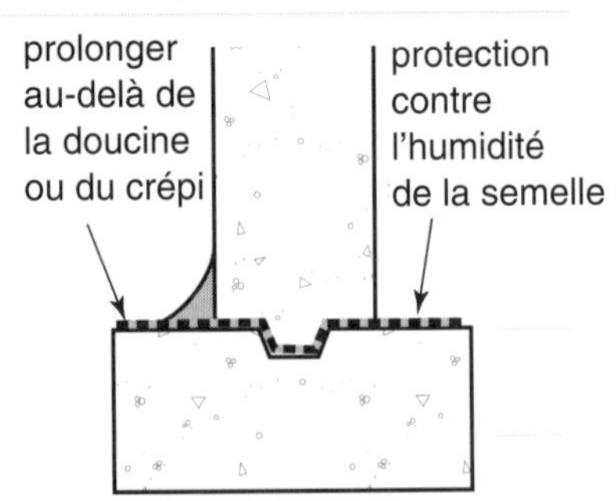

Figure 28
Protection contre la remontée d'eau par capillarité

Solutions

S'assurer que le matériau de protection contre l'humidité a été bien appliqué sur les murs de fondation et sous la dalle de plancher.

- Brosser les murs afin d'enlever la saleté, la poussière, les huiles et les dépôts avant d'appliquer les matériaux de protection contre l'humidité.
- Appliquer par pulvérisation ou au rouleau sur les parois extérieures deux couches de matériau de protection contre l'humidité à angle droit et ce, jusqu'au niveau du sol, tout en les prolongeant jusque sur le dessus des semelles. Attendre que la deuxième couche soit ferme avant de remblayer (voir figure 27).
- Envisager d'utiliser une membrane extérieure qui se substitue efficacement à l'enduit de protection contre l'humidité.
- Empêcher l'humidité de traverser la dalle de plancher en plaçant en-dessous une pellicule de polyéthylène (0,15 mm [0,006 po]) ou un matériau de couverture en rouleau de type S, dont les joints se chevauchent d'au moins 100 mm (4 po).
- Pour prévenir l'ascension capillaire de l'humidité du sol par la semelle jusqu'au mur de fondation, mettre en œuvre un matériau de protection contre l'humidité sur la semelle avant de couler le mur. Veiller à maintenir une adhérence suffisante entre le mur et l'adent de semelle (voir figure 28).

PROBLÈME

HUMIDITÉ ET ODEUR DE MOISI AU SOUS-SOL OU AU VIDE SANITAIRE

CAUSE

Infiltration de vapeur du sol par les fissures de la dalle de plancher ou des murs de fondation

La vapeur aérienne peut se transmettre par les murs de fondation et la dalle de sous-sol. L'air peut cheminer dans les sols poreux ou le remblai granulaire et parvenir à l'intérieur du bâtiment par les fissures des murs et de la dalle, ainsi que par le tuyau de drainage, transportant l'humidité du sol jusque dans l'aire habitable. Le radon et d'autres gaz du sol peuvent également emprunter ces parcours pour s'introduire dans la maison.

SOLUTIONS

S'assurer de l'étanchéité à l'air des fondations, de la dalle et de tous les raccordements.

- Réduire les risques de fissuration de la dalle de plancher et des murs de fondation en suivant des techniques judicieuses de malaxage, de mise en place et de cure.
  - Étancher la jonction de la dalle de plancher et du mur de fondation à l'aide d'un mastic de calfeutrage durable, d'uréthanne à un composant ou de silicone à un composant, ou prolonger le polyéthylène depuis le dessous de la dalle en remontant le mur (voir figure 29).
  - Assurer l'étanchéité à l'air autour de l'avaloir de sol. Installer un dispositif d'amorçage de façon à prévenir l'assèchement du siphon de l'avaloir de sol (voir figure 30).
- Assurer un joint étanche autour du puisard et le munir d'un couvercle bien jointif.

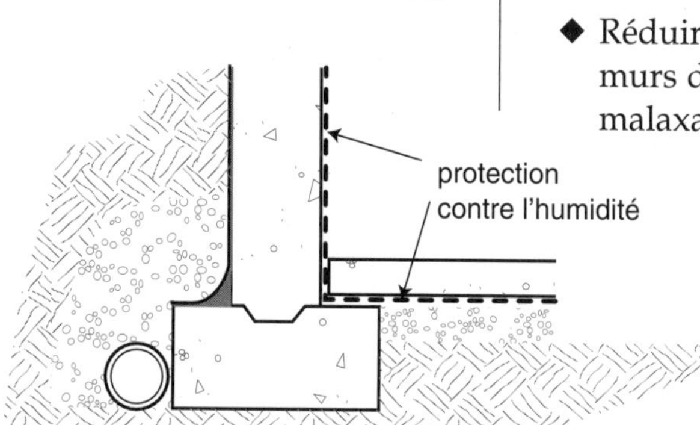

FIGURE 29
PROLONGEMENT DU POLYÉTHYLÈNE DEPUIS LE DESSOUS DE LA DALLE DE PLANCHER

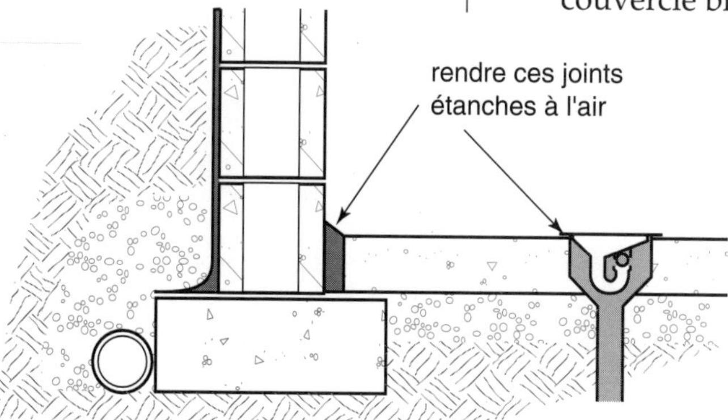

FIGURE 30
SOURCES POSSIBLES D'INFILTRATION D'AIR

Cause

Humidité du vide sanitaire

Le sol exposé constitue une source importante d'humidité dans la maison érigée sur vide sanitaire. Sans protection contre l'humidité et ventilation convenable, le vide sanitaire sera sans doute humide et malsain.

Solutions

Prévoir une membrane hydrofuge et une ventilation convenable.

- Recouvrir le sol du vide sanitaire non chauffé d'une couche de béton de 100 mm (4 po) de 15 MPa (2 175 lb/po^2), de matériau de couverture en rouleau de type S ou de polyéthylène de 0,10 mm (0,004 po). Faire chevaucher d'au moins 100 mm (4 po) les joints des matériaux en feuille et les lester de sable ou d'un autre matériau convenable.
- Assurer la ventilation naturelle du vide sanitaire non chauffé au cours de l'été et de l'automne, par des orifices d'au moins 0,1 m^2 pour 50 m^2 (1 pi^2/500 pi^2) de surface de plancher, également distribués sur les faces opposées du vide sanitaire pour les besoins de ventilation transversale. Grillager les orifices de ventilation de manière à empêcher l'entrée de la neige, de la pluie ou des insectes (voir figure 31).
- Isoler et ventiler le vide sanitaire chauffé adjacent au sous-sol. Recouvrir le sol du vide sanitaire de polyéthylène d'au moins 0,15 mm (0,006 po) conforme à la norme CAN-CGSB-51.34-M, dont les joints se chevauchent sur au moins 300 mm (12 po), et le lester de sable ou le revêtir d'une couche de béton d'au moins 50 mm (2 po) (voir figure 32).

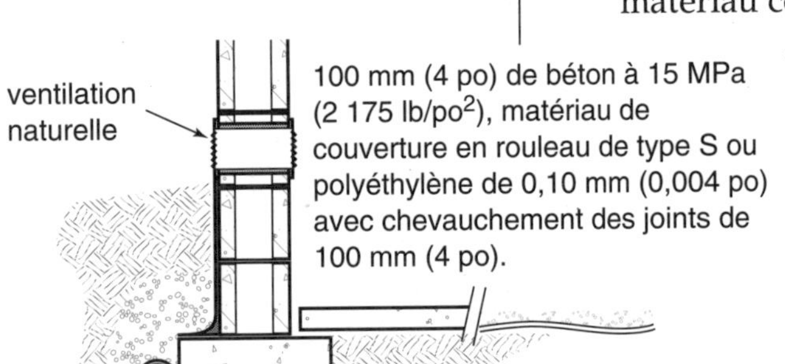

Figure 31
Abaissement de l'humidité du vide sanitaire

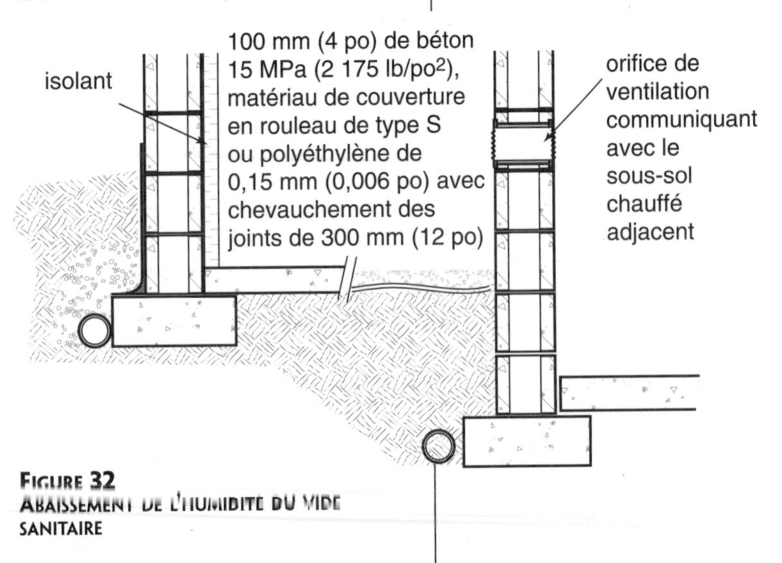

Figure 32
Abaissement de l'humidité du vide sanitaire

PROBLÈME

Paroi intérieure des murs de fondation isolés endommagée par l'humidité

Cause

Infiltration d'air derrière l'isolant

La mise en œuvre d'isolant thermique sur la paroi intérieure des murs de fondation en abaisse la température superficielle. Lorsque l'air humide plus chaud du sous-sol circule sur les murs de fondation, l'humidité de l'air s'y condense, entraînant parfois l'accumulation d'eau ou la formation de taches.

Solutions

Rendre la base et le dessus des murs d'ossature intérieurs étanches à l'air de manière à réduire l'infiltration d'air et la circulation d'air derrière les cavités isolées.

- Mettre en œuvre une membrane hydrofuge ou un matériau de protection contre l'humidité sur la paroi intérieure du mur de fondation afin de préserver de l'humidité du béton les éléments de charpente en bois et l'isolant. Prolonger la membrane hydrofuge à partir de la base du mur de fondation jusqu'au niveau du sol à l'extérieur (voir figure 33). Appliquer au-dessus du niveau du sol une membrane ou un enduit ayant une perméabilité minimale de 170 ng/Pa.s.m^2 (2,95 grains/pi^{2}h [pouce de mercure]).
- Lors de l'exécution de la charpente des murs intérieurs, disposer sur l'arase des fondations une garniture d'étanchéité (plutôt que du polyéthylène ou du papier de construction) avant de fixer la lisse d'assise, sinon sceller les plaques de plâtre au béton à la base du mur fini.
- Mettre en œuvre un pare-air efficace en polyéthylène (0,15 mm [0,006 po]) ou en plaques de plâtre étanches à l'air. Rendre bien étanches à l'air toutes les ouvertures pratiquées dans le pare-air (point d'entrée des services, prises électriques, conduit d'évacuation du générateur de chaleur, conduit d'extraction du système de ventilation et prise d'air, etc.).

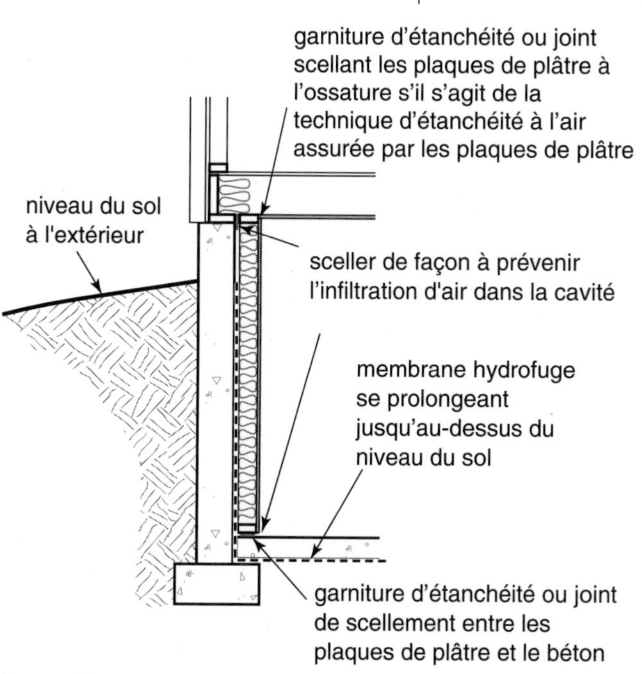

Figure 33
Protection de la charpente en bois et de l'isolant

PROBLÈME

FLUAGE ET DÉPLACEMENT DE L'ISOLANT EXTÉRIEUR DES FONDATIONS AU-DESSUS DU NIVEAU DU SOL

CAUSE

Adhérence due au gel

L'isolant mal mis en œuvre peut se déplacer sous l'effet des pressions du sol. L'adhérence due au gel peut faire remonter l'isolant extérieur, et le tassement du sol peut le rabaisser par rapport aux éléments du parement au-dessus du niveau du sol.

SOLUTIONS

Empêcher le déplacement causé par l'adhérence due au gel.

- Minimiser la teneur en humidité du sol environnant en faisant usage de remblai ou de matériaux isolants s'asséchant bien. Lorsque la teneur en humidité du sol adjacent à l'isolant est faible, la stratification particulaire ou l'adhérence risque peu de se produire.
- Vérifier que les matériaux isolants sont bien fixés aux fondations et épaulés en partie supérieure afin de restreindre le déplacement vers le haut. De préférence, fixer l'isolant mécaniquement plutôt que par des pastilles de mastic (voir figure 34).

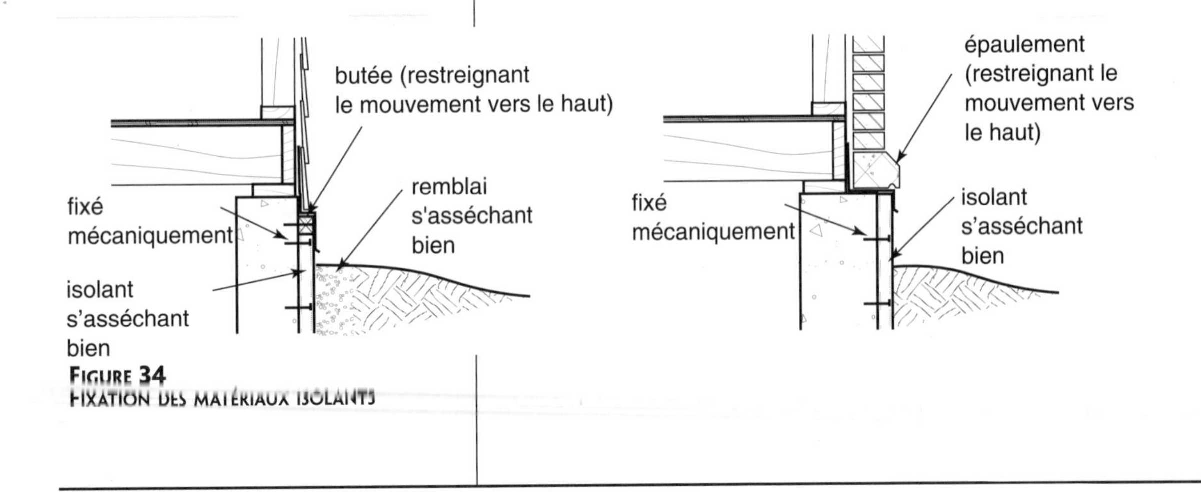

FIGURE 34
FIXATION DES MATÉRIAUX ISOLANTS

Cause

Tassement du sol autour des fondations

À mesure qu'il subit un tassement, le sol risque de tirer vers le bas du mur l'isolant rigide extérieur qui n'aurait pas été mis en œuvre comme il se doit.

Solutions

Minimiser le tassement du sol.

- S'assurer d'éloigner du bâtiment les eaux de ruissellement en aménageant une pente appropriée, en prévoyant un déflecteur sous les descentes pluviales ou une couche supérieure d'argile en pente.
- Bien compacter le remblai/remblai granulaire autour des fondations.

Suivre les techniques de mise en place tout indiquées.

- S'assurer que l'isolant extérieur repose directement sur la semelle afin de minimiser le glissement. En cas de recours à des matériaux isolants s'asséchant bien, faire en sorte que l'eau puisse se rendre directement au tuyau de drainage (voir figure 35).
- Fixer mécaniquement l'isolant extérieur au mur de fondation.

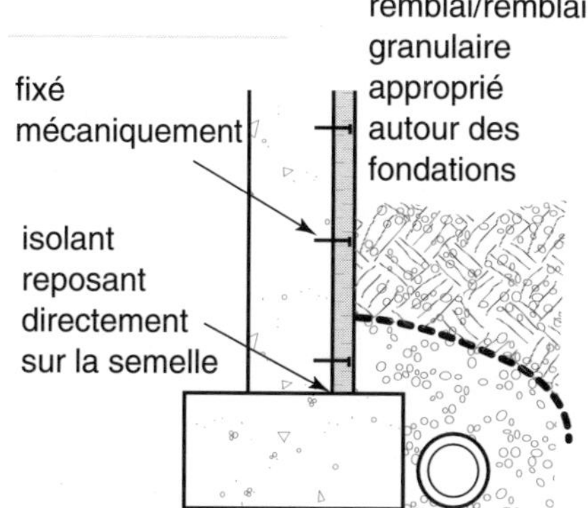

Figure 35
Isolant extérieur de fondation

Section 1.2 Dalles sur le sol

INTRODUCTION

Les maisons avec dalle sur le sol ne sont pas très répandues au Canada, principalement à cause que les gens recherchent un sous-sol et que les constructeurs estiment que la limite de pénétration du gel (et par conséquent la profondeur requise des semelles) dans la plupart des régions du Canada justifie la construction de sous-sols pleine hauteur.

Dans un premier temps, ces perceptions changent progressivement à mesure que s'accroît la demande d'habitations sans obstacle à l'intention des personnes handicapées ou des personnes âgées. Pour bon nombre de ces personnes, le sous-sol ne constitue pas nécessairement une caractéristique souhaitable.

Dans un deuxième temps, l'industrie de la construction reconnaît de plus en plus que la dalle sur le sol, outre son aspect économique, convient à la plupart des régions du pays, qu'elle soit employée avec des murs de fondation peu profonds protégés contre le gel ou par un épaississement de la rive de la dalle. La dalle flottante jouant un rôle structural constitue également une solution de rechange viable en présence de sols instables.

La dalle sur le sol supportant des charges du bâtiment doit être conçue conformément à la partie 4 du CNB.

1.2.1 DÉTÉRIORATION ET DOMMAGES D'ORDRE STRUCTURAL

PROBLÈME

FISSURATION DE LA DALLE

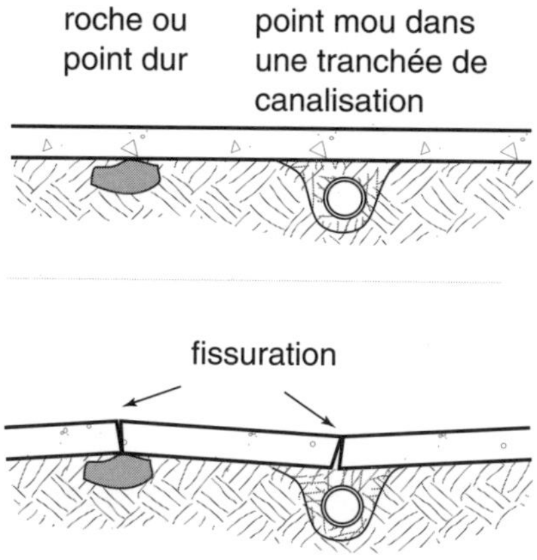

CAUSE

Tassement différentiel ou inégal

Le tassement différentiel ou inégal est provoqué par l'instabilité de la structure du sol. Lorsqu'elle soutient des charges, la dalle tend à combler lès points faibles (comme dans les tranchées de canalisations souterraines où le sol n'a pas été bien compacté) et à reposer sur les points durs (comme les roches ou le sol plus dense). Le tassement différentiel donne souvent lieu à la fissuration (voir figure 36).

SOLUTIONS

S'assurer que le sous-sol a une fermeté, un niveau et une humidité parfaitement uniformes.

- Enlever toute la terre végétale et la matière organique afin d'exposer le sol naturel. La résistance du sol est fonction de sa compacité et de sa teneur en eau.
- Prolonger les limites de la zone compactée de 1,5 à 3,0 m (5 à 10 pi) au-delà du périmètre de la dalle (voir figure 37). Compacter la zone autour de la dalle sur le sol et lui donner une pente de façon à éloigner l'eau de la dalle.
- Utiliser autour des tranchées de canalisation du sol de remblayage semblable au sol qui entoure la tranchée et le compacter par couches successives afin de reproduire la compacité et les conditions d'humidité du sol avoisinant.
- Après le compactage du sol, mettre en place un remblai granulaire et en compacter toute la zone. Faire reposer la dalle sur un remblai d'au moins 100 mm (4 po), composé de granulats grossiers propres (voir figure 38).

roche ou point dur

point mou dans une tranchée de canalisation

fissuration

FIGURE 36
TASSEMENT INÉGAL

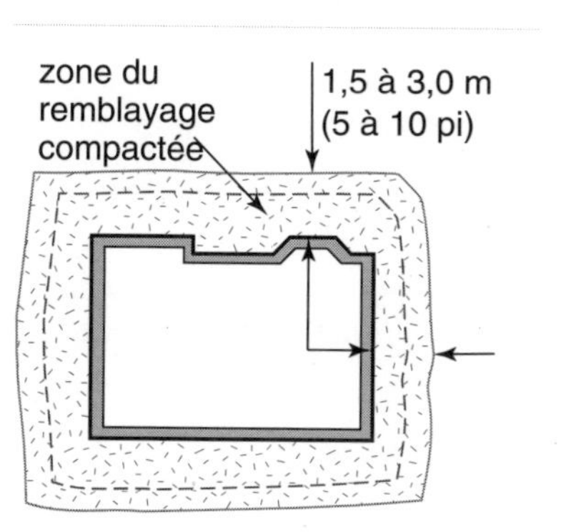

FIGURE 37
COMPACTAGE DU SOL

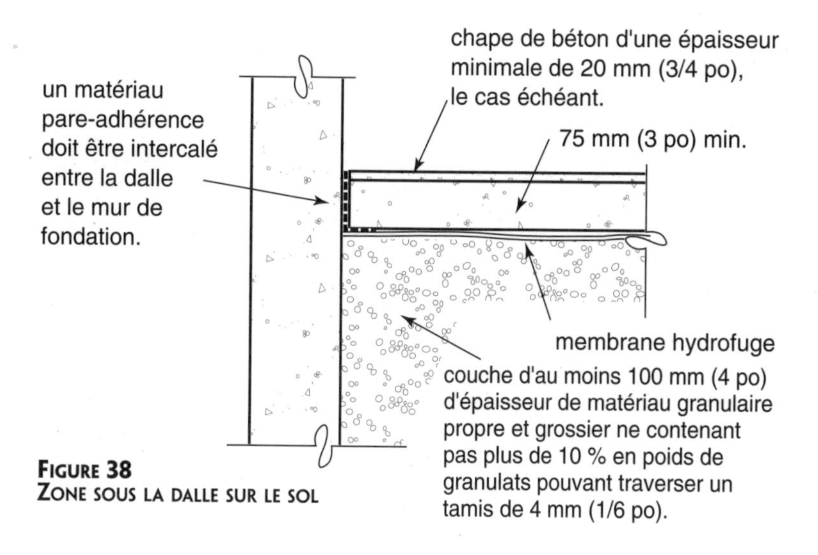

FIGURE 38
ZONE SOUS LA DALLE SUR LE SOL

PROBLÈME
FISSURATION DE LA DALLE

CAUSE

Voilement de la dalle

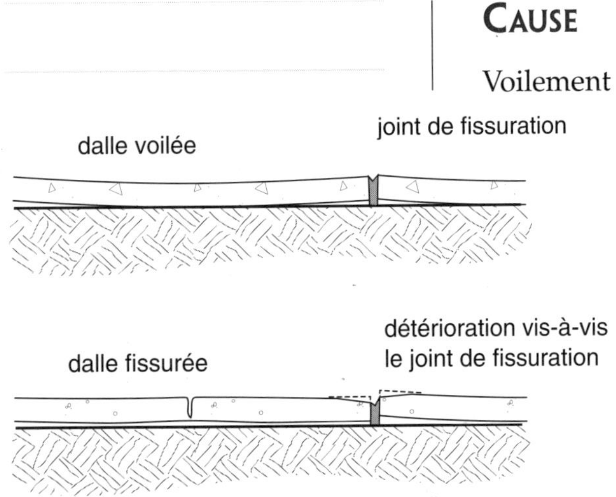

FIGURE 39
VOILEMENT DE LA DALLE

En séchant, le nouveau béton rétrécit dans tous les sens. Dans le cas des dalles en béton sur le sol, la face supérieure est plus susceptible de rétrécir et de sécher plus rapidement que la face inférieure. Les contraintes de traction auxquelles est soumis le dessus de la dalle et les charges agissant aux angles non soutenus risquent d'entraîner la fissuration du béton. Bien que la plupart du temps l'effet passe inaperçu, elles peuvent, dans des cas extrêmes, donner lieu à des gonflements, de l'épaufrure et des fissures (voir figure 39).

SOLUTIONS

Minimiser le retrait du béton.

- Une dalle épaisse se voilera moins qu'une dalle mince.
- Prévoir des joints de fissuration aux endroits, comme aux points de pénétration, où il est probable qu'il se formera des fissures.

CAUSE

Résistance structurale insuffisante de la dalle

Il se produit des fissures lorsque la résistance structurale de la dalle ne lui permet pas de soutenir les charges transmises. La *Portland Cement Association* recommande de pratiquer des joints de fissuration à intervalle de 5 à 7 m (15 à 25 pi) dans les deux sens.

SOLUTIONS

Vérifier que la dalle est bien conçue.

- La section 9.16 du CNB énonce les exigences d'une dalle sur le sol ne servant pas de support structural. Par contre, lorsque la dalle doit participer à la structure du bâtiment, les exigences de la partie 4 du CNB («Règles de calcul») s'appliquent; c'est donc dire que le calcul de la dalle exige l'intervention d'un architecte ou un ingérieur de structure spécialiste en la matière.
- Le béton de la dalle sur le sol doit avoir une résistance minimale de 30 MPa (4 350 lb/po^2).

PROBLÈME
FISSURATION DE LA DALLE

-10°C
20°C
-8°C
-6°C
-4°C
0°C
+2°C

-10°C
20°C
-8°C
-6°C
-4°C
-2°C
0°C
+2°C
+4°C

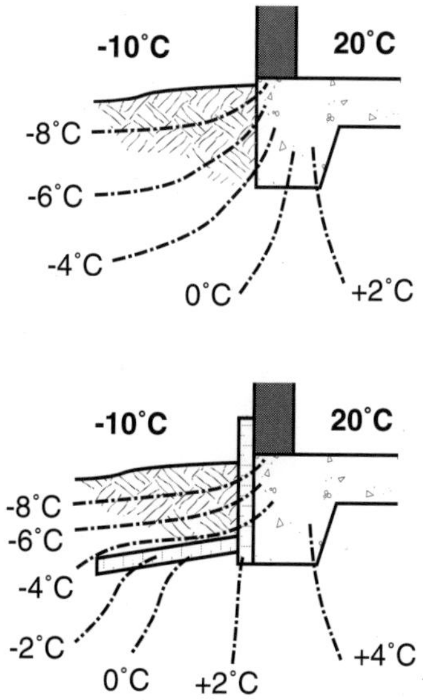

FIGURE 40
EFFETS DE LA CEINTURE ISOLANTE

CAUSE

Soulèvement dû au gel

Le soulèvement dû au gel se produit lorsque l'eau du sol gèle, se dilate et exerce des pressions verticales et horizontales sur la dalle. En général, il se manifeste au périmètre de la dalle où la pénétration du gel est plus importante. Le soulèvement peut entraîner des défauts et des dommages structuraux à la dalle et à la structure supportée.

SOLUTIONS

Prévenir le gel du sol sous la dalle.

- Ne jamais couler de béton sur le sol gelé, car, vu son état instable, il pourrait se tasser inégalement et de ce fait exercer des contraintes sur la dalle et la faire fissurer.
- Maintenir secs les matériaux qui entrent en contact avec la dalle.
- Chauffer l'intérieur de la maison pendant la construction afin de prévenir le gel du sol sous la dalle.
- Isoler le périmètre des fondations. Les effets de la ceinture isolante sur le profil des isothermes du sol autour de la dalle sont illustrés à la figure 40.
- Dans la plupart des régions du Canada, disposer la quantité tout indiquée d'isolant rigide verticalement et horizontalement au périmètre de la dalle permet de conserver les températures du sol au-dessus du point de congélation. L'isolation des angles de la dalle doit se prolonger plus loin afin de tenir compte des transferts plus élevés de chaleur. Le tableau 1 indique la quantité et la profondeur d'isolant requises dans différentes zones climatiques. Les quantités et les emplacements précis nécessiteront sans doute des études techniques. Le tableau précité présume l'utilisation d'isolant de mousse plastique résistant à l'humidité, comme le polystyrène extrudé.
- Veiller à protéger l'isolant périmétrique qui se prolonge au-delà de la dalle au-dessus du niveau du sol à l'aide de crépi, d'un solin ou d'un autre matériau rigide (métal ou contreplaqué traité sous pression).

Climat	Murs	Angles
Hivers doux (côte de C.-B., sud de l'Ontario)	50 mm (2 po) se prolongeant vers l'extérieur de 250 mm (10 po)	50 mm (2 po) se prolongeant vers l'extérieur de 500 mm (20 po) pour 1,0 m (40 po)
Hivers modérés (Ontario, Québec, provinces de l'Atlantique)	50 mm (2 po) se prolongeant vers l'extérieur de 500 mm (20 po)	75 mm (3 po) se prolongeant vers l'extérieur de 750 mm (30 po) pour 1,5 m (60 po)
Hivers rigoureux (Prairies)	50 mm (2 po) se prolongeant vers l'extérieur de 750 mm (30 po)	75 mm (3 po) se prolongeant vers l'extérieur de 1,0 m (40 po) pour 1,5 m (60 po)

Tableau 1
Quantités d'isolant périmétrique horizontal proposées pour des fondations peu profondes

1.2.2 INFILTRATION D'EAU

PROBLÈME

DALLE DE PLANCHER HUMIDE OU MOUILLÉE

CAUSE

Migration ascendante de l'humidité par la dalle

SOLUTIONS

Prévoir une coupure de capillarité et une résistance appropriée à la diffusion de l'humidité.

- S'assurer d'éloigner l'eau de la dalle.
- Prévoir une assise d'au moins 100 mm (4 po) de granulats grossiers et propres, qui contribuera à empêcher l'eau de remonter par capillarité et permettra de dépressuriser la zone sous la dalle en vue d'extraire les gaz du sol là où ils pourraient poser un problème.
- Prévoir une membrane hydrofuge sous la dalle de plancher pour empêcher l'humidité de remontrer par la dalle. En général, le polyéthylène (0,15 mm [0,006 po) s'utilise à cette fin.

1.2.3 ISOLATION

PROBLÈME

PLANCHER FROID

CAUSE

Déperdition calorifique depuis la dalle

Pour maintenir une température appropriée du sol sous la dalle, un mouvement de chaleur à travers la dalle est nécessaire. Augmenter la quantité d'isolant périmétrique élève la température du sol sous la dalle, réduisant ainsi la déperdition de chaleur. Attention : un léger écart entre la température de la dalle et celle du corps humain est perceptible; donc, plus on réduira l'écart, mieux ce sera.

SOLUTIONS

Minimiser le contact direct avec la dalle, ou chauffer la dalle.

- Mettre en œuvre de la moquette ou du tapis ou encore un faux plancher pour réduire le contact avec la surface froide de la dalle (voir figure 41).
- Prévoir le chauffage de la dalle par rayonnement. Cette technique améliore certes le confort, mais les déperditions de chaleur plus élevées vers le sol environnant feront augmenter les coûts de chauffage. En général, dans un mode de chauffage par rayonnement, de l'eau chaude circule dans des tuyaux de polybutylène de 12 à 19 mm (1/2 à 3/4 po) espacés de 300 à 450 mm (12 à 18 po) sous la dalle ou encastrés dans la dalle (voir figure 42).

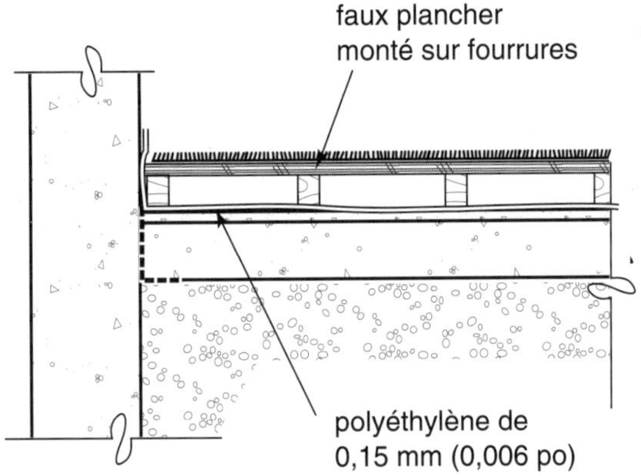

FIGURE 41
FAUX PLANCHER

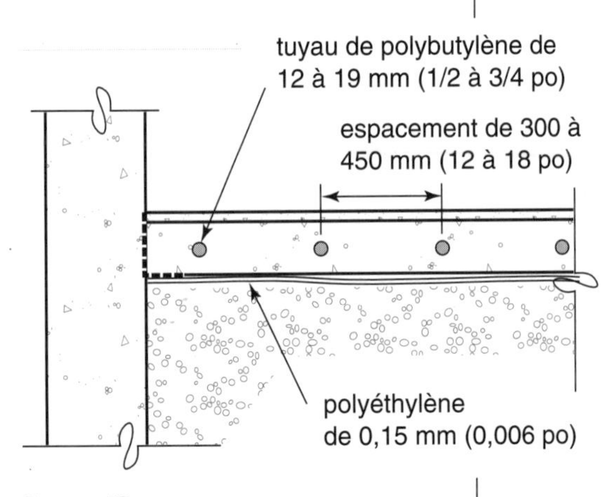

FIGURE 42
CHAUFFAGE PAR RAYONNEMENT
DE LA DALLE SUR LE SOL

Section 1.3 Fondations en bois traité

INTRODUCTION

Les fondations en bois traité (FBT)ont gagné en popularité partout au Canada, puisqu'elles offrent dans bien des zones du marché une solution de rechange intéressante aux fondations de maçonnerie et de béton. Ces fondations s'utilisent en construction de maisons depuis le début des années 1960, mais leur adoption à grande échelle est plus récente, datant du milieu des années 1970. Vers le milieu des années 1990, plus de 100 000 fondations en bois traité avaient été construites dans l'ensemble du pays.

Des essais sur pieux enfouis, des essais de vieillissement accéléré et des inspections de fondations d'essai permettent de conférer aux fondations en bois traité une durée utile de 75 ans.

Les constructeurs de sous-sols FBT revendiquent souvent les avantages suivants :

- Les sous-sols peuvent s'isoler et se finir facilement sans charpente ni fourrures supplémentaires.
- En général, ils autorisent des valeurs élevées de résistance thermique, d'où l'amélioration de l'efficacité énergétique et du confort.
- Grâce à leur adaptabilité aux conditions hivernales et au temps humide, leur utilisation réduit les délais de construction.
- Ils permettent de mieux coordonner et de mieux ordonnancer les corps de métier.
- Dans les endroits où le béton de centrale ne s'obtient pas facilement, les fondations en bois traité constituent une technique préférable au malaxage du béton à la main.
- Des pans de fondations en bois traité peuvent être préfabriqués, puis transportés sur place pour installation rapide.

De même, certaines contraintes visent les FBT :

- Ces fondations requièrent une supervision plus rigoureuse des travaux de conception et d'exécution pour garantir une résistance structurale et une durabilité suffisantes.

- La construction de FBT exige une conception technique et l'attestation que les conditions suivantes établies dans la norme CAN/CSA 3-S406-M92 sont dépassées :
  - capacité portante minimale du sol : 75 MPa (1 600 lb/pi^2);
  - pression maximale du sol : 4,7 kPa (100 lb/pi^2);
  - charge maximale de neige au sol : 3 kPa (65 lb/pi^2);
  - portée libre maximale : 5 m (16 pi 8 po).

  (Note : Certaines autorités locales peuvent exiger l'intervention d'un ingénieur pour toute fondation en bois traité.)
- Leur défaillance en sol difficile à cause d'un calcul ou d'une construction fautive entraîne des réparations coûteuses.

L'Association canadienne de normalisation et le Conseil canadien du bois fournissent des tables de calcul et des détails d'exécution détaillés des FBT. Les fondations en bois traité des maisons doivent être conformes à la norme CAN/CSA 3-S406.

1.3.1 DÉTÉRIORATION ET DOMMAGES D'ORDRE STRUCTURAL

PROBLÈME

PRESSIONS AGISSANT SUR LES FONDATIONS

CAUSE

Sols difficiles

Deux facteurs influent sur les pressions du sol s'exerçant sur les murs de fondation : le type de sol et la pression hydrostatique. On peut, dans la plupart des cas, contrer cette dernière en adoptant de judicieux principes de drainage.

SOLUTIONS

- Le CNB requiert que les fondations en bois traité construites conformément à la partie 9 reposent sur des sols d'une capacité portante d'au moins 75 kPa (1 500 lb/pi^2).
- En cas de sol difficile, faire effectuer l'analyse de sol afin d'établir sa perméabilité et la profondeur de la nappe phréatique.
- S'il s'agit d'argile gonflante, remblayer de matériau poreux jusqu'à 300 mm (12 po) du niveau du sol et sur une distance de 900 mm (3 pi) du mur (voir figure 43). Il se peut que certaines pressions soient transmises au mur par le remblai après sa consolidation. Par mesure de précaution supplémentaire, mettre en œuvre de l'isolant extérieur compressible.
- Remblayer les sols limoneux et susceptibles au gel à l'aide de matériau granulaire pour empêcher que les eaux de ruissellement s'accumulent dans le remblai, gèlent par la suite et exercent des pressions sur les murs de fondation.
    - Remplacer les sols s'asséchant mal et dont la perméabilité verticale est de moins de 0,001 cm/s (0,002 pi/min), comme les sables limoneux ou fins, par un remblai granulaire, et envisager d'utiliser un géotextile pour parer à l'accumulation de limon dans le remblai.

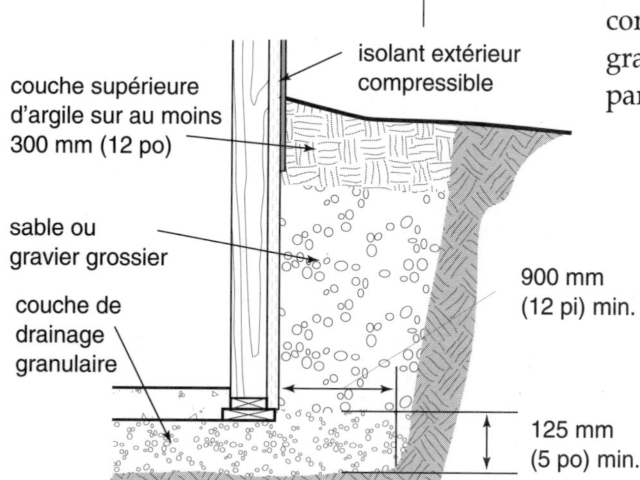

FIGURE 43
REMBLAYAGE EN SOLS DIFFICILES

◆ Éviter de construire des fondations en bois traité là où la nappe phréatique est peu profonde. Établir la partie supérieure de la couche de drainage granulaire à au moins 750 mm (2 pi 6 po) au-dessus de la nappe phréatique type.

◆ Lorsqu'il y a un risque d'accumulation de pression hydrostatique (pendant les pluies abondantes par exemple), prévoir une couche de drainage plus profonde que la couche requise de 125 mm (5 po).

◆ À l'aide des tables de calcul de la CSA, calculer la largeur correcte de la semelle en fonction du nombre d'étages, du type de plancher de sous-sol et du type de revêtement extérieur de finition. En général, la semelle a une largeur supérieure d'une dimension par rapport à la lisse des murs.

◆ Décaler les joints de la semelle par rapport à ceux de la lisse des murs.

◆ Prévoir une ossature d'appui supplémentaire pour les semelles en gradins (voir figure 44).

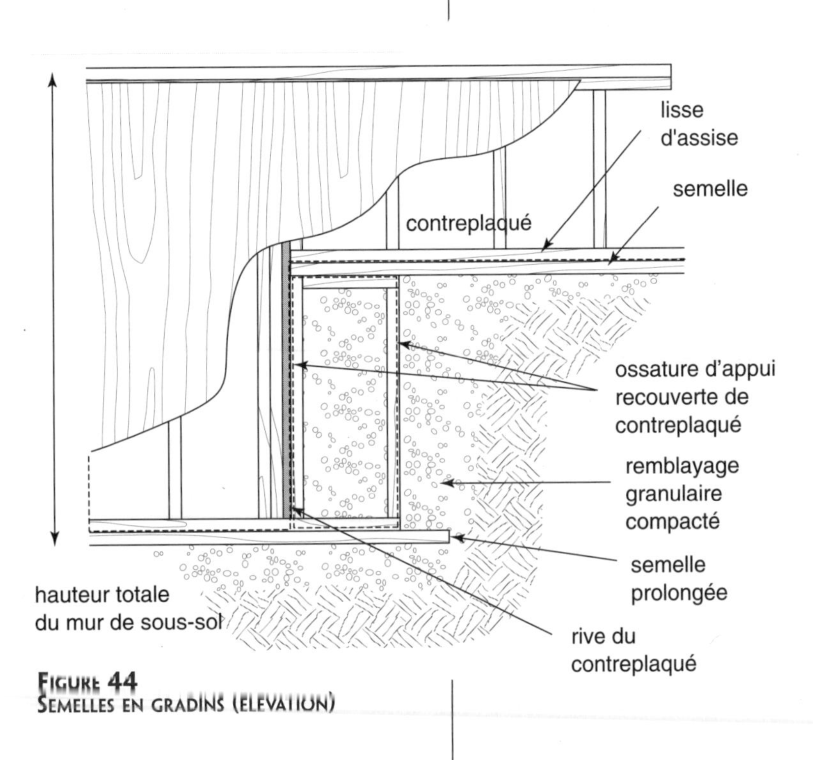

FIGURE 44
SEMELLES EN GRADINS (ÉLÉVATION)

PROBLÈME
TASSEMENT DIFFÉRENTIEL

CAUSE

Appui insuffisant pour les poteaux

SOLUTIONS

- Pour les poteaux intérieurs, disposer une plaque d'appui en acier sur une semelle constituée de deux rangées d'éléments de FBT placés sur chant sur le sol non remanié ou sur un lit de sable de nivellement (voir figure 45). Déterminer les dimensions correctes à partir des tables de calcul approuvées par la CSA, en fonction du nombre d'étages, de la portée des poutres et de la largeur du bâtiment.
- Clouer les semelles de poteau suffisamment afin d'empêcher leur disjonction au moment de les mettre en place au fond de l'excavation.
- Prendre garde de fendre les éléments des semelles de poteau composées. Prévoir une seule rangée de clous et éviter d'enfoncer les clous à moins de 100 mm (4 po) des extrémités.
- Supporter les poutres à encastrer à l'aide d'éléments de FBT et prévoir des appuis supplémentaires sous la semelle (voir figure 46).

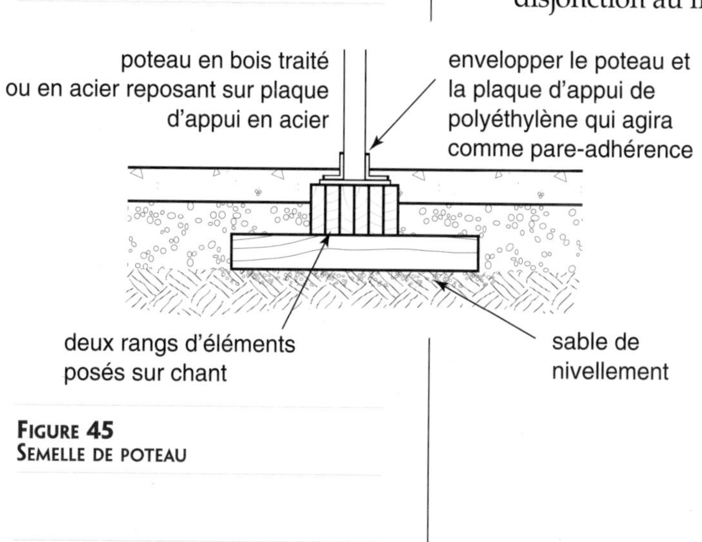

FIGURE 45
SEMELLE DE POTEAU

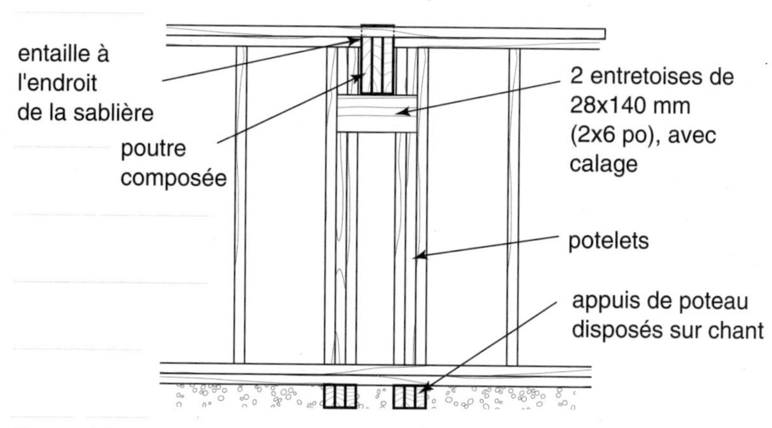

FIGURE 46
LOGEMENT DE LA POUTRE

PROBLÈME

TASSEMENT DIFFÉRENTIEL

CAUSE

Appui insuffisant pour le parement de maçonnerie

SOLUTIONS

- Pour soutenir le parement de maçonnerie, prévoir un mur de fondation suffisamment large, ou construire un mur nain en éléments de 38 x 89 mm (2 x 4 po) qui sera ensuite cloué en biais aligné sur le mur principal, mais à l'extérieur du revêtement d'ossature et du pare-vapeur (voir figure 47).
- Surmonter de sablières jumelées traitées le mur nain devant soutenir le placage de brique.
- Pour les murs nains, relier les semelles composites par du contreplaqué de FBT. Prolonger le revêtement d'ossature du mur nain à au moins 300 mm (12 po) sous le niveau du sol. Remblayer, au besoin, l'espace entre les poteaux d'ossature situés en dessous.
- Limiter le placage de brique à au plus deux étages. La norme CSA autorise une hauteur maximale de 5,5 m (18 pi) pour le placage de brique.

***Nota** : Certaines autorités locales peuvent ne pas autoriser les supports de placage de maçonnerie en bois.*

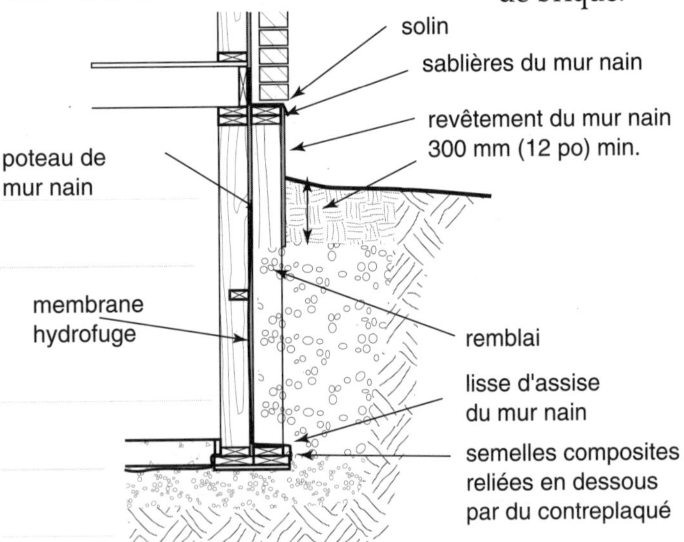

FIGURE 47
PLACAGE DE MAÇONNERIE SUR MUR NAIN

PROBLÈME

DÉFORMATION SOUS L'EFFET DE LA PRESSION DU SOL

CAUSE

Matériaux et assemblages qui manquent de résistance

Les murs de fondation doivent pouvoir résister aux charges permanentes appliquées par le sol, par une pression hydrostatique occasionnelle, par les fluctuations de la nappe phréatique et par la maison. Les fondations en bois traité exigent un appui latéral additionnel tant à la base qu'en partie supérieure des murs de fondation pour être en mesure de résister à ces pressions (voir figure 48).

SOLUTIONS

- ◆ À l'aide des tables de calcul de la CSA, déterminer les dimensions appropriées des poteaux et des espacements en fonction de charges verticales, du type de plancher du sous-sol et de la hauteur du remblai. Au Canada, des pièces de 38 x 140 mm (2 x 6 po) et de 38 x 184 mm (2 x 8 po) sont utilisées pour la plupart des applications.
- ◆ Calculer l'épaisseur appropriée du contreplaqué à partir des tables de la CSA en tenant compte de l'espacement des poteaux, de la hauteur du remblai et de l'alignement du contreplaqué. Des feuilles de 12,5 mm et de 15,5mm (1/2 po et 5/8 po) d'épaisseur sont utilisées pour la plupart des applications canadiennes.
- ◆ Pour renforcer la structure davantage, appliquer le contreplaqué de telle sorte que le fil du bois des faces soit perpendiculaire aux poteaux. Si le contreplaqué est appliqué en parallèle, les tables de calcul de la CSA pourraient exiger des feuilles plus épaisses.
- ◆ Ajouter des cales pour les joints horizontaux du contreplaqué (voir figure 49).
- ◆ Ne pas découper les cales ou les poteaux pour faciliter le passage des conduits ou des tuyaux.
- ◆ Éviter l'emploi de poteaux comportant de gros nœuds de rive. Il est préférable de garder ces pièces pour en faire des cales. Si l'on ne peut faire autrement, il faut placer les poteaux de façon que les nœuds de rive soient face au contreplaqué.

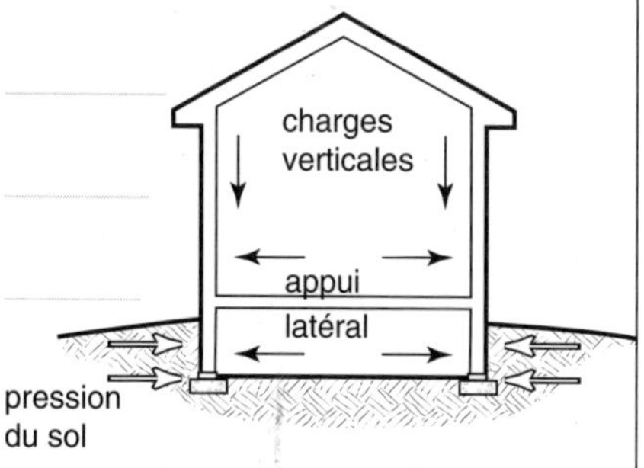

FIGURE 48
APPUI LATÉRAL

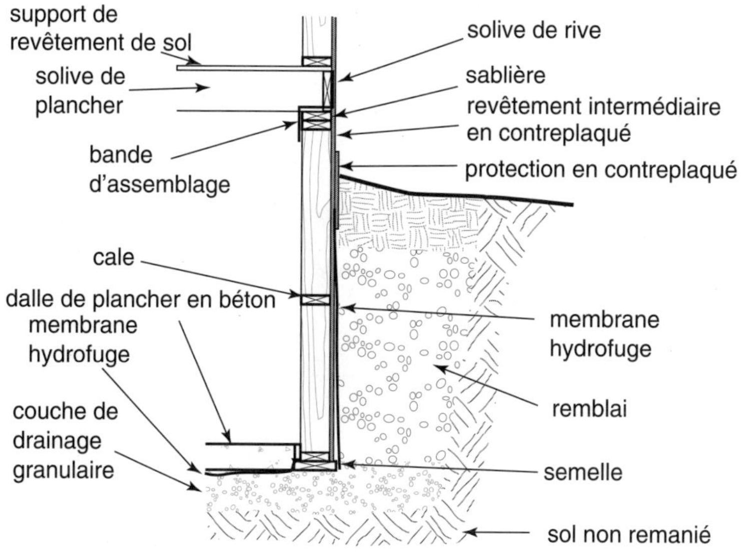

Il est préférable d'utiliser des clous plutôt que des agrafes pour obtenir une bonne résistance à la déformation. Si l'on utilise des agrafes, il faudra prévoir un espacement plus serré

FIGURE 49
COUPE DE MUR TYPE

PROBLÈME

DÉFORMATION SOUS L'EFFET DE LA PRESSION AU SOL

CAUSE

Appui latéral insuffisant à la base du mur

SOLUTIONS

Recourir à l'une ou l'autre des options acceptables suivantes : une dalle de plancher en béton, un plancher sur lambourdes de bois ou un plancher surélevé en bois.

- Pour une dalle de plancher en béton, s'assurer qu'il y a au moins 25 mm (1 po) de béton qui s'appuie contre les poteaux du mur. Couler le béton contre le repère en bois pour FBT (voir figure 50).
- Pour un plancher sur lambourdes de bois, clouer les solives en biais vis-à-vis des poteaux d'ossature, doubler les solives parallèles au mur si le remblai a plus de 1,5 m (5 pi) et clouer le support de revêtement de sol selon les exigences de la CSA. De préférence, fixer des cales entre les solives de plancher au-dessus de chacune des lambourdes (voir figure 51a).
- Pour un plancher surélevé, aligner les solives sur les poteaux des murs et les clouer en biais à une lambourde continue, doubler les solives parallèles au mur, prévoir des cales en échelle là où le remblai a plus de 2 m (6 pi 6 po) et clouer le support de revêtement de sol selon les exigences de la CSA (voir figure 51b).
- Lorsque les solives de plancher du sous-sol ne sont pas continues, éviter les joints à chevauchement, mais plutôt les abouter et les assujettir par des éclisses galvanisées.

repère de
19 x 64 mm (1 x 3 po)
clous saillants à 400 mm
(16 po) entre axes
dalle du plancher
en béton
membrane
hydrofuge
25 mm (1 po)

FIGURE 50
DALLE DE PLANCHER EN BÉTON

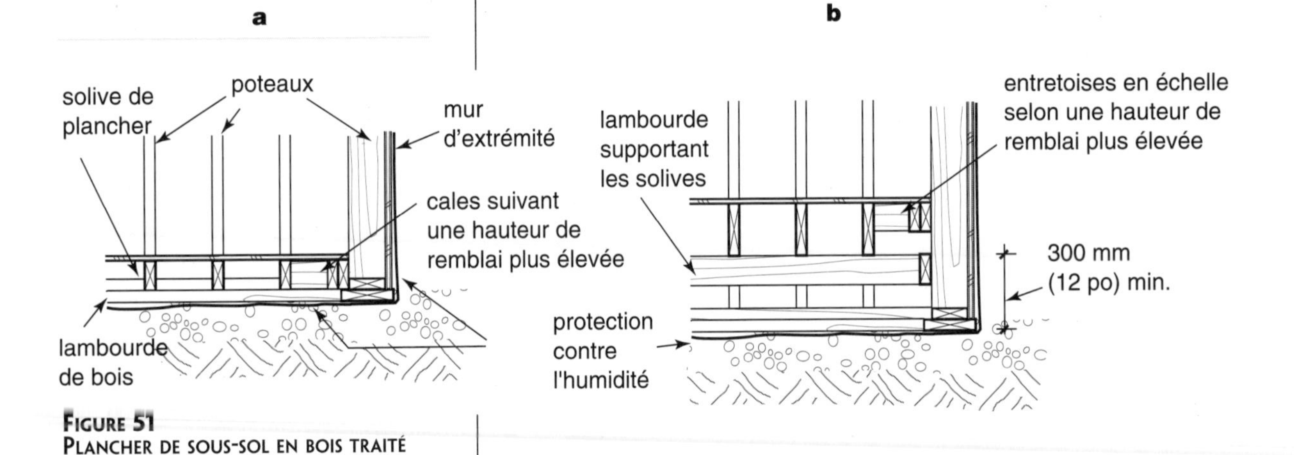

FIGURE 51
PLANCHER DE SOUS-SOL EN BOIS TRAITÉ

PROBLÈME
DÉFORMATION SOUS L'EFFET DE LA PRESSION DU SOL

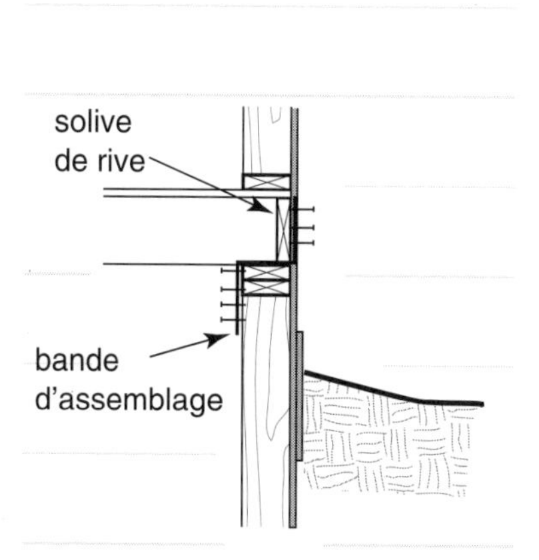

FIGURE 52
BANDE D'ASSEMBLAGE

CAUSE

Appui latéral insuffisant en partie supérieure du mur

SOLUTIONS

- Dans la mesure du possible, aligner les solives principales du plancher sur les poteaux de l'ossature murale.
- Si l'espacement des solives et des poteaux de l'ossature diffère, utiliser des bandes d'assemblage pour raccorder la face intérieure des poteaux à la face extérieure de la solive de rive (voir figure 52).
- En cas de hauteur de remblai élevée, utiliser des bandes d'assemblage ou des étriers à solive permet de réduire sensiblement les risques de rupture à l'intersection du mur et du plancher. Dans certaines circonstances, clouer un renfort de 38 x 89 mm (2 x 4 po) à la face inférieure des solives comme mesure corrective lorsque la hauteur du remblai est plus élevée que prévu. Vérifier auprès du service municipal du bâtiment.
- Lorsque les solives sont parallèles au mur, prévoir, entre les deux premières solives, des cales pleine hauteur alignées sur les poteaux muraux. Dans le cas d'une hauteur de remblai élevée, renforcer les solives au moyen d'une pièce de 38 x 89 mm (2 x 4 po) afin d'augmenter la surface de clouage du support de revêtement de sol (voir figure 53) ou poser des cales dans le deuxième espace entre les solives.
- Des situations particulières, comme des bâtiments très étroits, des murs très longs ou des terrains en pente, peuvent nécessiter l'emploi de murs de refend afin d'accroître l'appui latéral, mais exigent l'intervention d'un ingénieur.
  - Advenant l'emploi d'une seule sablière, poser les solives directement au-dessus des poteaux et recouvrir les joints d'un feuillard comme mesure de renforcement.

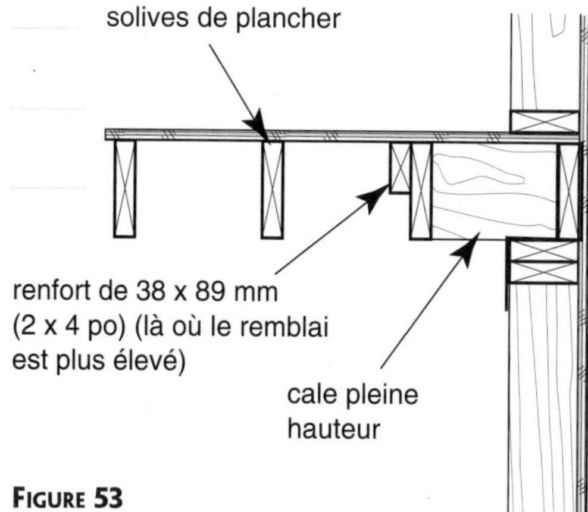

FIGURE 53
APPUI LATÉRAL EN PARTIE SUPÉRIEURE DU MUR DE FONDATION

PROBLÈME

DÉFORMATION SOUS L'EFFET DE LA PRESSION DU SOL

CAUSE

Appui latéral insuffisant pour une charpente de plancher usinée

On préfère de plus en plus les solives triangulées, les poutres de bois en I et les autres produits usinés aux solives de plancher classiques. Ces éléments de charpente requièrent d'apporter une attention particulière à l'appui latéral des murs d'extrémité.

SOLUTIONS

- Prolonger les murs d'extrémité de façon que la sablière arrive au même niveau que la membrure supérieure des solives de plancher. En cas de hauteur de remblai élevée, prévoir des cales de 38 x 89 mm (2 x 4 po) qui contribueront à transmettre les charges du mur à la membrure supérieure de la solive (voir figure 54).
- Par contre, si le mur d'extrémité est surmonté d'un mur nain, relier ce dernier à la deuxième solive par un contreventement formant un angle inférieur à 30 ° préviendra le soulèvement du plancher (voir figure 55).
- Demander conseil auprès du fabricant ou d'un ingénieur quant à l'utilisation de cales avec des éléments de charpente lamellés-collés et des éléments de charpente usinés.

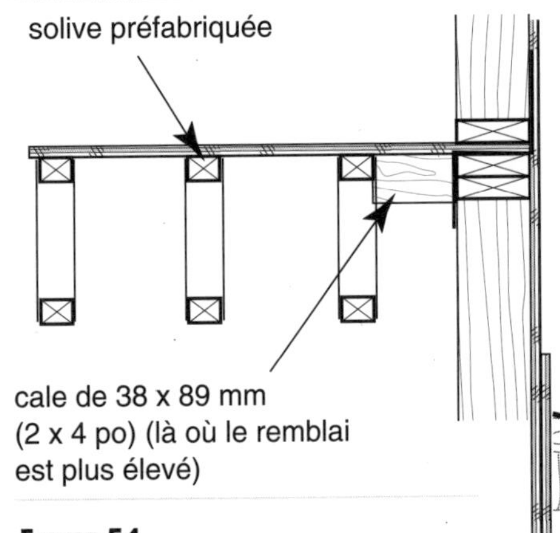

FIGURE 54
APPUI LATÉRAL EN CAS D'EMPLOI DE SOLIVES PRÉFABRIQUÉES

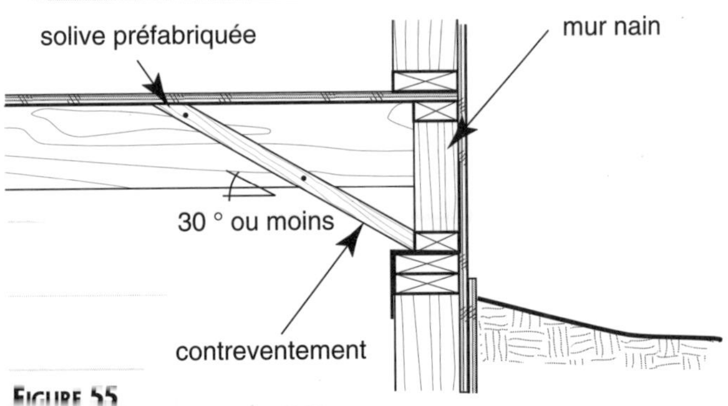

FIGURE 55
APPUI LATÉRAL EN CAS D'EMPLOI DE SOLIVES PRÉFABRIQUÉES

PROBLÈME

DÉFORMATION SOUS L'EFFET DE LA PRESSION DU SOL

CAUSE

Appui latéral insuffisant aux ouvertures des murs et des planchers

Les grandes ouvertures non renforcées peuvent être la cause de défaillances importantes.

SOLUTIONS

- Employer des connecteurs d'ossature à la jonction de tous les éléments des bâtis de fenêtre et des bandes d'assemblage au-dessus des linteaux de manière à contribuer à transmettre les pressions du sol. Augmenter le nombre de poteaux et de traverses d'appui dans le cas de grandes ouvertures (voir figure 56).
- Ajouter des éléments structuraux là où les cages d'escalier se trouvent à moins de 1,2 m (4 pi) d'un mur latéral ou 1,8 m (6 pi) d'un mur d'extrémité.
  - près d'un mur d'extrémité, doubler les solives d'enchevêtrure, ajouter des éléments horizontaux entre les solives situées au-dessus des poteaux afin de constituer une poutre et renforcer le chevêtre (voir figure 57).
  - près d'un mur latéral, constituer une poutre au-dessus du mur, comme il est indiqué ci-dessus, ou ajouter un élément horizontal transversalement à la face inférieure des solives d'enchevêtrure.

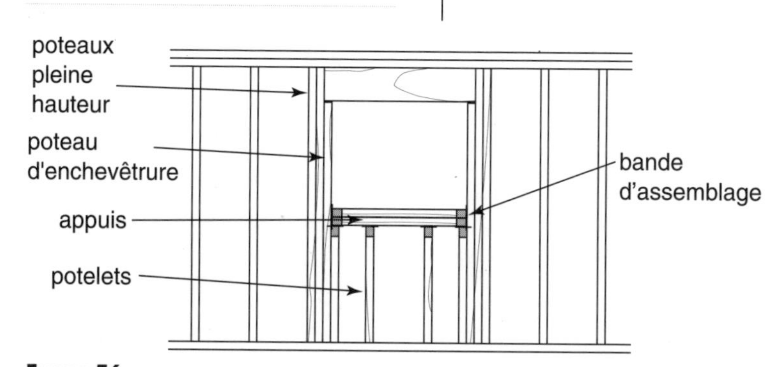

FIGURE 56
CHARPENTE AUX OUVERTURES DE FENÊTRES

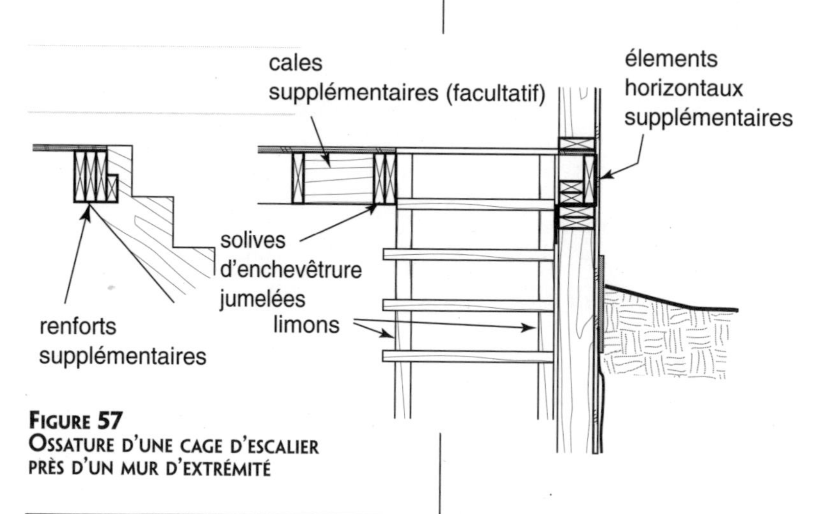

FIGURE 57
OSSATURE D'UNE CAGE D'ESCALIER PRÈS D'UN MUR D'EXTRÉMITÉ

PROBLÈME

Déformation sous l'effet de la pression du sol

Cause

Appui insuffisant aux angles intérieurs

Les pressions du sol peuvent occasionner la rupture d'assemblages d'angle intérieur d'un bâtiment.

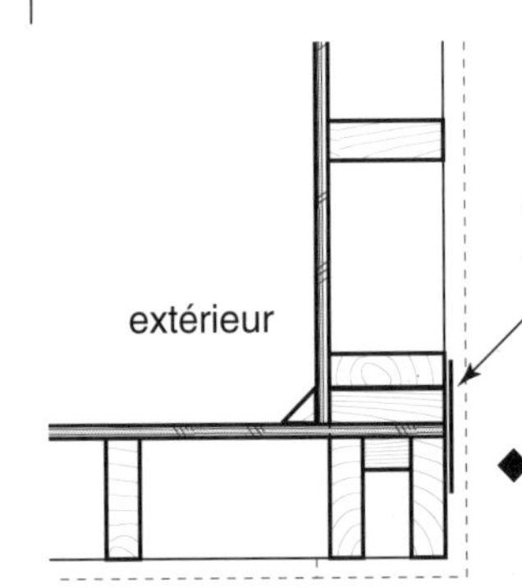

Figure 58
Détails d'exécution d'un assemblage d'angle intérieur

Solutions

- ◆ Renforcer les assemblages d'angle intérieur à l'aide d'éclisses en contreplaqué ou en acier galvanisé et de poteaux supplémentaires (voir figure 58).
- ◆ Faire chevaucher la lisse d'assise et la semelle, ainsi que les sablières jumelées.

Cause

Technique de remblayage incorrecte

Solutions

- ◆ Éviter de remblayer tant que les planchers du sous-sol et du rez-de-chaussée ne sont pas en place ou que les murs ne sont pas suffisamment contreventés. Remblayer uniformément en minces couches de matériau granulaire, en commençant par les angles. Demander au conducteur de bulldozer de lever la lame lorsqu'il approche du mur. Éviter de conduire des véhicules lourds près des murs.
- ◆ Dans le cas d'un vide sanitaire non excavé, remblayer des deux côtés du mur (voir figure 59).
- ◆ Remblayer les côtés opposés du bâtiment à des hauteurs différant de plus de 600 mm (2 pi), comme c'est le cas des sous-sols de plain-pied, risque de faire déformer les murs d'extrémité. Consulter un ingénieur quant à la façon de consolider (par clouage) les murs d'extrémité et à l'emploi de cloisons structurales.

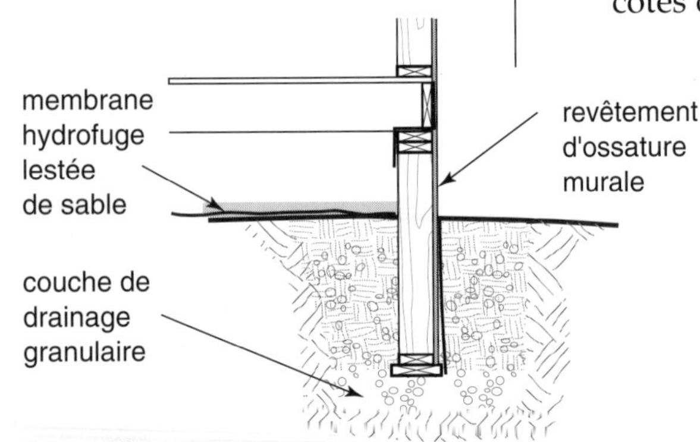

Figure 59
Vide sanitaire non excavé

1.3.2 INFILTRATION D'EAU

PROBLÈME

DÉTÉRIORATION DUE À L'HUMIDITÉ

Les produits de préservation dont sont imprégnés les matériaux des FBT visent à prévenir la pourriture et non à imperméabiliser les fondations. Pour assurer la tenue en service satisfaisante des fondations, il est donc primordial de bien drainer le sol et de mettre en œuvre une membrane hydrofuge.

CAUSE

Drainage insuffisant

Corriger le drainage autour des fondations peut s'avérer difficile et coûteux. Assurer un drainage souterrain satisfaisant en vaut donc bien la peine.

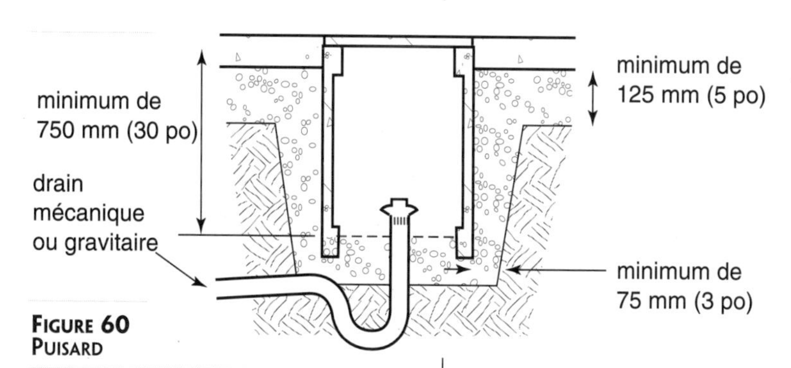

FIGURE 60
PUISARD

SOLUTIONS

- Prévoir un lit de drainage continu d'au moins 125 mm (5 po) de profondeur sous la totalité de la fondation et prolonger la couche de drainage d'au moins 300 mm (12 po) au-delà de la semelle. Les matériaux suivants sont jugés tout indiqués à cet égard : pierre concassée, gravillon, gravier de rivière, ou gravier tout-venant avec peu de fines. La couche de drainage doit cependant être propre et exempte de silt.
- Protéger la couche de drainage de la contamination par le sol d'origine, le sable fin et la matière organique pendant les travaux de construction.
- Donner à l'excavation une pente en direction d'un puisard central. Creuser des rigoles à la pelle à main de façon à assécher les dépressions de l'excavation.
- Creuser un puisard d'au moins 750 mm (30 po) de profondeur, d'une surface minimale de 0,25 m^2 (2,8 pi^2). Assurer le drainage mécanique ou gravitaire des eaux entre le puisard et l'égout pluvial de la municipalité ou le fossé de drainage. Poser le tuyau de drainage de façon que le radier soit situé à au moins 150 mm (6 po) sous le fond de l'excavation (voir figure 60).
- Les géotextiles ou filtres textiles laissent passer l'eau mais retiennent les particules fines. Le géotextile se pose en-dessous et autour du lit de drainage en matériau granulaire dans le but de prévenir son obstruction ultérieure.

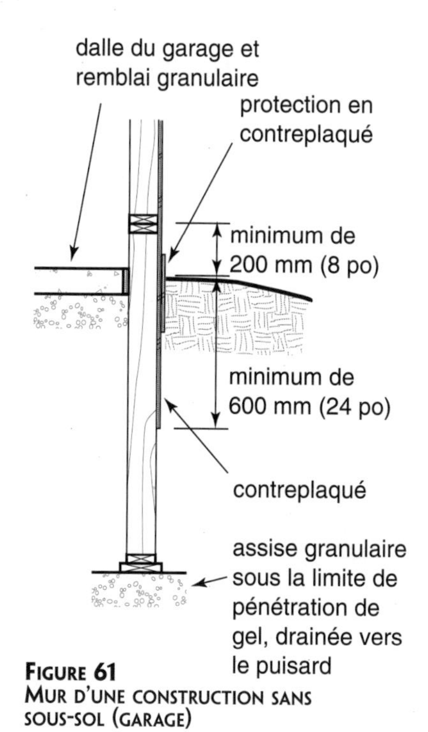

FIGURE 61
MUR D'UNE CONSTRUCTION SANS SOUS-SOL (GARAGE)

- Recourir à un remblai granulaire s'égouttant bien, non sensible au gel, comme du sable et du gravier propre, pour réaliser une «enveloppe poreuse» autour des fondations.
- Pour un vide sanitaire avec tranchée de fondation, assurer le drainage sous la semelle. Situer le puisard à l'endroit qui s'y prête le mieux, soit près du mur de fondation, vis-à-vis le branchement d'égout.
- Drainer l'assise granulaire des murs se prolongeant au-delà de la limite de pénétration du gel, comme pour les garages attenants (voir figure 61).

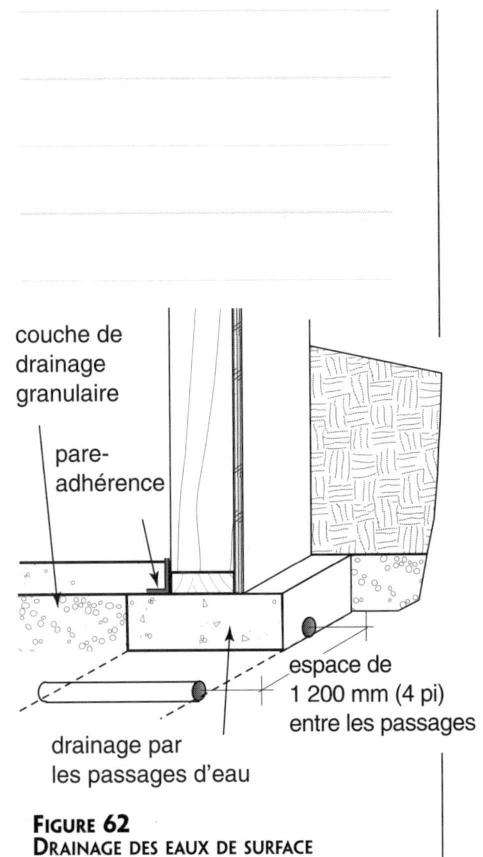

Figure 62
Drainage des eaux de surface

Cause

Eaux de ruissellement emprisonnées par les semelles

Solutions

- Éviter d'endiguer les eaux avec des semelles de béton. Dans la mesure du possible, placer les semelles au-dessus du lit de drainage.
- Lorsque les semelles en béton reposent sur le sol non remanié, prévoir des passages d'écoulement de l'eau d'au moins 60 mm (2 1/2 po) de diamètre tous les 1 200 mm (4 pi). Prendre soin de ne pas obstruer ces passages pendant le bétonnage. Vérifier qu'une couche de drainage est prévue à l'extérieur des semelles. Respecter les exigences du CNB en ne faisant pas les semelles plus larges qu'il ne le faut (voir figure 62).
- Recourir de préférence à des semelles en bois reposant sur une assise granulaire plutôt qu'à des semelles de béton car elles ne s'opposent pas au passage de l'eau. Certains constructeurs trouvent difficile de niveler et de stabiliser les semelles en bois. Pour parer à cette difficulté, clouer les semelles à des piquets de nivellement ou utiliser des piquets amovibles.
- Pour ne pas risquer de piéger l'eau avec les semelles, éviter de les prolonger de plus de 50 mm (2 po) au-delà des murs de fondation.

PROBLÈME

DÉTÉRIORATION DUE À L'HUMIDITÉ

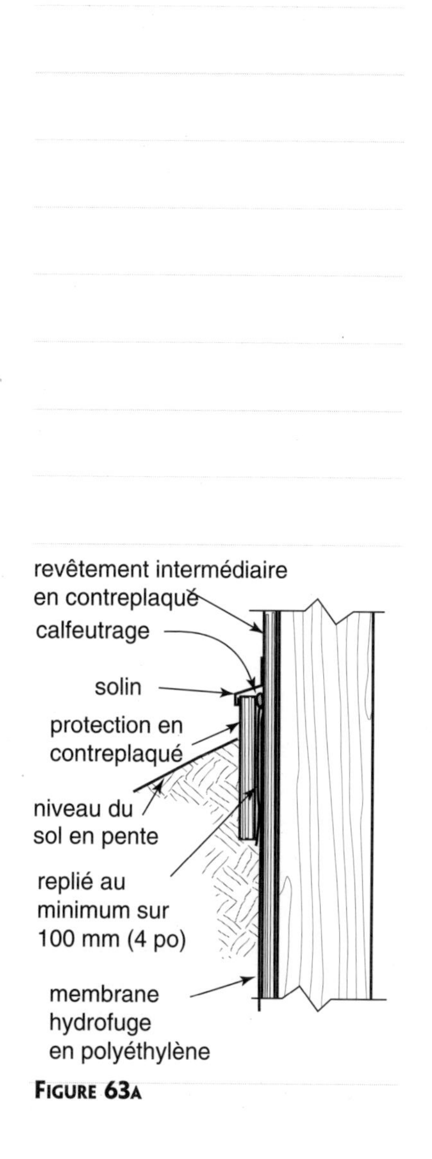

FIGURE 63A

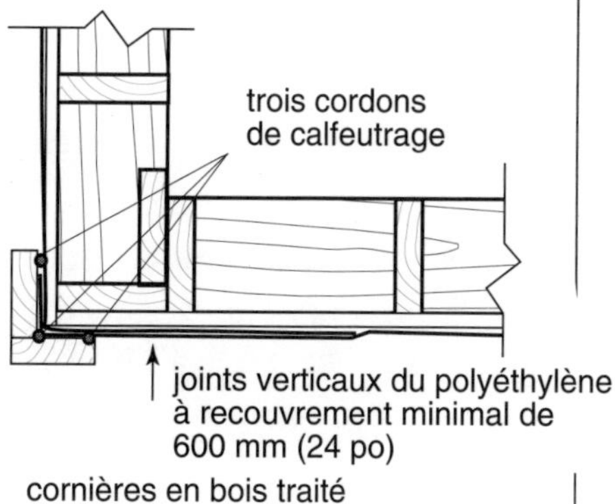

FIGURE 63B
MISE EN ŒUVRE DU POLYÉTHYLÈNE EN PARTIE SUPÉRIEURE ET AUX ANGLES

CAUSE

Pose incorrecte de la membrane hydrofuge (protection contre l'humidité)

Bien qu'un drainage satisfaisant suffise généralement à tenir les FBT au sec, il faut sceller les joints des fondations et mettre en œuvre une membrane hydrofuge pour acheminer l'eau vers le lit de drainage. La piètre mise en œuvre de la membrane hydrofuge constitue peut-être le point faible des fondations en bois traité.

SOLUTIONS

- Laisser de 2 à 3 mm (1/8 po) entre les panneaux de contreplaqué, puis calfeutrer tous les joints des panneaux et l'intersection des semelles et du contreplaqué pour assurer un appui à la membrane hydrofuge. La meilleure méthode consiste à appliquer le mastic d'étanchéité aux chants du contreplaqué, puis à poser les panneaux en les pressant contre le cordon de scellement. Chauffer le mastic d'étanchéité lorsque la température est inférieure à 5 °C (41 °F). Prendre garde que le mastic d'étanchéité ne gèle.
- S'abstenir de jointoyer les panneaux de contreplaqué directement sous le logement des poutres ou les angles des fenêtres en raison du risque de mouvement ou de retrait.
- La norme CAN/CSA considère comme membrane hydrofuge acceptable le polyéthylène de 0,15 mm (0,006 po) conforme aux exigences de l'ONGC. Vérifier auprès des autorités locales l'acceptabilité des variantes suivantes :
  - enduits bitumineux, comme ceux qui s'emploient pour protéger les fondations en béton contre l'humidité, applicables au pistolet, au pinceau ou à la truelle;
  - divers enduits de résine ou de plastique, comme le caoutchouc thermoplastique, applicables au pistolet, au pinceau ou au rouleau;
  - membranes composites, semblables à celles qui s'utilisent pour l'imperméabilisation de bâtiments commerciaux, applicables directement sur le revêtement intermédiaire;
  - panneaux fibreux d'isolation ou de drainage pour emploi extérieur, qui, quoique coûteux, empêchent l'eau d'atteindre le mur.
- Faire chevaucher les joints de la pellicule de polyéthylène d'au moins 150 mm (6 po). Sceller le polyéthylène uniquement en partie supérieure et à tous les joints verticaux à chevauchement. Pour prévenir le déchirement de la membrane de polyéthylène :
  - replier la pellicule derrière la plaque de protection, de façon qu'elle puisse glisser au fur et à mesure du tassement du remblai (voir figure 63a);
  - poser le polyéthylène juste avant de remblayer;
  - utiliser du polyéthylène épais ou stratifié;
  - protéger le polyéthylène à l'aide de panneaux de fibre ou d'isolant extérieur;

- protéger le recouvrement du polyéthylène aux angles saillants au moyen de planches cornières (voir figure 63b).

◆ Veiller à appliquer les enduits en continuité et à une épaisseur suffisante, tâche difficile à vérifier sur place d'autant plus que le contreplaqué des FBT n'est pas poncé. Quant aux enduits pulvérisés, poser à la truelle ou pulvériser une couche supplémentaire dans les joints avant de pulvériser le reste.

◆ Les enduits bitumineux varient grandement de l'un à l'autre. Les enduits à base de goudron peuvent durer plus longtemps que les enduits à base d'asphalte, étant donné leur meilleure résistance aux microbes du sol. Les enduits à base de solvants peuvent s'avérer plus durables que les enduits à base d'émulsion. Les enduits fibreux affichent une meilleure durabilité.

◆ Pour de pas emprisonner de l'humidité dans les murs de fondation avec un double «pare-vapeur»,

- s'abstenir de sceller le polyéthylène à la semelle pour que l'eau captée puisse ruisseler vers le bas (voir figure 64);
- utiliser comme membrane hydrofuge un matériau en feuille perméable à la vapeur d'eau ou un enduit; ou
- ventiler les cavités des murs des FBT en perçant des trous dans les sablières.

◆ Suivre une méthode ou une combinaison de méthodes de protection contre l'humidité adaptées à l'emplacement et au sol. Parmi les facteurs qui augmentent le risque de problèmes d'humidité, citons le drainage insatisfaisant du sol, le niveau de la nappe phréatique et de fortes précipitations annuelles de pluie ou de neige.

◆ Dans les régions à risques élevés, mettre en œuvre de l'isolant fibreux pour usage extérieur ou un panneau de drainage par-dessus la membrane hydrofuge; ainsi l'eau de ruissellement s'écoulera à la verticale jusqu'à la base de la semelle sans parvenir au mur de fondation.

◆ Protéger la membrane hydrofuge au niveau du sol selon l'une des méthodes suivantes :

- par une plaque en contreplaqué traité pour FBTde 300 mm (12 po) de largeur se prolongeant d'au moins 75 mm (3 po) au-dessus du niveau du sol ou, en cas d'usage de parement sensible à l'humidité, d'au moins 200 mm (8 po) au-dessus du niveau du sol;
- par un solin; ou
- par crépissage sur treillis métallique.

◆ Sceller toutes les ouvertures de la membrane hydrofuge où passe l'installation mécanique.

FIGURE 64
MISE EN ŒUVRE DU POLYÉTHYLÈNE EN PARTIE INFÉRIEURE

PROBLÈME
DÉTÉRIORATION DUE À L'HUMIDITÉ

CAUSE

Pose incorrecte de la membrane hydrofuge ou de la membrane de protection contre les gaz du sol sous le plancher

SOLUTIONS

On se préoccupe de plus en plus ces dernières années des effets que risquent d'exercer sur la santé humaine les gaz du sol, dont le radon. Le radon provient de la désintégration radioactive naturelle du radium que l'on trouve dans le sol, dans la roche et dans les eaux souterraines. Il peut parvenir à la maison par l'air qui s'introduit sous le niveau du sol.

- Poser, sous la dalle de plancher en béton, du polyéthylène de 0,15 mm (0,006 po) ou un matériau de couverture en rouleau de type S, recouvert d'au moins 300 mm (12 po) aux joints et scellé à à toutes les rives et à tous les points de pénétration.
- Pour un plancher en bois suspendu ou sur lambourdes de bois, poser une pellicule de polyéthylène comme protection contre l'humidité et les gaz du sol. Faire chevaucher les joints du polyéthylène d'au moins 300 mm (12 po) et faire remonter la pellicule le long des murs de fondation pour la sceller au pare-air du mur (voir figure 65).
- Pour permettre le drainage des déversements à venir, incliner la membrane hydrofuge vers le puisard, sans toutefois sceller les joints du polyéthylène. Éviter de prolonger le polyéthylène sous la semelle, puisqu'il pourrait emprisonner de l'eau contre la face inférieure de la semelle.
- Sceller tous les points de pénétration du plancher au moyen d'un mastic d'étanchéité flexible.

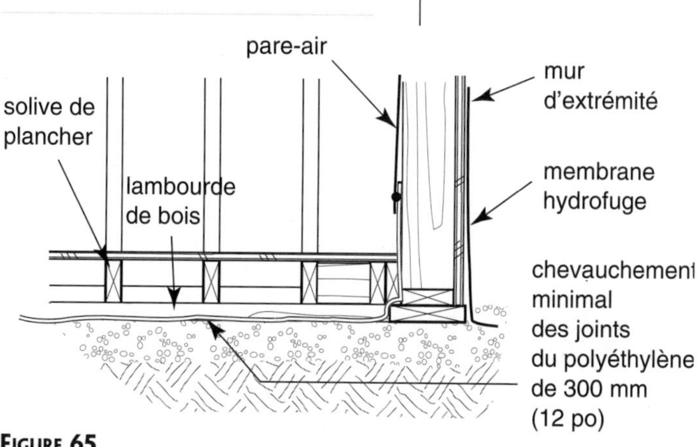

FIGURE 65
PROTECTION CONTRE LES GAZ DU SOL

PROBLÈME
DÉTÉRIORATION DUE À L'HUMIDITÉ

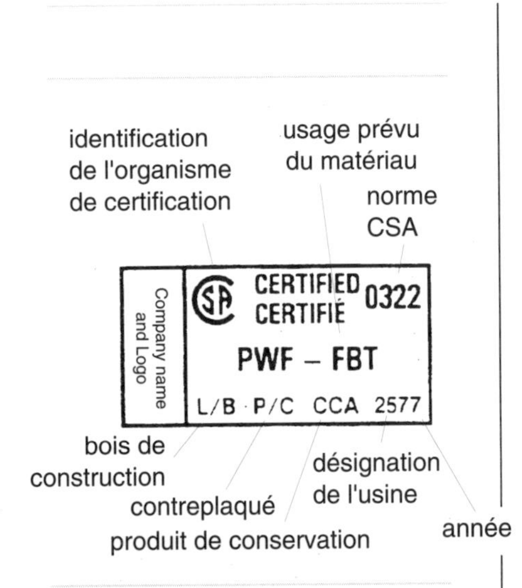

FIGURE 66
ESTAMPILLE DE CERTIFICATION

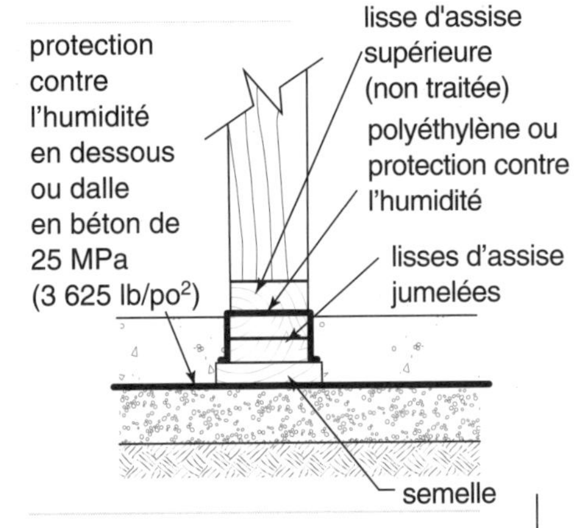

FIGURE 67
EXÉCUTION D'UNE CLOISON PORTEUSE

CAUSE

Matériaux contre-indiqués

SOLUTIONS

◆ Utiliser uniquement des matériaux certifiés. Rechercher le sigle FBT sur l'estampille de certification. Les matériaux doivent provenir d'une usine qui applique un programme de contrôle de la qualité conforme à la norme CSA 0322. Cette tâche, qui relevait jadis de l'administration de la CSA, incombe maintenant aux organismes de certification (voir figure 66).

◆ Ne pas confondre les matériaux des FBT avec les autres matériaux traités destinés aux terrasses ou aux autres ouvrages extérieurs.

- Les matériaux des FBT sont imprégnés d'une plus forte quantité de produit de conservation que le bois traité sous pression; d'ailleurs, on les reconnaît à leurs marques d'incision.
- Comme la créosote et le pentachlorophénol risquent de perdre de leur effet de préservation, leur emploi n'est pas autorisé dans les FBT.
- Les produits de conservation des FBT adhèrent aux parois des cellules du bois par réaction chimique, sans risque d'être éliminés au fil du temps.

◆ Faire usage de matériaux non traités uniquement comme :

- revêtement mural intermédiaire, linteaux, solives de rive et sablières, pourvu qu'ils se trouvent à 200 mm (8 po) au-dessus du niveau définitif du sol;
- poutres de soutien et support de revêtement de sol , pourvu qu'ils se trouvent à 300 mm (12 po) au-dessus de la couche de drainage granulaire (à noter que le CNB requiert la ventilation de tout vide sanitaire);
- poteaux et cloisons intérieurs, s'ils se trouvent au-dessus d'un plancher surélevé ou sont séparés de la dalle de béton par une protection contre l'humidité; pour une cloison porteuse intérieure, peut-être faudra-t-il tripler la lisse d'assise (voir figure 67).

◆ Utiliser uniquement des attaches à l'épreuve de la corrosion :

- des clous galvanisés par immersion à chaud ou en acier inoxydable;
- des agrafes en acier inoxydable (leur diamètre est inférieur à celui des clous);
- des ancrages et bandes d'assemblage galvanisées par immersion à chaud de 0,9 mm (calibre 20).

Éviter d'employer des attaches électrogalvanisées ou en aluminium.

- Utiliser des mastics étanches à l'eau, ne s'asséchant pas, comme les polymères ou les élastomères de butyle-polyisobutylène. Les polysulfures peuvent nécessiter un apprêt pour bien adhérer aux matériaux des FBT.
- Vérifier la compatibilité des mastics d'étanchéité et de la membrane hydrofuge. Par exemple, les adhésifs avec solvant à base de pétrole peuvent attaquer le polyéthylène.

Cause

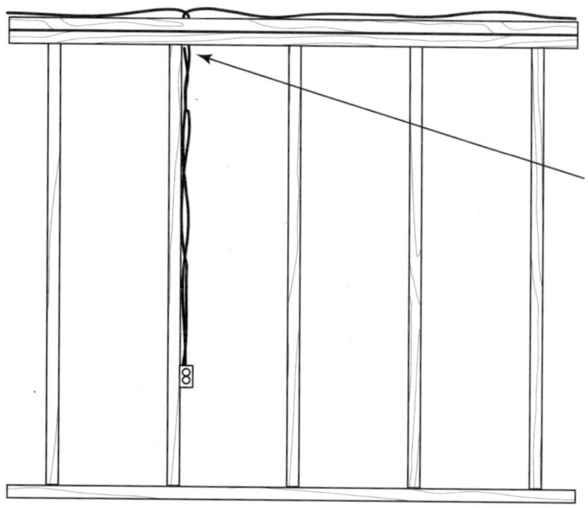

Coupe des matériaux

Comme les produits de conservation ne pénètrent que la couche extérieure des éléments de charpente des FBT, ces derniers risquent de pourrir s'ils sont mis à nu d'une façon quelconque.

Figure 68
Fils électriques

Solutions

- Dans la mesure du possible, éviter de couper, d'entailler ou de percer les matériaux.
- Commander les longueurs requises.
- Laisser les semelles faire saillie sur les murs plutôt que de les couper.
- Éviter de percer des trous dans la lisse d'assise pour y insérer les boulons d'ancrage, pour ne pas exposer l'intérieur du bois. La pression du sol et le plancher intérieur suffisent à maintenir la semelle et les lisses d'assise en place. S'il faut avoir recours à des fixations mécaniques, utiliser un pistolet cloueur et des clous à béton à forte teneur en carbone.
- Éviter de passer des canalisations de plomberie ou des conduits dans les murs extérieurs des FBT.
- Éviter de percer les éléments des murs des FBT pour faire passer les fils électriques. Pour installer des prises de courant, percer la sablière de manière à passer les fils électriques à la verticale entre les poteaux au lieu de percer les poteaux (voir figure 68).
- Imprégner toutes les faces coupées ou entaillées d'un produit de conservation conçu spécialement pour l'utilisation sur place, comme le naphténate de cuivre. Répéter l'application jusqu'à saturation.
- Poser les éléments de charpente les extrémités coupées vers le haut.

Section 1.4 Autres lectures

SOURCE	PUBLICATION
Association canadienne des constructeurs d'habitations 150, avenue Laurier ouest, pièce 500 Ottawa ON K1P 5J4 613 230-3060	*Guide du constructeur de l'ACCH*, 1994
Association canadienne de normalisation 178, boulevard Rexdale Toronto ON M9W 1R3 905 747-2287	*Construction des fondations en bois traité*, 1992 CAN/CSA-S406-92 *Travaux de béton pour maisons et petits bâtiments* CAN3-A438-M
Conseil national de recherches du Canada Institut de recherche en construction Section des publications Ottawa ON K1A 0R6 À Ottawa : 613 993-2463 Ailleurs : 1 800 672-7990	*Principes d'établissement des plans de fondations* CBD 80F *Le choix du type de fondations* CBD 81F *Congélation adhérente et soulèvement des fondations dû au gel* CBD 128F *Mouvements de fondations* CBD 148F *Le drainage autour des bâtiments* CBD 156F *Action du gel sur les fondations* CBD 182F *Fondations dans les sols sujets à des gonflements ou à des retraits* CBD 184F
Canadian Wood Council 1400 Blair Place bureau 210 Ottawa ON K1J 9B8 613 747-5544	Permanent Wood Foundations, 1992
National Association of Home Builders Home Builders' Book Store 1201 15th Street N.W. Washington, D.C. 20005 202 223-2665	Frost-Protected Shallow Foundations, 1994
Régime de garanties des logements neufs de l'Ontario 5160, rue Yonge, 6e étage North York ON M2N 6L9 416 229-9200	Soils Manual For Home Builders, 1996 Better Basements: Construction Practice Booklet, 1995

CHAPITRE 2 Introduction

PLANCHERS

Les planchers donnent lieu à quelques-unes des plaintes les plus courantes que reçoivent les constructeurs. Les craquements, la décoloration, les protubérances, les aspérités et les vibrations ne constituent que certains problèmes avec lesquels les propriétaires d'habitation doivent composer à cause du retrait des matériaux ou de l'exécution fautive du plancher.

La construction d'un plancher durable, sans anicroche, n'est pas une mince tâche. Éviter les problèmes structuraux en utilisant de nouveaux systèmes de plancher qui gagnent en popularité à cause du prix sans cesse croissant du bois de construction exige des connaissances évoluées en matière de charpente : les nouveaux systèmes de charpente des planchers font souvent appel à des matériaux d'emploi courant mais dans des configurations différentes, et avant que les exigences soient bien comprises des charpentiers, vous, à titre de constructeurs, devez faire preuve de vigilance pour garantir le respect des exigences et des détails d'exécution.

Le revêtement de sol est souvent l'élément de prestige d'une maison neuve et toute anomalie de la couche de pose se manifeste rapidement. Afin d'éviter que les joints et les attaches paraissent à la surface du revêtement de sol, les matériaux du support doivent être au préalable conditionnés à la température et à l'humidité usuelles de la maison. Il s'agit d'une étape primordiale pour éviter les problèmes, étant donné que le support de revêtement de sol varie d'un fabricant à l'autre et réagit différemment selon le degré d'humidité.

L'espacement et le porte-à-faux des solives, la fixation du support de revêtement de sol et la portée des poutres d'appui contribuent tous à la rigidité du plancher et à la sensation qu'il procure. En choisissant une combinaison tout indiquée, vous êtes en mesure d'exécuter des planchers solides qui, sans coûter nécessairement plus cher, afficheront une tenue en service grandement améliorée.

Le présent chapitre porte sur les problèmes de plancher les plus courants ainsi que sur leurs causes; de plus, il offre des solutions pratiques à chacun. En plus de vos connaissances des revêtements de sol qui s'utilisent en général dans votre région et des types de problèmes auxquels font face les constructeurs, le présent chapitre vous aidera à construire des planchers durables, sans anicroche.

Section 2.1 Transmission des charges

INTRODUCTION

La présente section fournit des solutions pratiques à des problèmes courants qui résultent de la transmission incorrecte des charges par le plancher.

Le craquement est l'un des problèmes que les propriétaires soulèvent le plus souvent. Bon nombre de personnes estiment tout à fait normal de tolérer le craquement des planchers et décident simplement d'en faire fi. Cependant, la mise en œuvre tout indiquée des matériaux d'un plancher bien conçu réduira le mouvement et le bruit.

Les nouveaux produits d'ossature des planchers doivent être bien conçus et posés pour éviter les problèmes. Par exemple, les solives de plancher en I faites en bois ne s'emploient pas de la même façon que le bois de construction de dimensions courantes. Elles doivent être utilisées avec des cales appropriées et un soutien périmétrique.

Autre problème courant : le fléchissement du plancher causé par les poutres d'appui. Les poutres de petites dimensions et mal supportées peuvent occasionner des problèmes dans plusieurs parties de la maison, et non seulement au plancher.

Les charges provenant du toit, des étages supérieurs et des murs doivent être bien transmises aux fondations conçues pour les porter. Le CNB énonce des exigences précises quant aux dimensions des éléments structuraux et à la fixation des éléments de plancher. Le présent chapitre fournit certaines idées quant à l'utilisation de ces renseignements.

2.1.1 BRUIT
PROBLÈME
CRAQUEMENT DU PLANCHER

CAUSE

Retrait du bois de construction

En s'asséchant, le bois de construction de dimensions courantes subit un retrait. Ainsi, lorsqu'il y a retrait, les attaches se desserrent et perdent de leur emprise sur le support de revêtement de sol. À mesure que le support fléchit sous la charge, il frotte contre les attaches, les solives ou contre d'autres panneaux de support, produisant des craquements.

SOLUTIONS

Utiliser des éléments préfabriqués.

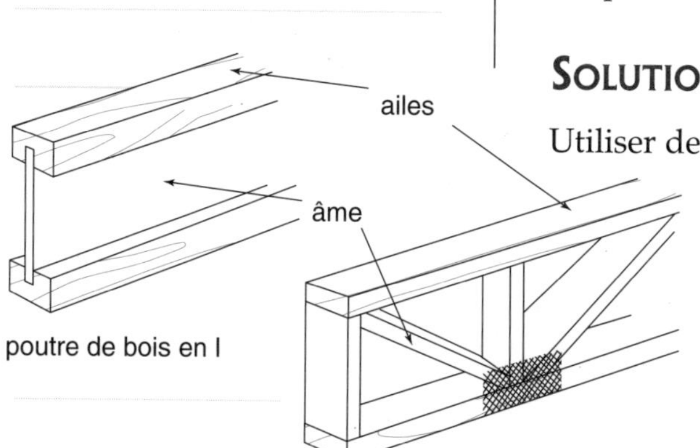

FIGURE 1
ÉLÉMENTS PRÉFABRIQUÉS

- Les éléments préfabriqués sont constitués de matériaux secs, affichant une stabilité dimensionnelle. Les ailes sont construites de bois de construction de dimensions courantes alors que l'âme peut l'être du même type de bois, de panneaux de bois ou de métal. Les éléments préfabriqués conservent leur stabilité dimensionnelle tant que la teneur en humidité demeure relativement constante (voir figure 1).
- Bien que ce type d'élément ne rétrécisse pas, il faut prendre certaines précautions au moment de les fixer à d'autres matériaux. Bien fixer et coller le support de revêtement de sol aux éléments de charpente permet de réduire le craquement et d'améliorer la tenue en service du plancher.
- Voir le chapitre 6 pour de plus amples renseignements sur l'isolement acoustique.

Utiliser du bois sec et prévoir un délai suffisant pour le retrait.

Utiliser du bois sec et laisser suffisamment de temps pour le retrait permet de réduire ou d'éliminer même l'importance du retrait.

Le CNB requiert que la teneur en eau du bois ne soit pas supérieure à 19 p. 100 lors de sa mise en œuvre. Les matériaux S-DRY doivent enregistrer une teneur en eau de 19 p. 100 ou moins lors de leur fabrication. Vous réduirez ainsi le retrait en spécifiant ce type de matériaux et en le protégeant sur le chantier.

- L'usage de bois de construction séché au four n'élimine pas nécessairement le retrait. En effet, ce bois peut continuer à rétrécir après sa sortie du four jusqu'à ce que les cellules atteignent la teneur en humidité atmosphérique (environ 8 à 50 % d'humidité relative [HR]). Le bois de construction séché au four continue certes de rétrécir et risque de ce fait d'entraîner de légères anomalies après sa mise en œuvre dans le bâtiment, mais il causera des dommages beaucoup moins sérieux que le bois vert (S-GRN).

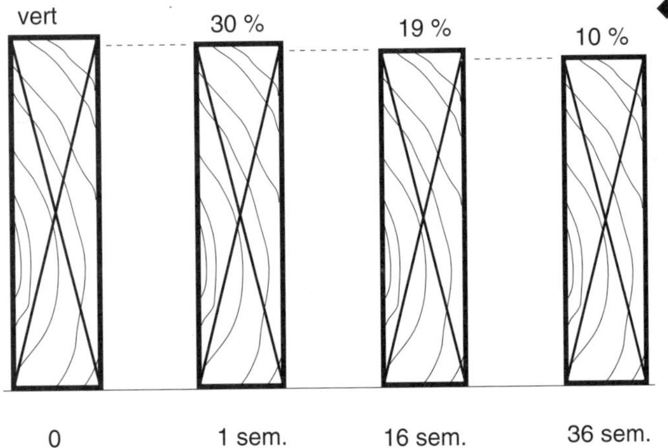

FIGURE 2
RETRAIT ET TENEUR EN EAU DU BOIS SÉCHÉ AU FOUR

◆ Une fois mis en œuvre, le bois peut parvenir à une teneur en eau encore plus basse. La première année, la teneur en eau du bois parvient généralement à 10 p. 100. En laissant les solives de plancher s'assécher le plus longtemps possible dans la maison avant d'effectuer les dernières fixations, il est possible de réduire les craquements. Il faut vérifier les attaches et, le cas échéant, en prévoir davantage avant de mettre en œuvre le revêtement de sol (voir figure 2).

Fixer solidement le support de revêtement de sol aux solives.

L'utilisation d'autres types d'attaches (agrafes et vis) et d'adhésif pour fixer le support de revêtement de sol aux solives permet de surmonter les effets du retrait.

Pour encore mieux fixer le support de revêtement de sol, utiliser de la colle en plus des clous ou des agrafes. Cette technique exploite au départ la force d'ancrage des clous ou des agrafes pour bien fixer le support de revêtement de sol aux solives pendant que sèche la colle. La colle elle-même peut assurer une force de fixation égale ou supérieure à celle des clous et des agrafes, compte tenu du type utilisé et des conditions d'application.

◆ L'un des avantages d'utiliser de la colle est qu'elle ne subit pas les mêmes effets du retrait que les attaches mécaniques. Comme elle ne s'applique que sur le dessus de la solive, le retrait qui s'effectue sur toute la hauteur de la solive n'a pas d'effet sur ce raccordement. Suivre les instructions de mise en œuvre du fabricant.

◆ On préfère de plus en plus les vis aux clous. Certains constructeurs utilisent colle et vis afin d'éliminer les craquements. Les attaches enfoncées de 50 mm (2 po) dans les solives exercent une excellente force de fixation jusqu'au retrait de la solive. À mesure que le bois rétrécit, la partie de l'attache qui reste enfouie dans la solive peut être réduite de 3 mm (1/8 po) ou plus. De fait, l'attache relâche sa prise sur le support de revêtement de sol. Ce «soulèvement» de l'attache provoque le déplacement du support de revêtement de sol et entraîne un craquement (voir figure 3).

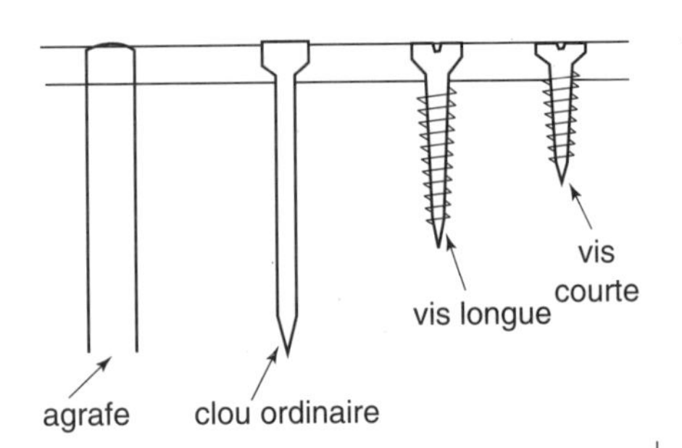

FIGURE 3
EFFET DU RETRAIT DU BOIS SUR LES ATTACHES

◆ Étant donné que les vis ont une force de fixation supérieure de 25 à 75 p. 100 à celle des clous de même diamètre, on peut utiliser des vis plus courtes. Plus l'attache est courte, moins elle est susceptible de se soulever en raison du retrait des solives.

◆ Vérifier de bien enfoncer les attaches dans les solives. Les clous ou les vis qui passent à côté des solives peuvent frotter contre le bois lorsqu'il est soumis à une surcharge.

PROBLÈME
Craquement du plancher

Cause

Mouvement du support de revêtement de sol

La majorité du mouvement du support de revêtement de sol se produit aux rives des panneaux, soit leur partie la plus faible. La rive du panneau entre les solives de plancher qui porte une charge concentrée, comme une personne qui y circule, subit un fléchissement. Il peut être de faible ampleur, mais si le panneau adjacent ne subit aucune charge, il se produira un craquement si les rives des deux panneaux frottent les unes contre les autres.

Solutions

Prévoir un fond de clouage ou des cales aux rives des panneaux.

- Vérifier que les panneaux du support de revêtement de sol ne sont pas endommagés avant de les mettre en œuvre.
- La façon la plus simple d'éliminer le mouvement des panneaux avivés d'équerre consiste à disposer des cales entre les solives sous toutes les rives des panneaux. Le CNB n'en requiert que dans certaines circonstances. Cependant, dans les endroits fortement achalandés, il vaut sûrement la peine de caler toutes les rives des panneaux pour obvier aux risques de mouvement entre les panneaux du support de revêtement de sol. Les cales doivent être bien posées de façon à ne pas devenir à leur tour une source de craquement plutôt qu'un moyen de l'éliminer (voir figure 4).
- Bien que le CNB requière des cales d'au moins 38 x 38 mm (2 x 2 po), utiliser des pièces de 38 x 89 mm (2 x 4 po) assurera un meilleur appui structural aux rives des panneaux du support de revêtement de sol. Là où il y a des conduits de chauffage et autres obstacles, les cales se posent à plat. Dans tous les cas, le dessus des cales doit arriver à l'égalité du dessus des solives de plancher.

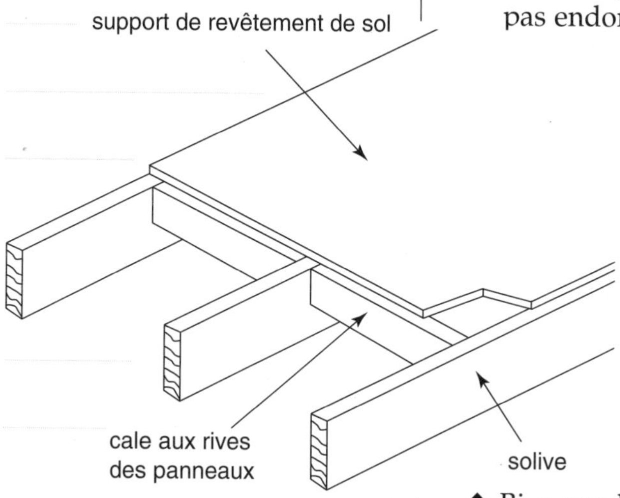
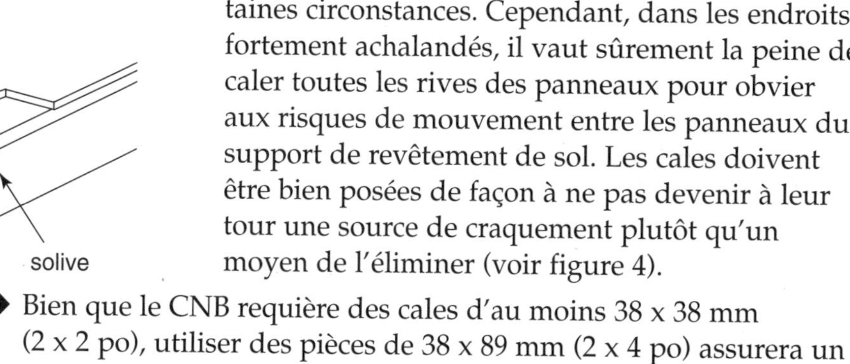

Figure 4
Soutien des rives des panneaux

Espacer les panneaux.

- Laisser un espace entre les panneaux avivés d'équerre permet de faire en sorte que le fléchissement entre les solives engendré par la charge n'entraînera pas de frottement entre les rives. L'espace permet également aux panneaux de se dilater, si les conditions sur place favorisent leur gonflement. Le CNB ne précise pas d'espacement entre les panneaux du support de revêtement de sol, mais la plupart des fabricants recommandent de laisser environ 3 mm (1/8 po).

Utiliser des panneaux bouvetés.

Emboîter les rives des panneaux du support de revêtement de sol procure un soutien semblable aux cales soutenant les rives des panneaux. Les charges exercées sur un panneau sont effectivement transmises au panneau emboîté adjacent. Le mouvement entre les panneaux est pour ainsi dire éliminé.

- S'assurer que la languette du panneau n'est pas endommagée, sinon elle risquerait d'entraîner des craquements. Les languettes peuvent être endommagées si l'on force l'emboîtement des panneaux.

Fixer les rives des panneaux.

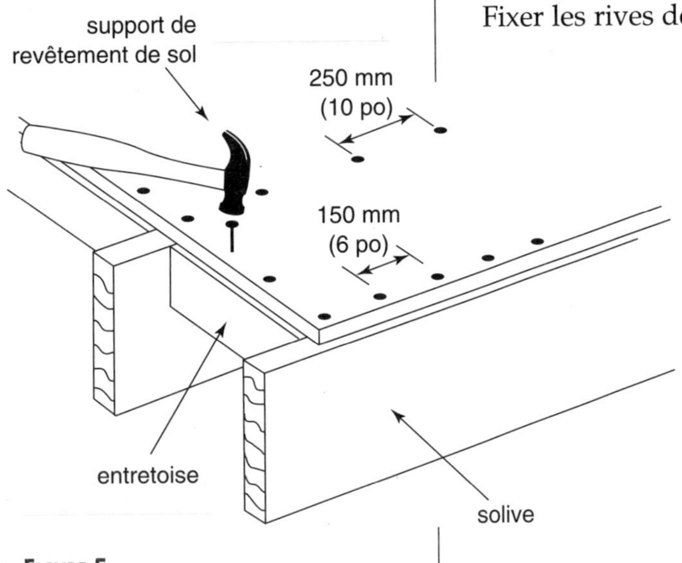

Figure 5
Fixation des rives des panneaux

- Bien fixer les rives des panneaux contribue à réduire le mouvement du support de revêtement de sol, surtout lorsque l'opération s'effectue avec des panneaux bouvetés ou des cales aux rives des panneaux. Le CNB exige de disposer les attaches selon un espacement entre axes de 150 mm (6 po) le long des rives et de 300 mm (12 po) le long des appuis intermédiaires. Les fabricants de panneaux de support de revêtement de sol recommandent d'espacer ainsi les rives des panneaux et certains recommandent un espacement entre axes de 250 mm (10 po) le long des appuis intermédiaires (voir figure 5). Les types d'attaches (clous, vis, agrafes, colle) ont déjà été traités à la section 2.1.1.

PROBLÈME
Craquement du plancher

Cause

Mouvement de la couche de pose

Les panneaux de la couche de pose ne se déplacent pas s'ils sont bien mis en œuvre sur une base solide. Les attaches qui ne sont pas solidement fixées ou qui se desserrent permettent aux panneaux de la couche de pose de se déplacer de haut en bas selon l'axe de l'attache, entraînant des craquements. Si les attaches sont lâches ou qu'elles sont utilisées en nombre insuffisant, les rives des panneaux de la couche de pose risquent de frotter les unes contre les autres et de produire des craquements.

Solutions

Bien fixer la couche de pose.

- ◆ Bien fixer les panneaux de la couche de pose est essentiel pour éliminer tout mouvement. Le CNB requiert de disposer les agrafes, les clous annelés ou en spirale selon un espacement maximal entre axes de 150 mm (6 po) le long des rives et de 200 mm (8 po) dans les deux sens ailleurs. Les fabricants de panneaux de couche de pose recommandent un espacement entre axes encore plus serré qui varie de 50 mm (2 po) à 100 mm (4 po) le long des rives et de 100 mm (4 po) à 150 mm (6 po) ailleurs (voir la figure 6).
- ◆ Certains constructeurs utilisent colle et agrafes ou clous lors de la mise en œuvre de la couche de pose.

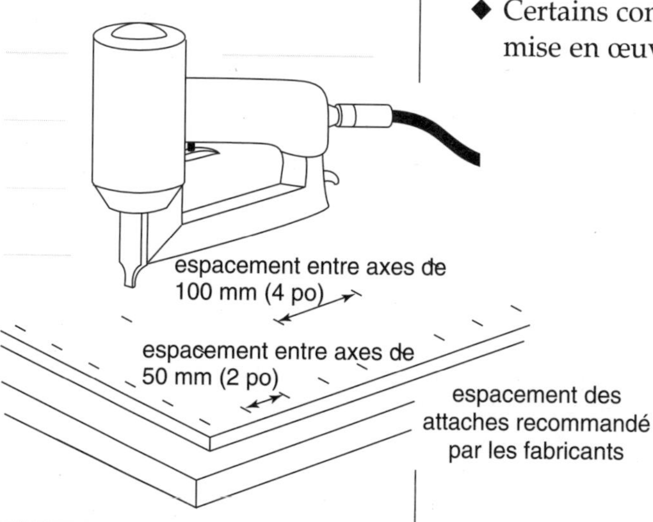

Figure 6
Fixation des panneaux de la couche de pose au support de revêtement de sol

Mettre en œuvre la couche de pose sur une base solide et stable.

- ◆ Tout mouvement de la couche de pose peut entraîner le craquement et des problèmes avec le revêtement de sol. Si le support de revêtement de sol donne une sensation spongieuse et se déplace lorsqu'il est soumis à une surcharge, la couche de pose craquera le long des rives des panneaux. Respecter les exigences du CNB ou les recommandations du fabricant concernant la base.
- ◆ Décaler les joints des panneaux de la couche de pose de plus de 200 mm (8 po) par rapport aux joints des panneaux du support de revêtement de sol.

2.1.2 APPUI INADÉQUAT

PROBLÈME

SOLIVES DE BOIS EN I SOUMISES À UN EFFORT EXCESSIF AU PÉRIMÈTRE DU BÂTIMENT

CAUSE

Les solives de bois en I ont une capacité limitée de transmettre les charges verticales du toit et du plancher.

SOLUTIONS

Vérifier le dimensionnement et le plein appui de la solive de bordure.

- La solive de bordure peut transmettre les charges verticales qui viennent d'en haut, par le plancher et vers le bas jusqu'à l'appui du dessous. Il existe divers types d'exigences pour les solives de bordure, selon les conditions de charge. Se conformer aux exigences du fabricant (voir figure 7).
- Les solives de bordure utilisées pour le rez-de-chaussée d'une maison à deux étages doivent être plus épaisses que celles que l'on utilise pour le deuxième étage de la même maison.
- Ces solives doivent être mises en œuvre de façon à avoir un plein appui en haut et en bas. Faute de quoi, elles ne pourront pas transmettre les charges requises.

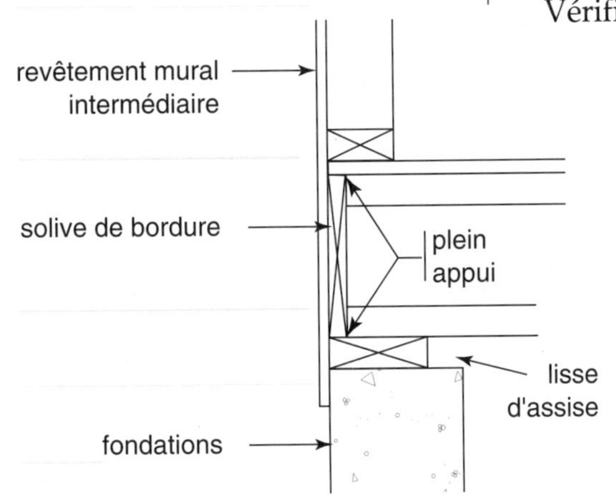

FIGURE 7
SOLIVE DE BORDURE ADÉQUATE AVEC APPUI APPROPRIÉ

- Les solives de plancher de bois en I qui subissent des charges excessives (à cause de la mise en œuvre fautive des solives de bordure) peuvent se tordre ou s'écraser, au point d'entraîner une sérieuse défaillance structurale du plancher.

Mettre en place de solives de bordure de bois en I ou des cales.

- Recourir de préférence à des solives de bordure ou à des cales qu'à des éléments de bordure. Les solives de bordure sont des solives de bois en I qui constituent le périmètre du plancher et transmettent les charges verticales provenant du dessus. On n'utilise pas de bois de sciage, puisqu'il subira un retrait et transmettra les charges aux solives de plancher. Au moment d'utiliser des solives de bois en I comme solives de bordure, s'assurer au préalable de l'appui suffisant des solives de plancher sur le mur ou la lisse d'assise. Vérifier les exigences du fabricant concernant les longueurs d'appui minimales (voir figure 8).

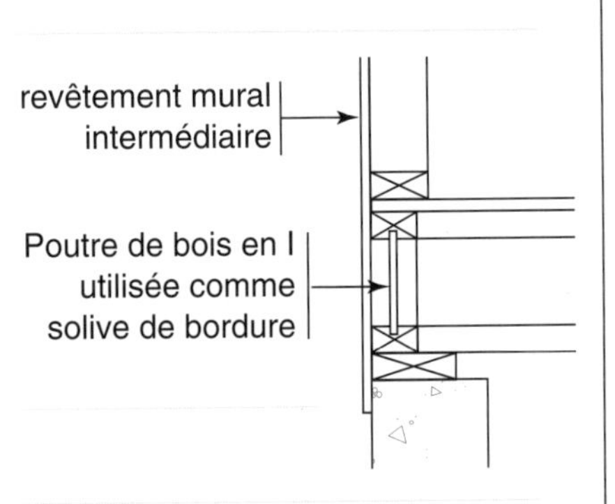

FIGURE 8
POUTRE DE BOIS EN I/CALE UTILISÉE COMME SOUTIEN PÉRIMÉTRIQUE

◆ Les cales sont de courts éléments de solives de plancher de bois en I qui s'insèrent entre les solives de plancher. Ces éléments courts transmettent les charges verticales par le plancher de la même manière que la solive de bordure.

◆ En cas d'utilisation de solive de bordure ou de cales, utiliser des panneaux pour fermer le périmètre. Il s'agit de bandes de revêtement mural intermédiaire encloisonnant l'ossature de plancher et tenant lieu d'appui au revêtement extérieur de finition.

◆ Vérifier que les solives de plancher de bois en I ont un appui d'extrémité suffisant. En cas d'utilisation de cales, les solives de plancher peuvent se prolonger jusqu'à l'extérieur de la fondation ou du mur d'appui.

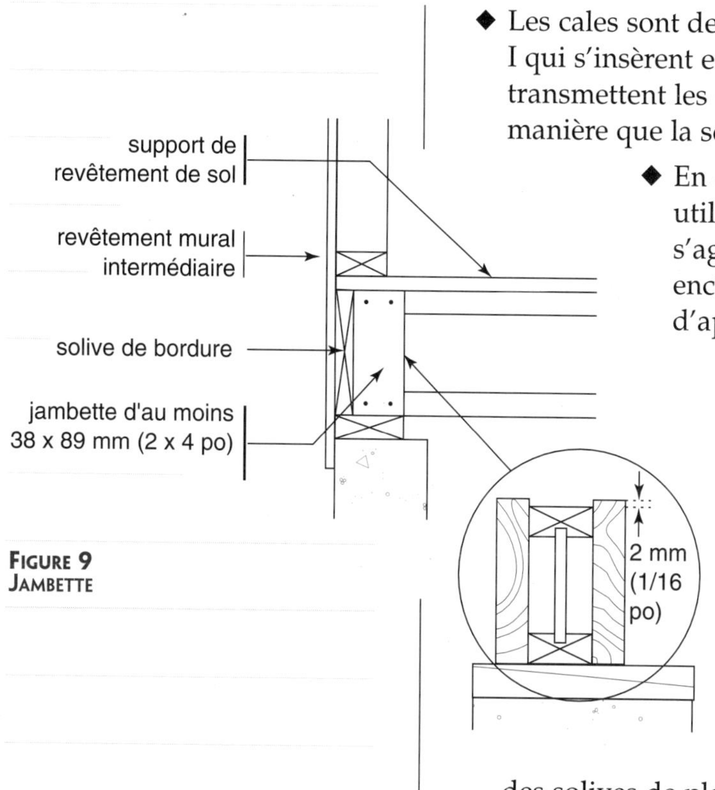

FIGURE 9
JAMBETTE

Installer des jambettes.

◆ Les jambettes constituent une solution de rechange aux éléments de bordure ou aux solives de bordure et aux cales ordinaires. Il s'agit de pièces de bois (en général 38 x 89 mm [2 x 4 po]) fixées sur les côtés des solives de plancher préfabriquées, qui servent à transmettre les charges verticales par le plancher. Elles sont en général utilisées au rez-de-chaussée d'une maison à deux étages et de concert avec un seul élément de bordure. Les jambettes doivent avoir environ 2 mm (1/16 po) de plus que la hauteur des solives de plancher de bois en I (voir figure 9).

PROBLÈME

LES SOLIVES DE BOIS EN I SONT TROP SOLLICITÉES PAR DES CHARGES PONCTUELLES

CAUSE

Les solives de bois en I ne sont pas conçues pour résister à de fortes charges concentrées.

Le système préfabriqué est fondé sur la transmission des charges concentrées par le plancher, moyennant des cales supplémentaires. Le coût de revient des solives de bois en I peut être plus économique, pourvu qu'elles ne doivent pas résister à des charges concentrées.

SOLUTIONS

Installer des cales pour transmettre les charges par le plancher.

- Installer des cales sous toutes les charges concentrées afin de transmettre la charge aux murs porteurs, aux poutres ou à la fondation. Les potelets soutenant les linteaux et les poutres sont les endroits les plus fréquents où se retrouvent des charges concentrées (voir figure 10).
- Les cales mises en œuvre sous les charges ponctuelles sont fabriquées de bois de 38 x 89 mm (2 x 4 po) ou 38 x 140 mm (2 x 6 po). Les cales doivent être légèrement plus longues que la hauteur des solives afin que les charges soient transférées par le plancher aux fondations.
- Les cales se mettent en place au moment de la construction du plancher, et non après. Les cales mises en place au bon moment acceptent les charges au fur et à mesure qu'elles sont transmises. Il est impossible que les cales mises en place après le support de revêtement de sol aient la longueur requise.

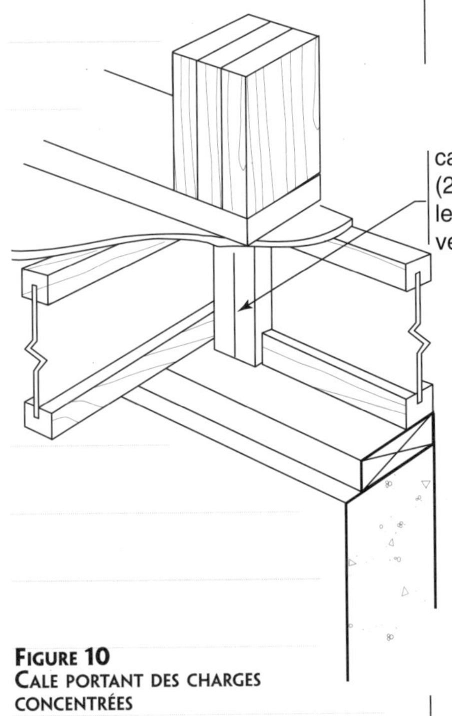

FIGURE 10
CALE PORTANT DES CHARGES CONCENTRÉES

PROBLÈME
FLÉCHISSEMENT DE LA POUTRE D'APPUI

CAUSE

Soutien insuffisant de la poutre

SOLUTIONS

S'assurer que la surface d'appui est suffisante pour la poutre. Vérifier que la poutre repose uniformément sur l'appui.

- S'assurer qu'au moins 89 mm (3 1/2 po) de la poutre repose bien à plat sur son appui. Lorsqu'une poutre composée s'aboute au sommet d'un poteau central, au moins 89 mm (3 1/2 po) de chaque épaisseur doit reposer sur le poteau (voir figure 11).
- Veiller à bien centrer les poteaux sur leur semelle. Là où les poteaux ne sont pas disposés au centre de la semelle, le déséquilibre de la charge peut entraîner le mouvement de la semelle et par conséquent le mouvement du poteau et de la poutre.
- Vérifier que les plaques d'appui sont aussi larges que la poutre qu'elles supportent; Elles doivent être suffisamment larges pour assurer la stabilité du raccordement et éviter d'écraser la poutre qu'elles supportent.
- Veiller à fixer les plaques d'appui à la poutre.
- Utiliser des cales métalliques pour soutenir les extrémités des poutres dans leur logement, le cas échéant.

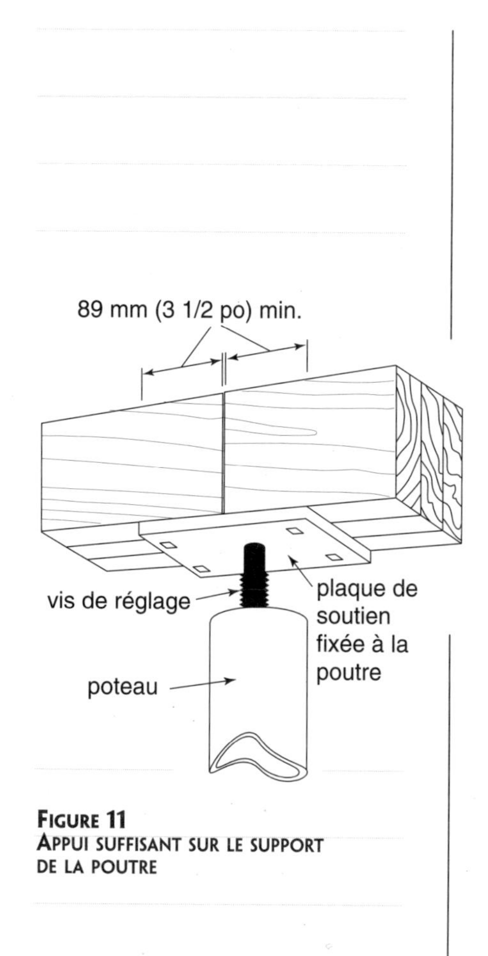

FIGURE 11
APPUI SUFFISANT SUR LE SUPPORT DE LA POUTRE

CAUSE

Pourriture des extrémités de la poutre

SOLUTIONS

Protéger les extrémités de la poutre qui repose sur les murs de fondation extérieurs au niveau ou sous le niveau du sol. Les poutres encastrées dans le béton ou exposées à un degré d'humidité élevé sont sujettes à la pourriture.

- Protéger les extrémités de la poutre qui repose sur les murs de fondation extérieurs, se trouvant au niveau ou sous le niveau du sol, afin que l'humidité ne la fasse pas pourrir; utiliser, à cette fin, du bois traité sous pression ou laisser un espace de 12 mm (1/2 po) à l'extrémité et sur les côtés de la poutre, afin de favoriser la circulation de l'air et l'évaporation de l'humidité (voir figure 12).
- Protéger les extrémités de la poutre encastrée dans le béton en les enrobant de polyéthylène pour ainsi éviter au bois d'être exposé à l'humidité du béton et favoriser la mise en œuvre d'un pare-air efficace autour de l'extrémité de la poutre. Cette technique donne les meilleurs résultats lorsque la poutre est logée dans une engravure du béton plutôt qu'encastrée dans le mur.

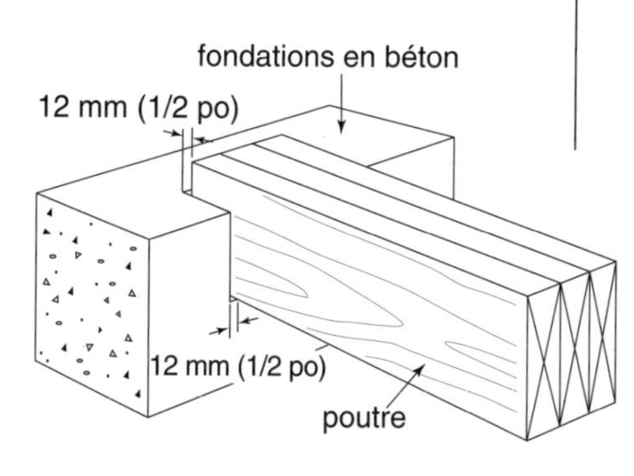

FIGURE 12
PROTECTION DES EXTRÉMITÉS DE LA POUTRE CONTRE L'HUMIDITÉ

Section 2.2 Fléchissement et vibrations

INTRODUCTION

Bon nombre de personnes se rappellent le cliquetis de la vaisselle en marchant tout près du vaisselier dans la maison de leur enfance. Le fléchissement et les vibrations du plancher, causes d'ennui des propriétaires de maisons, ne se remarquent qu'après avoir emménagé. La sensation du plancher qui vibre sous les pas constitue un autre motif de plainte. La fissuration du plafond, les aspérités du plancher, l'inégalité du plancher et l'évidence de mouvement témoignent du fléchissement excessif du plancher.

Dans la mesure du possible, les constructeurs doivent vérifier auprès des propriétaires si certaines conditions de charge ou certains meubles spéciaux peuvent engendrer des vibrations ou des flexions dans leur maison. On peut exécuter des dessins spéciaux et prendre certaines précautions afin de tenir compte des exigences des occupants.

La bonne disposition des murs porteurs, l'installation de cales supplémentaires, la réduction de la portée des solives ou même le fait de modifier le sens des solives de plancher sont des mesures peu coûteuses qui peuvent aider à satisfaire le client. De même, le recours à des solives surdimensionnées ou à des produits spécialisés comme le bois classé par contrainte ainsi que les solives de plancher préfabriquées peuvent aussi répondre aux besoins des propriétaires.

Les vibrations de plancher font l'objet des tableaux de portée du CNB. Cependant, il faudra peut-être dépasser les exigences du CNB afin de réaliser des planchers sans vibration auxquels s'attendent certains propriétaires.

2.2.1 VIBRATIONS ET MOUVEMENT

PROBLÈME

VIBRATIONS DU PLANCHER

CAUSE

Trop grande portée

Les pièces où il importe de réduire les vibrations au minimum, comme la cuisine et la salle à manger, peuvent nécessiter un traitement spécial, c'est-à-dire obliger à modifier la portée des solives de plancher au-delà de ce que prévoit le CNB. Même si le CNB de 1995 tient compte des vibrations comme critère déterminant pour l'établissement des portées admissibles, il arrive que les vibrations admissibles ne satisfassent pas le propriétaire.

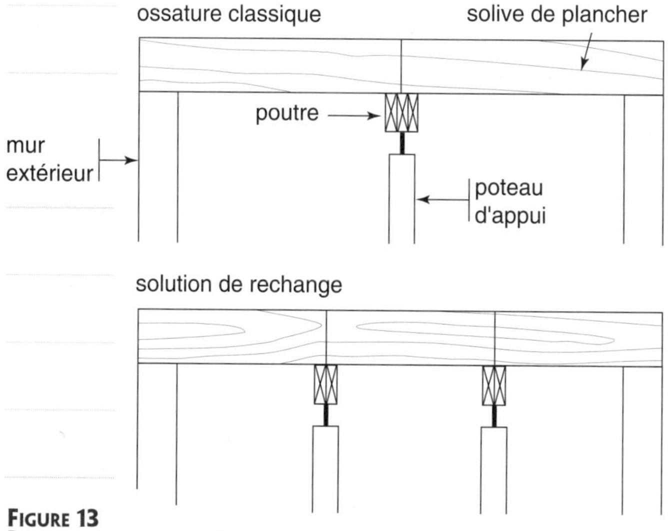

FIGURE 13
RÉDUCTION DE LA PORTÉE DES SOLIVES

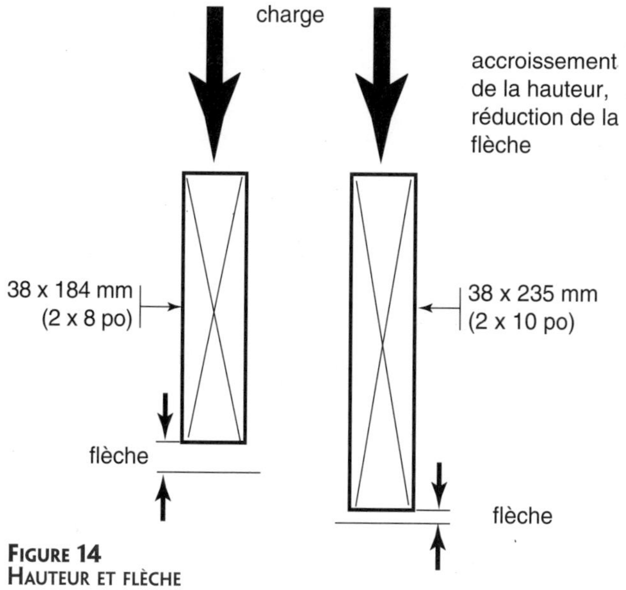

FIGURE 14
HAUTEUR ET FLÈCHE

SOLUTIONS

Diminuer la portée des solives.

- Réduire la distance entre les appuis diminue la portée des éléments structuraux et raidit le plancher. Dans une charpente de plancher type reposant sur une poutre disposée à mi-portée, l'ajout d'un appui supplémentaire réduit de façon significative les vibrations du plancher (voir figure 13).

Accroître la hauteur des solives.

- Augmenter la hauteur des solives tout en conservant le même espacement raidit considérablement le plancher. Puisque la portée admissible à vibrations réduites est fonction du fléchissement à mi-portée, les solives plus hautes offrent une solution nettement meilleure.
- Remplacer les solives de 38 x 184 mm (2 x 8 po) d'une ossature de plancher type par des solives de 38 x 235 mm (2 x 10 po) a pour effet d'augmenter la portée maximale à vibrations réduites d'environ 18 p. 100. Faire appel à des solives de 38 x 286 mm (2 x 12 po) plutôt qu'à des solives de 38 x 235 mm (2 x 10 po) entraîne un accroissement de la portée maximale à vibrations réduites d'environ 14 p. 100 (voir figure 14).
- Dans l'éventualité de recourir à des solives de hauteur supérieure, penser au retrait. En effet, le retrait des solives peut occasionner d'autres problèmes comme la fissuration des plaques de plâtre. Plus les éléments sont hauts, plus il risque d'y avoir de retrait.

Diminuer l'espacement des solives.

- ◆ Une autre façon de raidir le plancher consiste à diminuer l'espacement entre les solives. Quoique pas aussi efficace qu'augmenter la hauteur des solives, cette mesure donne d'excellents résultats.
- ◆ Si l'on compare les solives de 38 x 235 mm (2 x 10 po) espacées de 400 mm (16 po) entre axes aux mêmes solives de 38 x 235 mm (2 x 10 po) espacées de 300 mm (12 po) entre axes, la portée maximale admissible à vibrations réduites augmente d'environ 5 p. 100. Cette option a très peu d'effet sur la conception de la maison.
- ◆ Un autre avantage de rapprocher les solives réside dans la réduction du fléchissement du support de revêtement de sol. Cette méthode confère au plancher une sensation de solidité et prévient la formation d'aspérités au niveau du support du revêtement de sol.

Utiliser des essences de bois plus résistantes.

- ◆ Choisir une essence de bois plus résistante a pour effet d'atténuer les vibrations. Sélectionner du sapin de Douglas plutôt que de l'épinette permet ainsi d'augmenter la portée admissible à vibrations réduites d'environ 5 p. 100.
- ◆ Comme le bois classé par contrainte mécanique s'obtient de plus en plus facilement, on peut en spécifier l'usage pour l'ossature de plancher. Utiliser des solives en bois classé par contrainte mécanique plutôt que des solives en S-P-F permet d'augmenter d'environ 9 p. 100 la portée admissible à vibrations réduites.

Coller le support de revêtement de sol et/ou utiliser des panneaux plus épais.

- ◆ Les solives de plancher et le support de revêtement de sol adoptent un comportement solidaire. Modifier l'épaisseur du support de revêtement de sol et recourir à un meilleur mode de fixation contribue à raidir le plancher.
- ◆ Une excellente technique de raidissement du plancher consiste à coller le support de revêtement de sol en plus de le clouer ou de l'agrafer. Cette technique fait mieux adhérer le support aux solives en plus d'augmenter d'environ 11 p. 100 la portée admissible à vibrations réduites.
- ◆ Pour en bénéficier au maximum, au moment de coller le support de revêtement de sol aux solives, vérifier que les éléments sont propres et exempts de béton, de saleté, d'humidité ou de givre.
- ◆ Arrêter son choix sur un support de revêtement de sol plus épais contribue aussi à raidir le plancher. Faire passer l'épaisseur du support de revêtement de sol de 15,5 mm (5/8 po) à 19 mm (3/4 po) augmente d'environ 5,5 p. 100 la portée admissible à vibrations réduites.

PROBLÈME
VIBRATIONS DU PLANCHER

CAUSE

Entretoises ou cales insuffisantes

Toute l'ossature de plancher se raidit lorsque les cales et les entretoises transmettent les charges d'un élément structural à l'autre. Pour que les cales et les entretoises remplissent bien leur rôle, elles doivent être bien mises en œuvre. Les cales et entretoises trop longues ou trop courtes ou mal fixées ne donneront pas la tenue en service souhaitée.

SOLUTIONS

Prévoir davantage de cales et d'entretoises que ce que requiert le CNB.

- Le CNB requiert la mise en place de lattes continues ou d'entretoises/de cales lorsque sont dépassées certaines portées. Ce type d'assemblage améliore la répartition des charges entre les éléments structuraux et confère ainsi plus de rigidité au plancher.
- Dans les pièces où il importe de réduire les vibrations au minimum, il peut être sage de prévoir deux rangées d'entretoises ou de cales à l'intérieur de la portée plutôt qu'une seule comme pourrait l'exiger le CNB. Lorsque l'on place plus d'une rangée d'entretoises ou de cales près du centre de la portée du plancher, l'assemblage accuse davantage de rigidité (voir figure 15).

Utiliser des lattes continues en plus des entretoises et des cales.

- Fixer des lattes continues à la face inférieure des solives leur procure une certaine stabilité latérale et prévient leur torsion, mais n'exerce pas beaucoup d'effet sur la répartition des charges. Par contre, les entretoises et les cales répartissent beaucoup plus efficacement les charges d'un élément structural à l'autre et de ce fait augmentent la rigidité du plancher tout en diminuant les vibrations. Combiner l'utilisation de lattes continues et d'entretoises ou de cales augmente d'autant l'efficacité (voir figure 16).

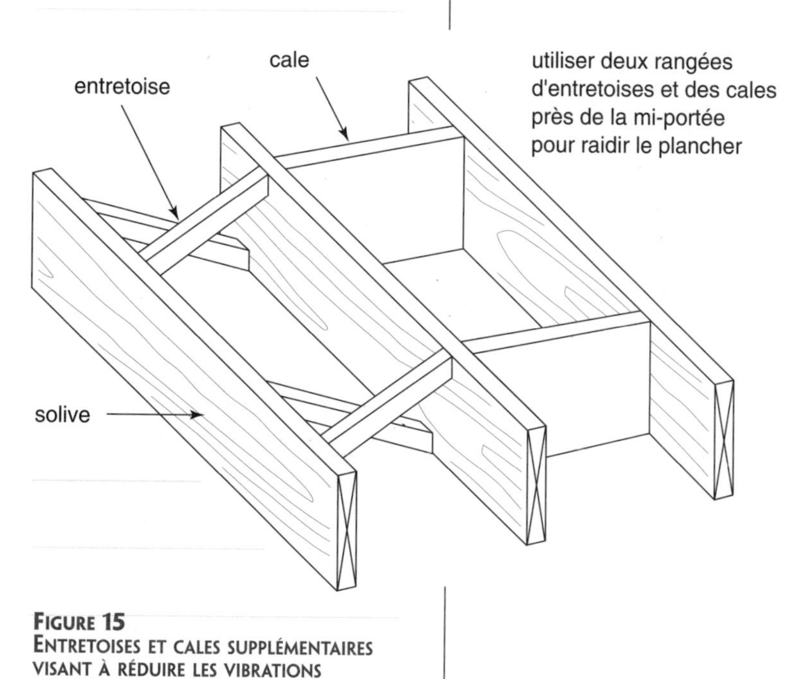

FIGURE 15
ENTRETOISES ET CALES SUPPLÉMENTAIRES VISANT À RÉDUIRE LES VIBRATIONS

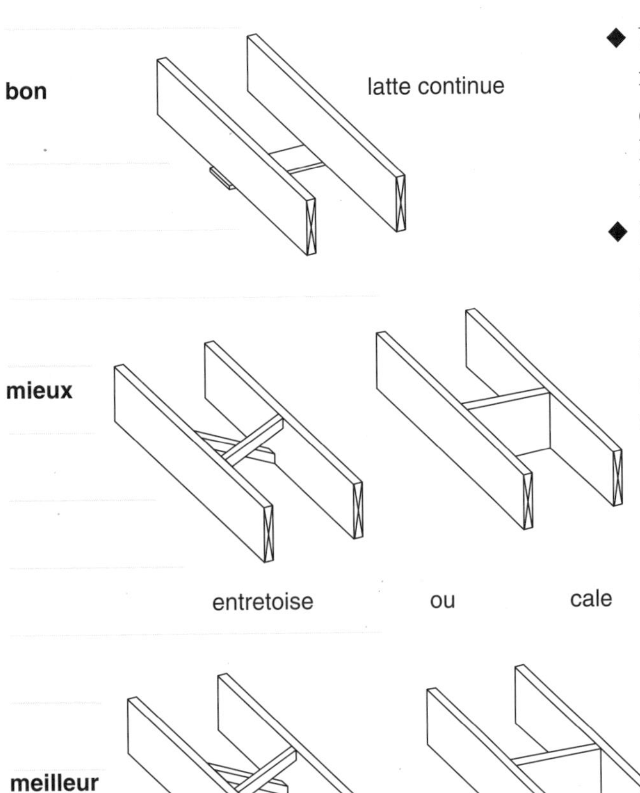

FIGURE 16
ENTRETOISES, CALES ET LATTES CONTINUES

- Un plafond fini, composé de panneaux fixés directement à la face inférieure du plancher, a beaucoup plus d'effet qu'une seule rangée de lattes continues. En effet, les produits en panneaux assurent ainsi une excellente rigidité dans toutes les directions horizontales.
- Envisager d'ajouter des lattes continues selon un espacement de 300 mm (12 po), 400 mm (16 po), ou 600 mm (24 po) entre axes en prévision des futurs revêtements de plafond. Entre-temps, les lattes continues assureront une rigidité supplémentaire et aideront à réduire les vibrations du plancher.

2.2.2 RÉSISTANCE STRUCTURALE

PROBLÈME

VIBRATIONS DU PLANCHER

CAUSE

Utilisation contre-indiquée du porte-à-faux

Les porte-à-faux peuvent présenter des problèmes pour la salle à manger, la cuisine, le vaisselier encastré ainsi que la terrasse et le palier. Lorsqu'une charge est imposée soit à la partie principale du plancher ou du porte-à-faux, l'extrémité du porte-à-faux subit un mouvement et des vibrations. Un long porte-à-faux affaiblit le plancher qui subit ainsi davantage de vibrations.

SOLUTIONS

Limiter la longueur des porte-à-faux.

- Le CNB limite la longueur des porte-à-faux lorsqu'ils sont destinés à appuyer les charges de toit. Les porte-à-faux ne peuvent pas soutenir les charges de plancher provenant des autres étages à moins d'avoir été conçus par des spécialistes.
- Lorsque les solives sont disposées en porte-à-faux dans le but de soutenir une fenêtre en saillie, un vaisselier encastré, ou de prolonger le coin-repas, etc., il y aura une plus grande possibilité de ressentir des vibrations tant dans la partie en porte-à-faux que dans la partie principale du plancher. La longueur du porte-à-faux ne devra cependant pas dépasser le maximum énoncé par le CNB.

Limiter la charge imposée au porte-à-faux.

- Dans les pièces agrandies par le porte-à-faux des solives, le concepteur doit envisager d'utiliser des poutres pour soutenir les charges de toit au-dessus des ouvertures. De cette façon, les charges sont transmises directement aux fondations sans exercer d'incidence quelconque sur l'ossature de plancher (voir figure 17).
- En cas de recours à des porte-à-faux, il est tout indiqué de s'en servir dans des endroits soumis à peu de charges ou de circulation. Réduire les charges imposées aux solives en porte-à-faux permet de minimiser les effets sur l'ossature de plancher et par conséquent d'atténuer les vibrations.

poutre
le porte-à-faux soutient uniquement le mur et non la charge de toit

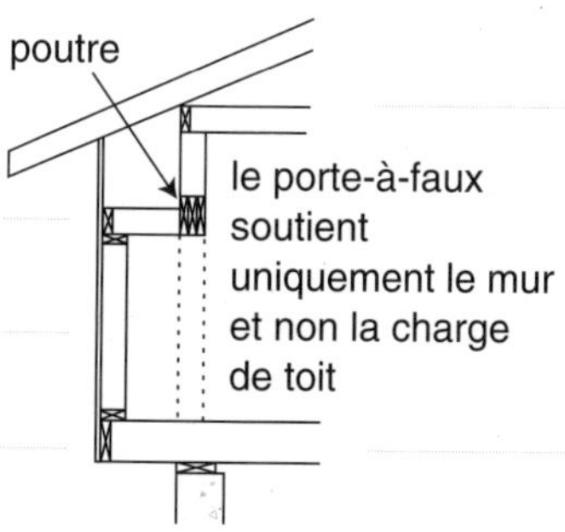

FIGURE 17
RÉDUCTION DE LA CHARGE IMPOSÉE AU PORTE-À-FAUX

PROBLÈME
DÉFORMATION DU PORTE-À-FAUX

CAUSE

Trop grande portée du porte-à-faux et/ou solives boiteuses

Lorsque le porte-à-faux soutient à la fois la charge de toit et les surcharges de plancher, le porte-à-faux et l'ossature de plancher à l'extrémité opposée du porte-à-faux peuvent subir un mouvement et une déformation. La longueur du porte-à-faux et la longueur des solives boiteuses (prolongement vers l'intérieur) risquent d'influer sur l'importance de la déformation.

SOLUTIONS

Réduire la longueur du porte-à-faux.

- Comme pour tous les éléments structuraux d'une maison à ossature de bois, les dimensions des solives doivent être déterminées à l'aide du CNB. Les solives de plancher supportant des charges de toit ne doivent pas se prolonger en porte-à-faux sur une longueur supérieure à 400 mm (16 po) au-delà de leurs supports lorsqu'elles mesurent 38 x 184 mm (2 x 8 po), ou à 600 mm (24 po) lorsqu'elles mesurent 38 x 235 mm (2 x 10 po) ou plus (voir figure 18).

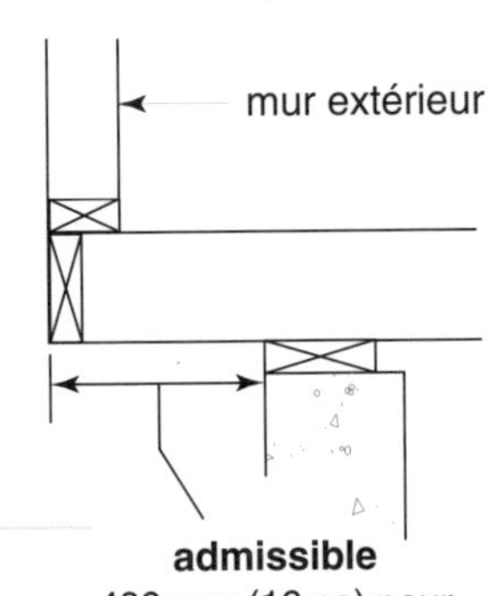

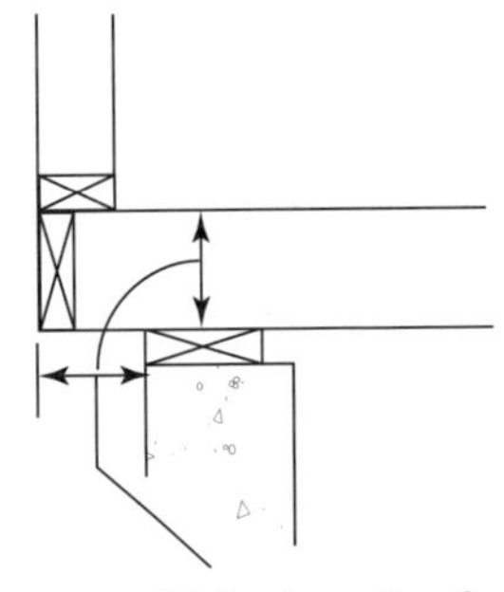

FIGURE 18
RÉDUCTION DE LA LONGUEUR DU PORTE-À-FAUX

Prolonger les solives boiteuses.

- Lorsque les solives de plancher en porte-à-faux sont à angle droit avec les solives de plancher principales, les solives boiteuses de la partie en porte-à-faux doivent se prolonger vers l'intérieur à partir du premier support jusqu'à une distance égale à au moins 6 fois la longueur non supportée. Cela préviendra tout mouvement vers le haut à l'extrémité des solives boiteuses, surtout en présence de lourdes charges (voir figure 19).

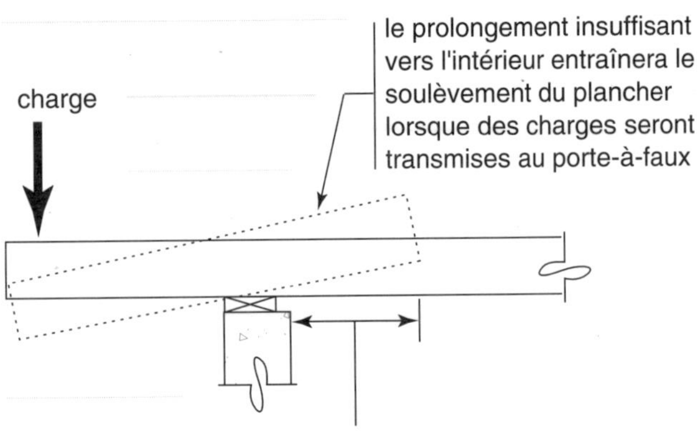

FIGURE 19
CHARPENTE DU PORTE-À-FAUX

PROBLÈME

SURCHARGE DES SOLIVES DE BOIS EN I AU PORTE-À-FAUX

CAUSE

Les solives de bois en I ont une capacité limitée au-dessus des murs porteurs.

Lorsque les solives de bois en I se prolongent en porte-à-faux et soutiennent des charges de toit, le mur porteur ou la poutre subissent des contraintes considérables. L'âme en panneau de bois peut subir une contrainte excessive et même une défaillance sous une charge très importante. Les fortes charges concentrées sur le point d'appui sont supérieures à ce que ces solives peuvent supporter.

SOLUTIONS

Ajouter des raidisseurs d'âme.

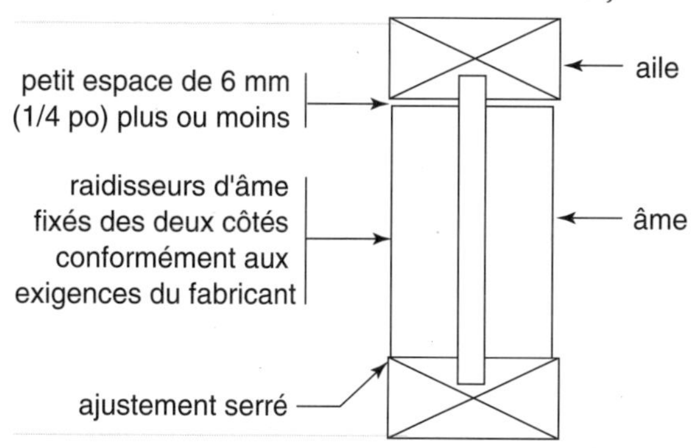

FIGURE 20
RAIDISSEURS D'ÂME

- ◆ Dans certaines situations de charges (voir les recommandations du fabricant), les solives de bois en I mises en porte-à-faux doivent être munies de raidisseurs d'âme juste au-dessus du mur d'appui. Cela permet de raidir les solives à l'endroit où les contraintes sont les plus élevées. Les raidisseurs sont des cales (en général en contreplaqué ou en bois de sciage) qui se fixent de chaque côté de l'âme entre les deux ailes. On laisse un espace de 6 mm (1/4 po) entre l'aile supérieure et la cale (voir figure 20).
- ◆ Bien assujettir les raidisseurs à l'âme et vérifier leur solidarité. Cette technique accroît la résistance de l'âme et, par conséquent, de l'élément structural au-dessus de l'appui, lui permettant ainsi de porter des charges élevées.
- ◆ Le type et la longueur des attaches requises peuvent varier d'un fabricant à l'autre. Toujours vérifier les exigences du fabricant, étant donné que les attaches ont un rôle primordial à jouer dans la solidarisation des raidisseurs et de l'âme.

Ajouter des renforts.

- ◆ Pour soutenir les charges de toit, peut-être faudra-t-il renforcer les côtés des solives de bois en I, conformément aux exigences du concepteur. Les renforts sont en général fabriqués de panneaux de revêtement intermédiaire taillés selon la pleine hauteur de la solive et fixés aux ailes supérieure et inférieure. Ce renfort mesure en général trois fois la longueur du porte-à-faux et se prolonge de l'extérieur du porte-à-faux jusqu'à l'intérieur de la maison. Il peut être requis d'un côté ou des deux côtés de la solive.

- ◆ Une autre technique de consolidation consiste à ajouter une autre section de solive de bois en I à côté des solives en porte-à-faux. La longueur de la section ajoutée mesure environ trois fois la longueur du porte-à-faux. On ajoute également une cale de remplissage entre les deux âmes et les deux sections sont fixées ensemble solidement par l'âme et la cale de remplissage (voir figure 21).
- ◆ Le revêtement intermédiaire de renfort ou les solives doivent être mis en œuvre lors de l'exécution de la charpente du plancher de façon à ce que soient bien réparties les charges provenant des murs, des étages supérieurs et du toit. Dès que la charge s'exerce sur la solive, le fait de la consolider n'améliore pas nécessairement la situation. Pour que le renfort soit utile, il doit porter la charge au même moment que la solive.

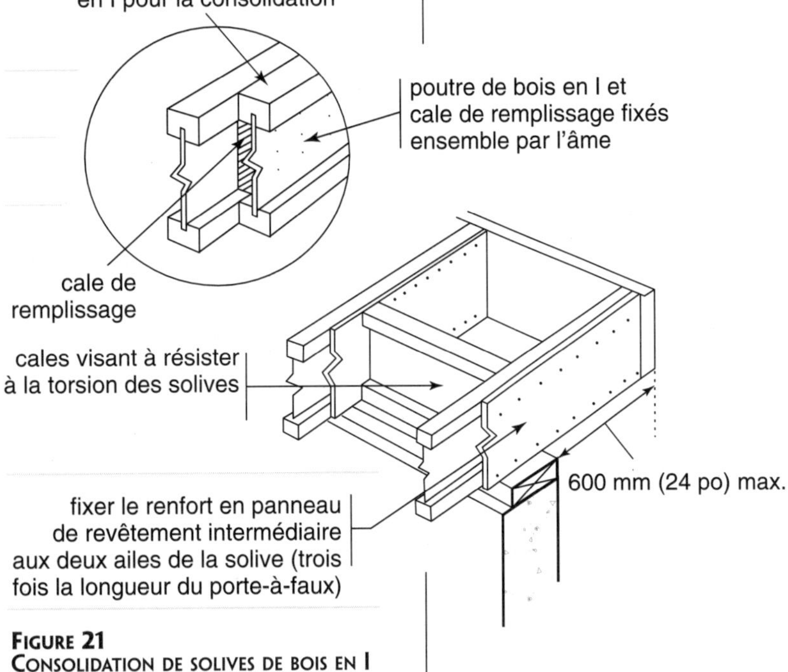

FIGURE 21
CONSOLIDATION DE SOLIVES DE BOIS EN I EN PORTE-À-FAUX

PROBLÈME
SOUTIEN INSUFFISANT DES SOLIVES

CAUSE

Mauvais appui des solives

Lorsque la surface d'appui est trop petite ou que les connecteurs et les attaches sont trop faibles, les solives peuvent se déplacer et causer le fléchissement du plancher.

SOLUTIONS

Lambourdes

- Les solives de plancher doivent reposer à chaque extrémité sur un appui minimal de 38 mm (1 1/2 po). Lorsque les solives s'assemblent sur les côtés d'une poutre, une lambourde peut y être clouée pour assurer l'appui nécessaire. Les lambourdes, qui mesurent en général 38 x 38 mm (2 x 2 po), se fixent à la poutre à l'aide de deux clous de 82 mm (3 1/4 po) sous chaque solive. Les solives qui s'appuient sur des lambourdes de 38 x 38 mm (2 x 2 po) doivent également être fixées en biais à la poutre par au moins quatre clous de 89 mm (3 1/2 po). Avec des lambourdes de 38 x 64 mm (2 x 3 po), point n'est besoin de clouer la solive en biais.

Étriers à solive

- Les étriers à solive sont des dispositifs de fixation mécaniques qui assurent le même soutien qu'une lambourde. Les étriers se fixent aussi bien à la poutre en bois qu'à la solive (voir figure 22).

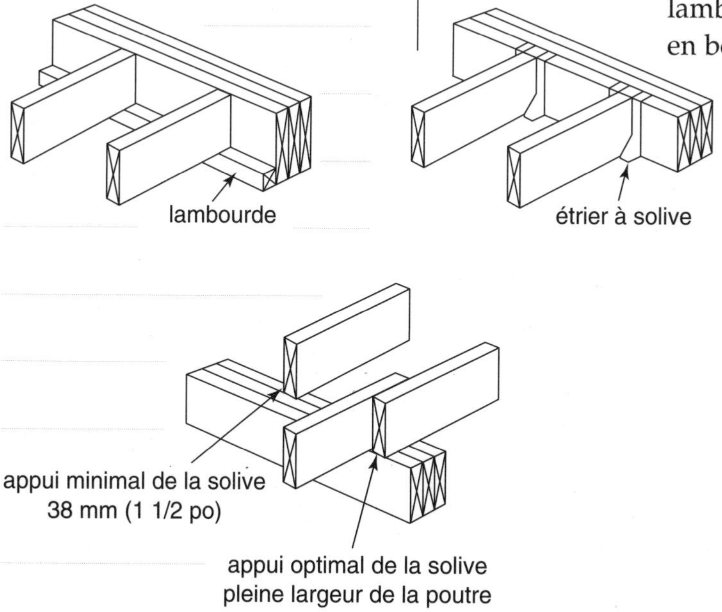

FIGURE 22
APPUI DES SOLIVES DE PLANCHER

PROBLÈME

DÉFORMATION DES SOLIVES DE PLANCHER

CAUSE

Solives de plancher mal dimensionnées

Les solives de plancher fléchissent ou se déforment dans une certaine mesure, peu importe l'importance des charges qu'elles portent. Lorsque les solives sont mises en œuvre la couronne ou la cambrure vers le haut, la déformation attribuable à de faibles charges ne se remarque probablement même pas. Cependant, l'importance des charges peut occasionner des déformations risquant de rendre l'aspect du plancher inacceptable.

SOLUTIONS

Réduire la portée.

- Consulter les tableaux des portées du CNB en vue de déterminer les dimensions, l'espacement et les portées maximales permises à l'égard des solives. Comme pour les poutres, le choix des dimensions des solives est fonction de la charge, de la longueur de portée, ainsi que du type et de la qualité du bois.
- Dans l'éventualité de charges exceptionnement élevées, réduire la portée des solives. Les conditions de charge inusitées s'entendent des chapes de béton, des grandes cuves thermales, des foyers en maçonnerie, etc. Faire appel à un spécialiste en pareille situation.

Diminuer l'espacement des solives, sinon utiliser une essence de bois plus résistante.

- Une autre façon de tenir compte des charges importantes et de réduire le fléchissement consiste à raffermir le plancher en rapprochant les solives les unes des autres ou en utilisant une essence de bois plus résistante.
- Disposer les solives à 300 mm (12 po) entre axes plutôt qu'à 400 mm (16 po) permet de réduire d'environ 25 p. 100 la charge imposée à chaque solive. L'ampleur du fléchissement devrait être réduite dans une proportion correspondante.
- Faire appel à une essence de bois plus résistante contribue également à réduire l'importance du fléchissement. L'une des propriétés du bois qui agit sur le fléchissement est le module d'élasticité. Le bois S-P-F (no 1) a un module d'élasticité de 9 300 et le sapin de Douglas (no 1) de 12 400. Plus le module est élevé, plus le bois est résistant et donc moins il fléchit.
- Utiliser une essence de bois plus résistante ou diminuer l'espacement des solives diminue aussi bien les vibrations que le fléchissement.
- Le bois classé par contrainte mécanique varie beaucoup moins que les débits courants et procure donc des éléments plus résistants dans l'ensemble. Utiliser du bois résistant pour porter de lourdes charges.

PROBLÈME

Déformation des solives de plancher

Cause

Chevauchement trop prononcé des solives sur la poutre

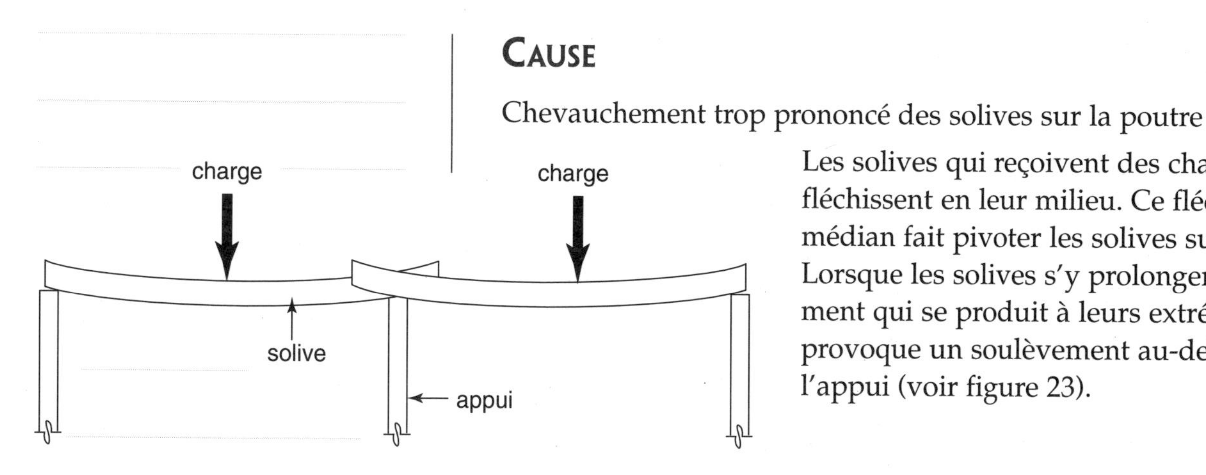

Figure 23
Chevauchement trop prononcé des solives sur l'appui

Les solives qui reçoivent des charges fléchissent en leur milieu. Ce fléchissement médian fait pivoter les solives sur leur appui. Lorsque les solives s'y prolongent, le pivotement qui se produit à leurs extrémités provoque un soulèvement au-delà de l'appui (voir figure 23).

Solutions

Réduire la saillie des solives sur la poutre.

- Étant donné que les solives fléchissent toujours sous charge, il faut minimiser l'effet du fléchissement. Éviter de mettre en œuvre les solives faisant saillie de plus de 50 mm (2 po) sur la poutre. En fait, bon nombre de constructeurs coupent les solives pour qu'elles ne se recouvrent pas, préférant les abouter sur l'appui. Pour empêcher les solives de plancher de se tordre, clouer leur partie inférieure en biais à l'appui ou fixer des cales ou entretoises entre les solives (voir figure 24).

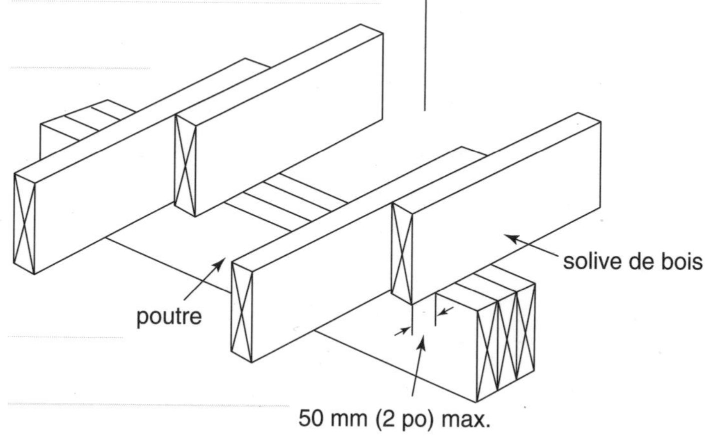

Figure 24
Chevauchement approprié des solives

PROBLÈME

DÉFORMATION DES SOLIVES DE PLANCHER

CAUSE

Trous et entailles dans les solives

Pratiquer des trous ou des entailles de façon contre-indiquée dans les solives en diminue la hauteur efficace. Une solive de 38 x 235 mm (2 x 10 po) peut se comporter comme une solive de 38 x 184 mm (2 x 8 po) si le trou ou l'entaille est exécuté incorrectement. L'affaiblissement de la solive peut entraîner un fléchissement excessif ou une défaillance.

SOLUTIONS

Éviter de pratiquer des trous près des rives inférieure et supérieure ou à mi-portée.

- Il faut souvent pratiquer des rainures, des niches, des trous et autres passages dans les solives pour la plomberie, le chauffage ou l'électricité. Il importe cependant de les exécuter correctement.
- Éviter de percer des trous de diamètre supérieur au quart de la hauteur de l'élément. Les situer à au moins 50 mm (2 po) des rives à moins d'avoir augmenté la hauteur de l'élément d'une quantité égale au diamètre du trou.
- Les solives de plancher peuvent être entaillées, à condition que l'entaille soit pratiquée en partie supérieure de l'élément et qu'elle se trouve à une distance horizontale, mesurée à partir de l'appui, égale à 1/2 au plus de la hauteur de la solive. S'abstenir de pratiquer des entailles à plus de 1/3 de la hauteur de la solive, à moins d'avoir augmenté au préalable la hauteur de l'élément d'une quantité égale à la profondeur de l'entaille (voir figure 25).

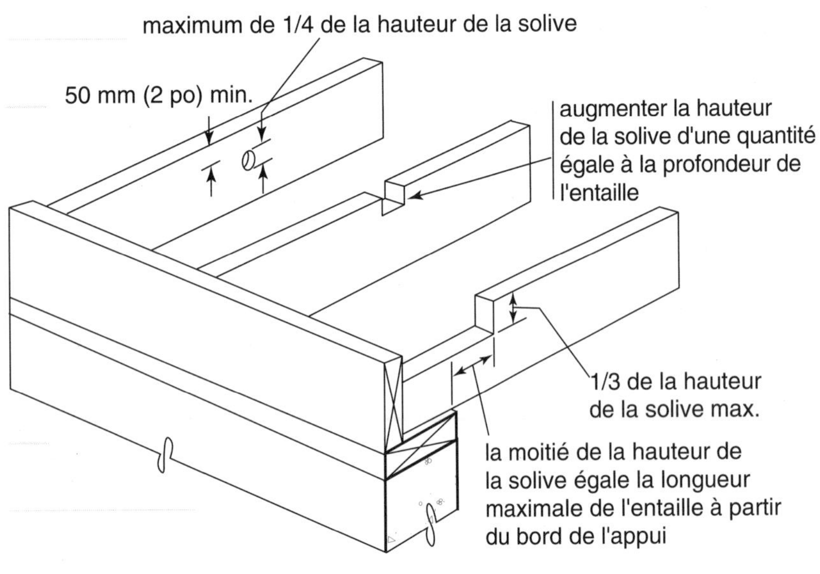

FIGURE 25
EXÉCUTION CORRECTE D'ENTAILLES ET DE TROUS DANS LES SOLIVES

Section 2.3 Revêtements de sol

INTRODUCTION

Le revêtement de sol désigne la couche superficielle visible du plancher qui laisse souvent paraître les défauts des matériaux sous-jacents. La décoloration du revêtement de sol souple survient fréquemment et découle de causes diverses. Dans certains cas, l'utilisation de bouche-fentes et d'adhésifs non compatibles qui réagissent avec le revêtement risquent de faire apparaître des défauts. L'usage contre-indiqué d'adhésifs ou de nettoyants ou des déversements accidentels sur la couche de pose risquent également de modifier la couleur du revêtement de sol souple.

La transparence des joints de la couche de pose à la surface du revêtement de sol souple peut être ennuyeuse et coûteuse à réparer. Il appartient aux constructeurs de composer avec la difficile tâche d'assortir le support de revêtement de sol, la couche de pose, les bouche-fentes, les adhésifs et le revêtement de sol.

Les matériaux de la couche de pose doivent être conditionnés à la température et à l'humidité prévues au cours de l'occupation de la maison. Les panneaux de la couche de pose sont souvent très sensibles à l'humidité et peuvent changer de dimensions presque du jour au lendemain. Le conditionnement s'avère difficile mais constitue une étape importante pour éviter les problèmes de revêtement de sol.

À mesure que gagne en popularité le carrelage céramique, les constructeurs doivent trouver le moyen de prévoir une base très solide pour sa mise en œuvre. La fissuration des carreaux de céramique et du coulis découle souvent du manque de rigidité du plancher ou de la circulation avant que les produits aient pu prendre ou durcir.

Pour obtenir un bel aspect durable, le revêtement de sol exige une base appropriée faisant appel à des matériaux complémentaires et à une mise en œuvre de qualité.

2.3.1 MATÉRIAUX
PROBLÈME
DÉCOLORATION DU REVÊTEMENT DE SOL SOUPLE

CAUSE

Incompatibilité des matériaux

Jusqu'à ce jour, de l'avis général, la principale cause de la décoloration des revêtements de sol souples réside dans l'incompatibilité des produits. La recherche indique que la réussite de la pose tient à la dilatation minimale des matériaux et au retrait consécutif à la perte de leur humidité accumulée.

SOLUTIONS

S'en tenir à la couche de pose recommandée, assortie d'une excellente garantie du fabricant.

- Rien n'indique quelles couches de pose, s'il y en a, entraînent la décoloration du revêtement de sol souple. Certains fabricants de revêtements de sol souples disposent d'exigences très précises quant aux produits à utiliser. Il vaut mieux respecter les recommandations du fabricant en matière de couches de pose convenables. Il s'agit souvent d'une exigence visant à préserver la garantie du revêtement de sol. La majorité des matériaux de couche de pose peuvent cependant afficher une performance adéquate, à la condition de prêter attention à certains détails.

Utiliser les bouche-fentes recommandés.

- Les fabricants sont en général très précis quant au type de bouche-fentes à utiliser avec leurs produits. Suivre à la lettre les instructions du fabricant pour la préparation et la mise en œuvre de la couche de pose et des bouche-pores compatibles.

Utiliser l'adhésif recommandé.

- Les fabricants sont en général également très précis au sujet du type d'adhésif à utiliser avec leurs revêtements de sol; ils proposent des adhésifs qu'ils savent compatibles avec leurs produits. Bon nombre produisent également l'adhésif tout indiqué pour leurs revêtements de sol. Toujours s'en tenir à leurs recommandations.

Protéger la couche de pose contre tout déversement.

- Bon nombre de gens de métier œuvrant dans la maison se servent d'adhésifs, de solvants et d'autres produits semblables qui, s'ils sont déversés sur la couche de pose, risquent de l'endommager. Même si le déversement est nettoyé sans délai, la couche de pose en absorbe une certaine quantité, occasionnant parfois la transparence du revêtement de sol ou le jaunissement du vinyle.
- Nettoyer à fond, le cas échéant, tout déversement et réparer la zone touchée. Remplacer les panneaux endommagés, ou poncer et obturer la zone de déversement au complet.

PROBLÈME

TRANSMISSION DES DÉFAUTS DE LA COUCHE DE POSE AUX REVÊTEMENTS DE FINITION

CAUSE

Dilatation de la couche de pose après exposition à une humidité excessive (par exemple, cure de la dalle de sous-sol en béton fraîchement coulé).

SOLUTIONS

Utiliser la couche de pose tout indiquée selon sa destination.

- Les fabricants de matériaux de couche de pose recommandent précisément où mettre en œuvre leurs produits. Ils fondent en général leurs recommandations sur des conditions où l'humidité élevée agira sur leurs produits. Ils ne recommandent pas de mettre en œuvre une couche de pose dans des conditions d'humidité extrêmes.
- Les travaux doivent être prévus vers la fin des travaux de construction. Laisser sécher le support de revêtement de sol s'il enregistre encore une forte teneur en eau, ou chauffer la maison de manière à obtenir des conditions plus favorables.
- La plupart des fabricants requièrent de protéger leur couche de pose de sources de chaleur excessive comme le générateur de chaleur ou les bouches d'air chaud. La couche de pose doit également être protégée de l'humidité excessive. La mise en œuvre sous le niveau du sol ou au-dessus d'un vide sanitaire non ventilé n'est en général pas recommandée, sauf s'il s'agit de produits spécifiques.
- En général, les panneaux de particules et les panneaux de copeaux orientés sont plus sensibles aux variations de chaleur et d'humidité que le contreplaqué. Surveiller de près l'utilisation de différentes couches de pose à divers endroits de la maison, ou prendre des mesures supplémentaires pour bien sceller le revêtement de sol souple afin de le protéger de l'humidité.

Veiller à sceller toutes les rives du revêtement de sol souple.

- En présence d'eau, la couche de pose est fortement susceptible de gonfler dans les endroits comme la salle de bains et à l'entrée. Si les joints ne sont pas bien scellés, ou que les rives du revêtement de sol ne sont pas bien scellées au seuil de porte, l'eau peut s'introduire sous le revêtement de sol souple et faire gonfler la couche de pose (voir figure 26).

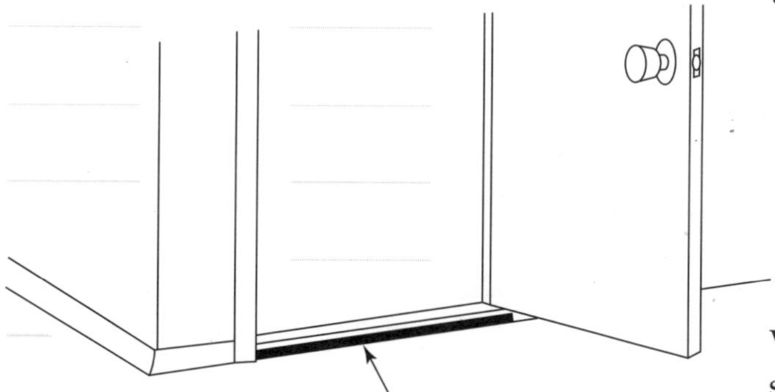

FIGURE 26
SCELLEMENT DES RIVES

- Bien sceller les joints du revêtement de sol souple et empêcher les gens d'y circuler jusqu'à ce que l'agent de scellement ait bien durci. Sceller les rives du revêtement souple le long des portes-fenêtres où peut couler de l'eau à cause de la condensation, des seuils de porte, de la baignoire, de la toilette, de la base de la cabine de douche, de la coiffeuse, et des autres endroits où l'humidité peut s'immiscer
- Les nouveaux types de revêtement de sol souple (à pose libre ou interflex) continuent de rétrécir pendant plusieurs semaines après leur mise en œuvre. Il est donc primordial de bien assujettir à la couche de pose les rives du revêtement de sol. Au fur et à mesure du retrait et du raffermissement du matériau, l'agent de scellement utilisé au seuil de porte peut se détacher et ainsi permettre à l'eau de s'introduire sous le revêtement. Vérifier tous les joints vis-à-vis des seuils de porte environ un mois après la mise en œuvre du revêtement de sol à pose libre et les resceller au besoin.

Protéger et conditionner les matériaux de couche de pose avant la mise en œuvre, surtout en cas de température et d'humidité extrêmes.

- Les panneaux de la couche de pose sont rarement conditionnés avant leur mise en œuvre. Presque tous les fabricants recommandent de conditionner leurs produits dans la maison avant leur mise en œuvre. Ils recommandent de ranger les panneaux à plat sur trois supports dans un endroit sec couvert, protégé des écarts extrêmes de chaleur et d'humidité avant, pendant et après la mise en œuvre. Poser les panneaux une fois qu'ils ont atteint la température et l'humidité ambiantes, période pouvant prendre entre 24 et 48 heures (selon les conditions du milieu).

La figure 27 illustre une façon de conditionner les panneaux.

- Protéger les matériaux de la couche de pose d'une humidité excessive, sinon ils risquent de gonfler avant même d'être mis en œuvre. Éviter de les ranger dans un garage froid et humide ou sur une dalle fraîchement coulée, car cela nuirait à la stabilité des panneaux. Protéger des éléments les panneaux rangés à l'extérieur.

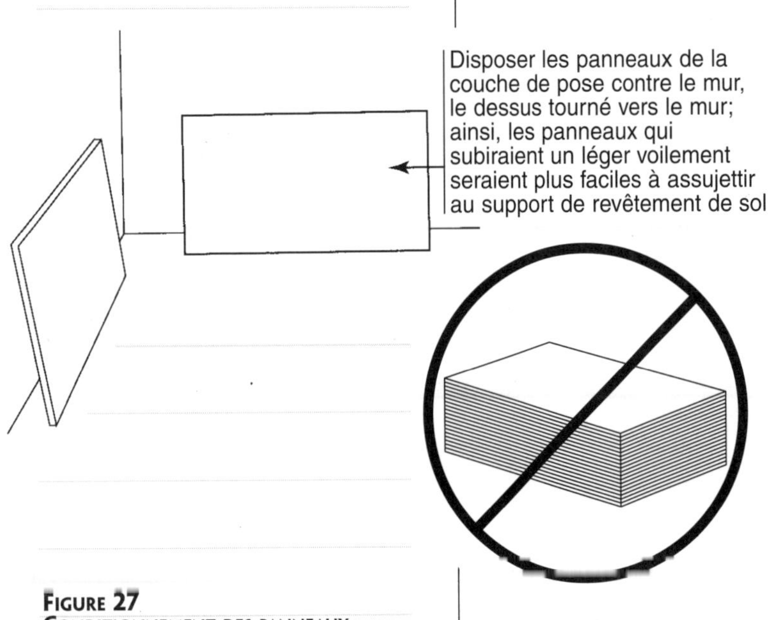
Disposer les panneaux de la couche de pose contre le mur, le dessus tourné vers le mur; ainsi, les panneaux qui subiraient un léger voilement seraient plus faciles à assujettir au support de revêtement de sol

FIGURE 27
CONDITIONNEMENT DES PANNEAUX DE LA COUCHE DE POSE

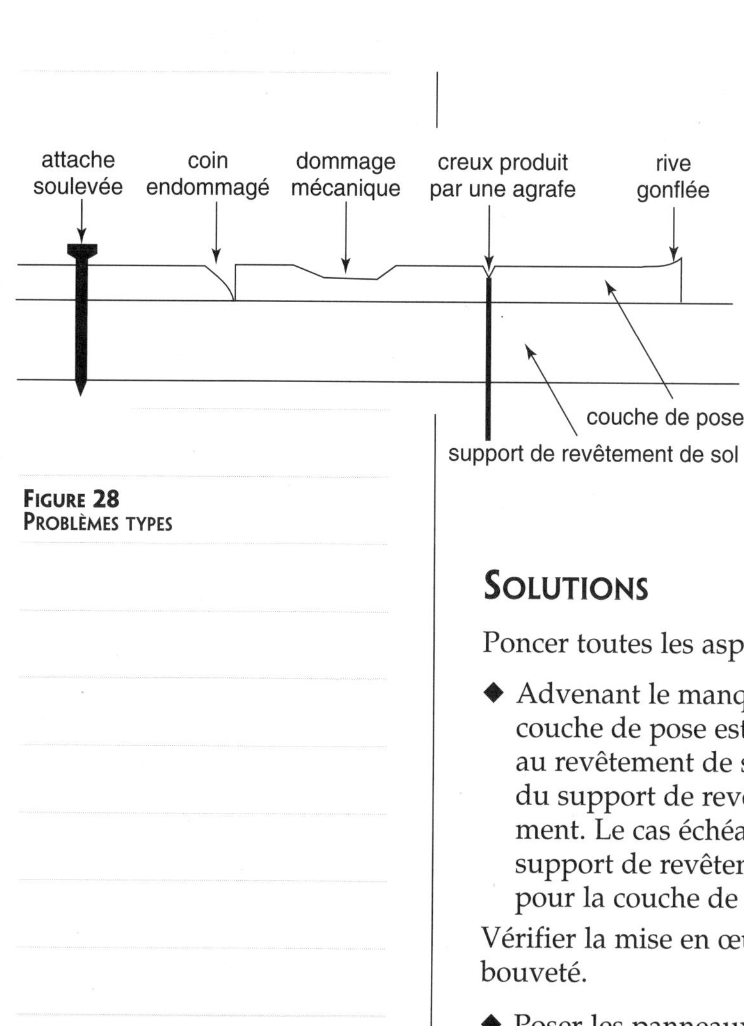

FIGURE 28
PROBLÈMES TYPES

CAUSE

Mauvaise préparation des joints et/ou des fixations

Le revêtement de sol souple doit reposer sur une base lisse et ferme. Les protubérances et les aspérités qui ne seraient pas aplanies par ponçage auraient tôt fait de se manifester à travers le revêtement de sol. Toutes les attaches doivent au moins affleurer à la surface de la couche de pose et simplement traverser le support de revêtement de sol, sinon il risque d'y avoir soulèvement des clous (voir figure 28).

SOLUTIONS

Poncer toutes les aspérités du support de revêtement de sol.

- Advenant le manque d'uniformité de la base sur laquelle la couche de pose est mise en œuvre, les aspérités seront transmises au revêtement de sol. Vérifier l'uniformité et le niveau des rives du support de revêtement de sol puisqu'il a pu y subir du gonflement. Le cas échéant, poncer les rives ou remplacer des parties du support de revêtement de sol pour assurer une base uniforme pour la couche de pose.

Vérifier la mise en œuvre correcte du support de revêtement de sol bouveté.

- Poser les panneaux bouvetés sens dessus dessous risque de provoquer des aspérités à la surface du support de revêtement de sol. En effet, la languette est censée s'insérer dans la rainure du panneau avoisinant dans une direction précise (voir figure 29). Si le panneau est posé sens dessus dessous, la languette peut quand même s'insérer dans la rainure, mais le panneau à l'envers sera à une hauteur différente du panneau avoisinant, créant ainsi une aspérité à la jonction des deux panneaux. Les clous et les agrafes n'offrent pas une traction suffisante pour rapprocher les deux éléments. La seule façon de remédier à ce type de problème une fois qu'il s'est produit consiste à poncer les aspérités ou à remplacer le panneau.

S'assurer de bien enfoncer les attaches de la couche de pose.

- Les attaches qui ne sont pas bien enfoncées finiront par paraître à travers le revêtement. Coller les panneaux à l'aide de l'adhésif proposé par le fabricant en plus de les agrafer permettra de garantir leur fixation appropriée. Enfoncer les attaches solidement et de façon appropriée dans la couche de pose. Avant de mettre en œuvre le revêtement de sol, inspecter la couche de pose et renfoncer toutes les attaches qui auraient pu se soulever. En général, les attaches se chassent légèrement sous la surface de la couche de pose et ne traversent que le support de revêtement de sol.

- S'en tenir aux recommandations du fabricant quant à la fixation de la couche de pose. Certains fabricants et guides préconisent d'enfoncer d'autres attaches à tous les 50 mm (2 po) au périmètre et à tous les 100 mm (4 po) ailleurs dans le cas des panneaux de particules, et à tous les 75 mm (3 po) au périmètre et à tous les 100 mm (4 po) ailleurs dans le cas des panneaux de contreplaqué, compte tenu de l'épaisseur de la couche de pose.
- Placer les panneaux de la couche de pose perpendiculairement à ceux du support de revêtement de sol et décaler les joints pour minimiser toute inégalité du support de revêtement de sol. Abouter les panneaux les uns aux autres en laissant un espace de 2 mm (1/16 po) pour les panneaux de particules et de 1 mm (1/32 po) pour le contreplaqué.
- Mettre en œuvre les panneaux de la couche de pose au moyen d'attaches appropriées de manière à éviter de faire gondoler les panneaux et soulever les rives. En général, les panneaux se fixent en commençant à un angle et en gagnant les autres angles. Fixer pleinement les panneaux de la couche de pose lors de leur mise en œuvre pour éviter qu'ils gondolent. Éviter de fixer les coins d'abord. Laisser un jeu de 8 à 9 mm (1/4 à 3/8 po) au mur afin de permettre la dilatation des panneaux.

Utiliser le bouche-fentes recommandé par le fabricant de la couche de pose.

- Remplir seulement les joints de 2 mm (1/16 po) ou plus et leur laisser le temps de sécher à fond avant de poser le revêtement de sol souple. Obturer les joints de moins de 2 mm (1/16 po) ne permet pas au bouche-fentes d'adhérer à la pleine épaisseur des panneaux; le bouche-fentes se soulèvera lors de la dilatation de la couche de pose, créant une aspérité dans le revêtement de sol. Laisser tels quels les joints qui ne peuvent pas être obturés sur leur pleine hauteur.
- Le type de bouche-fentes doit être compatible tant avec le revêtement de sol souple qu'avec la couche de pose. Le bouche-fentes doit être dur, à prise rapide, sans rétrécir. Il ne doit pas avoir d'effet sur la couche de pose, surtout aux rives. Utiliser un bouche-fentes de qualité à base de ciment avec additif acrylique. Les bouche-fentes à base de plâtre ne sont pas recommandés à cette fin. Les fabricants de revêtements de sol souples disposent d'exigences précises et fabriquent souvent leurs propres produits. Conserver le bouche-fentes à la température de la pièce. Éviter de l'entreposer au froid toute la nuit. Bien poncer et laisser sécher tous les joints et les zones retouchées.
- Bien assécher et poncer à la machine les joints, les trous de passage des attaches et autres endroits retouchés. Des problèmes risquent de surgir si les retouches sont poncées et que le revêtement de sol est mis en œuvre avant qu'elles aient eu pleinement le temps de durcir.

profil de rainure

profil de languette

FIGURE 29
PROFIL DE PANNEAUX BOUVETÉS

PROBLÈME

Fissuration des carreaux de céramique

Cause

Base inadéquate

La fissuration des carreaux de céramique se produit en général dans le joint de mortier entre les carreaux, même si les carreaux peuvent également se fissurer. Le fléchissement ou même les vibrations du plancher peuvent causer leur fissuration. De par leur rigidité, le mortier et les carreaux ne peuvent pas tolérer beaucoup de mouvement.

Solutions

Caler le support de revêtement de sol selon les besoins.

- Minimiser le mouvement global du plancher et le fléchissement entre les éléments structuraux en réduisant ou en éliminant le mouvement différentiel entre les panneaux du support de revêtement de sol. Cela contribuera à réduire en partie la fissuration que pourraient subir les carreaux de céramique.
- Il est recommandé de fixer des cales à toutes les rives des panneaux lorsqu'on utilise des panneaux de support de revêtement de sol bouvetés ou avivés d'équerre. On obtient ainsi une base plus solide pour la couche de pose (voir la figure 30).

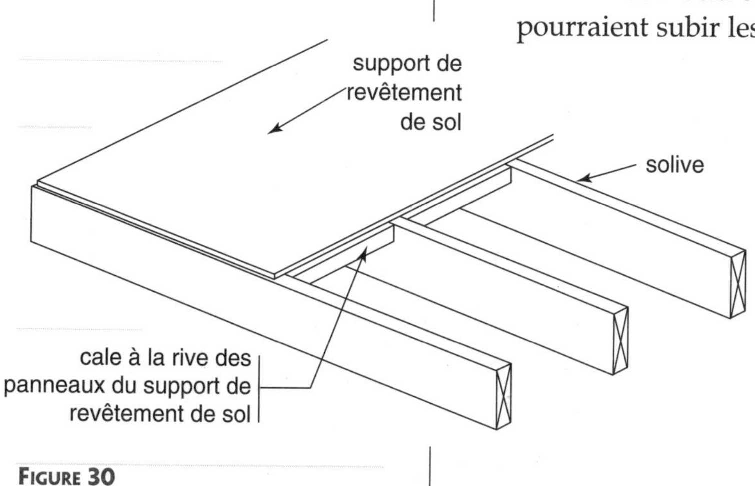

Figure 30
Cales aux rives des panneaux

Utiliser le support de revêtement de sol recommandé.

- Suivre les recommandations du fabricant. Certains fabricants annulent la garantie de leurs produits s'ils sont mis en œuvre sur des panneaux de copeaux orientés.

S'en tenir à la couche de pose et à l'épaisseur recommandées.

- Le recours à une couche de pose en panneaux dépend de l'utilisation ou non d'un lit de mortier. Si les carreaux de céramique sont mis en œuvre à l'aide d'adhésif (méthode de la pose simplifiée), la couche de pose doit alors correspondre aux exigences du CNB (voir figure 31). En cas de lit de mortier, la couche de pose n'est pas nécessaire, mais elle contribue à raidir le plancher et à en réduire le fléchissement.

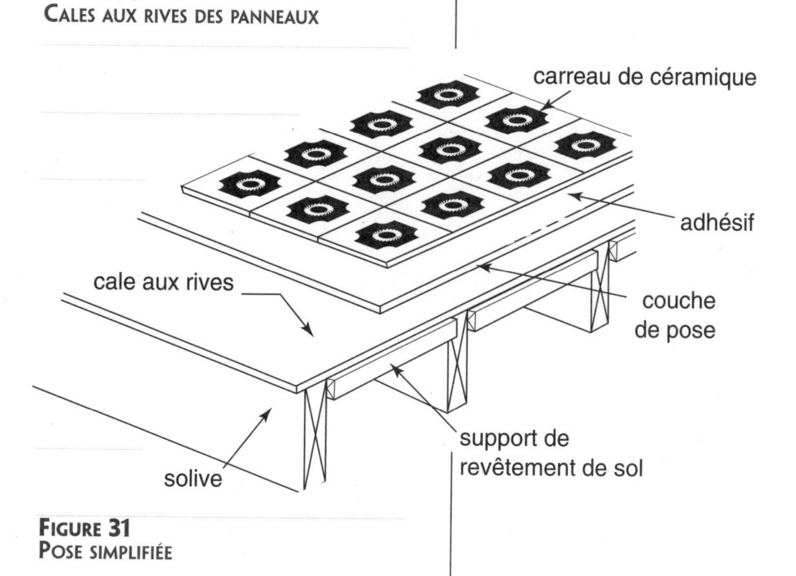

Figure 31
Pose simplifiée

- Le CNB ne précise pas le type de matériau de couche de pose à utiliser. L'Association canadienne de terrazo, tuile et marbre recommande une couche de pose en contreplaqué pour les carreaux fixés par adhésif. Elle ne recommande pas d'utiliser des panneaux de copeaux orientés, de copeaux ordinaires, ou des panneaux de particules.
- Les exigences du CNB concernant l'épaisseur de la couche de pose utilisée avec les carreaux de céramique posés à l'aide d'adhésif sont plus restrictives que pour les autres revêtements de sol. En effet, le CNB requiert une couche de pose de 6 mm (1/4 po) lorsque les appuis sont espacés d'au plus 300 mm (12 po) entre axes, et de 11 mm (7/16 po) lorsque les appuis sont espacés de plus de 300 mm (12 po). Le CNB exige d'espacer les attaches d'au plus 150 mm (6 po) entre axes le long des rives et d'au plus 200 mm (8 po) entre axes ailleurs.
- L'Association canadienne de terrazo, tuile et marbre recommande d'opter pour une couche de pose en contreplaqué d'une épaisseur minimale de 16 mm (5/8 po). Elle recommande également d'espacer les attaches d'au plus 150 mm (6 po) entre axes le long des rives et d'au plus 300 mm (12 po) entre axes ailleurs.

S'en tenir au lit de mortier recommandé

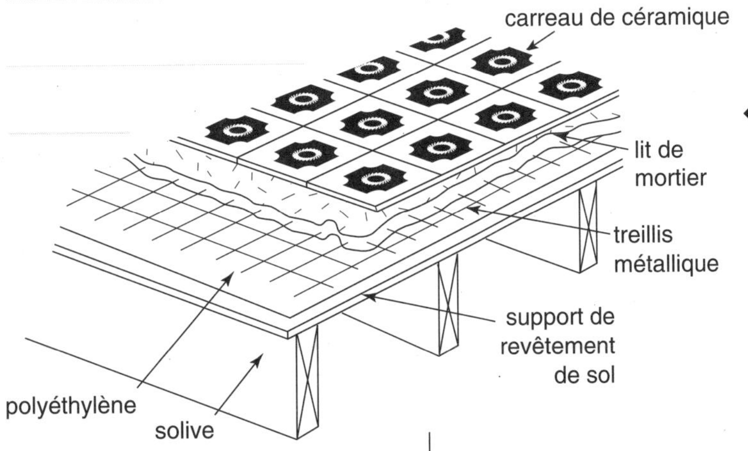

Figure 32
Pose de carreaux de céramique sur un lit de mortier

- Le CNB recommande de poser les carreaux de céramique sur un lit de mortier ou une base stable et uniforme à l'aide d'un adhésif approprié.
- L'Association canadienne de terrazo, tuile et marbre recommande, en cas de recours à un lit de mortier, de poser d'abord une pellicule de polyéthylène sur le support de revêtement de sol, un treillis en métal galvanisé de 50 x 50 mm (2 x 2 po) , puis d'étendre un lit de mortier de 32 mm (1 1/2 po) (voir figure 32).

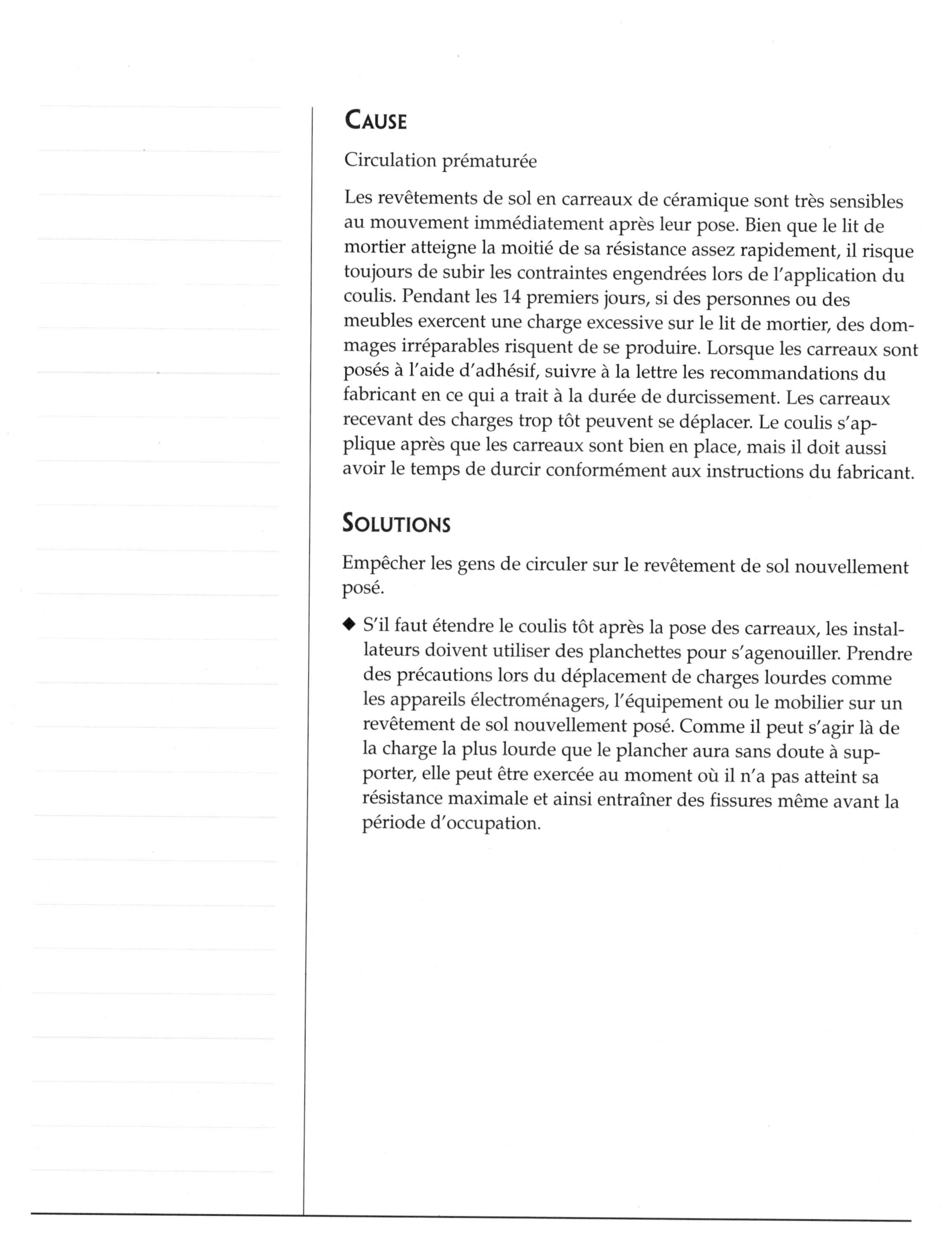

Cause

Circulation prématurée

Les revêtements de sol en carreaux de céramique sont très sensibles au mouvement immédiatement après leur pose. Bien que le lit de mortier atteigne la moitié de sa résistance assez rapidement, il risque toujours de subir les contraintes engendrées lors de l'application du coulis. Pendant les 14 premiers jours, si des personnes ou des meubles exercent une charge excessive sur le lit de mortier, des dommages irréparables risquent de se produire. Lorsque les carreaux sont posés à l'aide d'adhésif, suivre à la lettre les recommandations du fabricant en ce qui a trait à la durée de durcissement. Les carreaux recevant des charges trop tôt peuvent se déplacer. Le coulis s'applique après que les carreaux sont bien en place, mais il doit aussi avoir le temps de durcir conformément aux instructions du fabricant.

Solutions

Empêcher les gens de circuler sur le revêtement de sol nouvellement posé.

- S'il faut étendre le coulis tôt après la pose des carreaux, les installateurs doivent utiliser des planchettes pour s'agenouiller. Prendre des précautions lors du déplacement de charges lourdes comme les appareils électroménagers, l'équipement ou le mobilier sur un revêtement de sol nouvellement posé. Comme il peut s'agir là de la charge la plus lourde que le plancher aura sans doute à supporter, elle peut être exercée au moment où il n'a pas atteint sa résistance maximale et ainsi entraîner des fissures même avant la période d'occupation.

PROBLÈME
FISSURATION DES JOINTS DU BOIS DUR

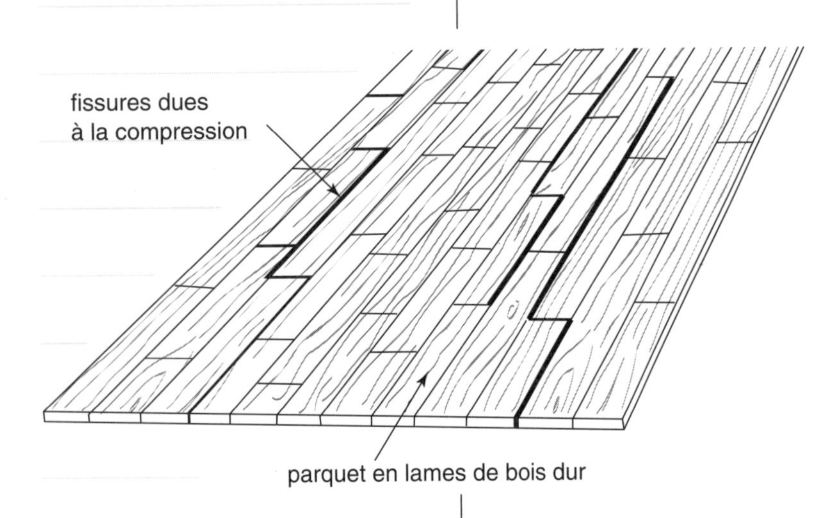

FIGURE 33
FISSURES DUES À LA COMPRESSION

CAUSE

Gonflement ou retrait du bois dur après sa mise en œuvre

Les fissures qui apparaissent quelques semaines ou quelques mois suivant la mise en œuvre du parquet de bois dur découlent généralement du changement de teneur en humidité. Le bois dur qui absorbe de l'humidité se dilate et presse les lames avoisinantes les unes contre les autres. Cette pression écrase les fibres du bois et laisse ce que l'on appelle une «compression rémanente». Le bois dur qui a été comprimé de cette façon ne reprend jamais tout à fait sa largeur originale. En perdant de cette humidité accumulée, toutes les lames se rétrécissent et s'éloignent les unes des autres en laissant des fissures égales à la compression qu'elles ont subie (voir figure 33).

SOLUTIONS

Le bois dur qui sèche excessivement peut rétrécir au point de parvenir à une dimension inférieure à sa largeur originale et engendrer des fissures semblables sans qu'il n'y ait d'écrasement. Encore une fois, des fissures peuvent apparaître entre les lames.

Utiliser une membrane hydrofuge sous le bois dur.

- Intercaler une membrane hydrofuge entre le parquet en bois et une source d'humidité élevée, surtout au-dessus d'un vide sanitaire, par exemple. Il peut se révéler utile de poser une membrane de polyéthylène sur le support de revêtement de sol, mais la pose d'un revêtement du sol du vide sanitaire est essentielle.
- Le parquet mis en œuvre au-dessus d'une source de chaleur, comme un générateur de chaleur ou un conduit de chauffage non isolé, s'asséchera et subira un retrait correspondant. Mettre en œuvre de l'isolant au-dessus d'une telle source de chaleur afin d'empêcher que le parquet en bois dur ne sèche trop.
- Permettre au bois d'atteindre son équilibre avant de le mettre en œuvre.

PROBLÈME

Bombement des lames en bois dur

Cause

Ponçage du bois dur humide

Le bombement se produit lorsque le revêtement de sol absorbe de l'humidité par en-dessous et se dilate, soulevant les rives extérieures des lames à l'exemple de coupelles. Si le plancher est poncé lorsqu'il est dans cet état, les rives de chaque lame deviennent plus minces que le reste. Quand les planches sèchent par la suite, les rives extérieures reprennent leur état original, se trouvant plus basses que le reste de la surface de la planche (voir figure 34).

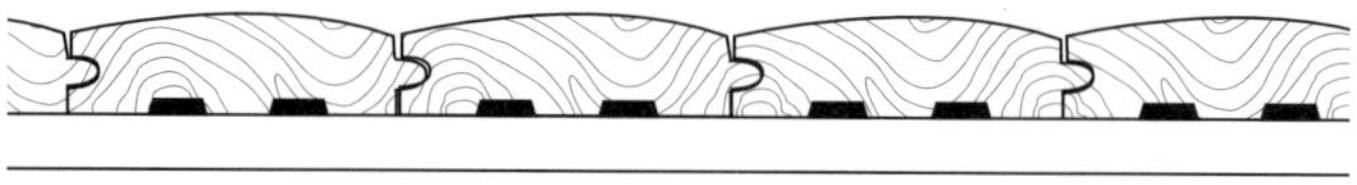

Figure 34
Bombement du bois dur

Solutions

Protéger le bois contre les variations d'humidité.

- Le parquet doit être protégé contre les variations excessives d'humidité pour que sa teneur en humidité demeure assez stable. S'il est destiné à un endroit enregistrant un degré d'humidité plus élevé, poser d'abord une membrane hydrofuge.
- Permettre au bois d'atteindre son équilibre avant de procéder à la finition.
- Permettre au bois franc d'atteindre la teneur en humidité ambiante de sa destination. Retarder le ponçage et la finition jusqu'à ce qu'il atteigne son équilibre. Répartir les matériaux en bois dur par petits lots et les entreposer dans les pièces où ils seront posés. Il sera peut-être nécessaire de les laisser quatre à cinq jours pour qu'ils se conditionnent à l'humidité de la maison (voir figure 35).

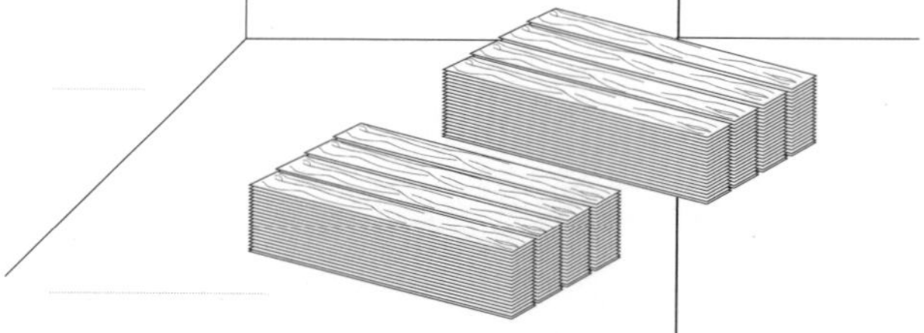

Figure 35
Conditionnement du bois dur dans la maison

PROBLÈME
CRAQUEMENT DU PLANCHER EN BOIS DUR

CAUSE

Support de revêtement de sol inadéquat

Si le support de revêtement de sol est inadéquat, le bois dur finit par fléchir et desserrer les attaches. Lorsque des attaches lâches permettent au bois dur de se déplacer, les craquements suivent peu de temps après.

SOLUTIONS

Utiliser le support de revêtement de sol approprié.

- Le CNB ne requiert pas de support de revêtement de sol lorsque les solives sont espacées de 400 mm (16 po) entre axes et que les lames bouvetées en bois dur ont une épaisseur d'au moins 19 mm (3/4 po). Si les solives sont espacées d'au plus 600 mm (24 po) entre axes, le CNB exige de poser un support de revêtement de sol en contreplaqué d'au moins 12 mm (1/2 po), en panneau de copeaux de catégorie O-2 ou en panneau de copeaux orientés. Bon nombre de fabricants de bois dur recommandent de poser un support de revêtement de sol en contreplaqué de 16 mm (5/8 po) ou plus (voir tableau 1).

Épaisseur minimale du parquet, mm (po)			
Type de revêtement de sol	Espacement max. des solives	Avec support de revêtement de sol	Sans support de revêtement de sol
Lames bouvetées en bois dur (utilisation intérieure seulement)	400 (16) 600 (24)	7,9 (5/16) 7,9 (5/16)	19,0 (3/4) 33,3 (1 5/16)
Lames bouvetées en bois tendre (intérieur ou extérieur)	400 (16) 600 (24)	19,0 (3/4) 19,0 (3/4)	19,0 (3/4) 31,7 (1 1/4)
Lames non bouvetées en bois tendre (utilisation extérieure seulement)	400 (16) 600 (24)	— —	— 38,1 (1 1/2)

Tableau 1
Épaisseur des lames de parquet

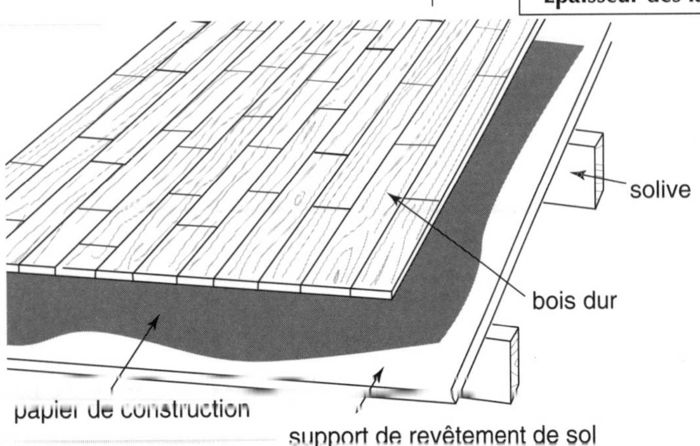

FIGURE 36
PAPIER DE CONSTRUCTION SOUS LE BOIS DUR

- Un feutre bitumineux ou un papier de construction de bonne qualité se posent souvent sous le bois dur. Cette mesure empêche la poussière de s'accumuler et réduit l'infiltration d'humidité provenant d'en dessous (voir figure 36).

CAUSE

Attaches inadéquates

Les attaches inadéquates permettent aux lames de bois dur de fléchir et ainsi de craquer les unes au contact des autres.

SOLUTIONS

Utiliser des clous ou des agrafes appropriés.

- Le CNB exige de clouer ou d'agrafer les lames de parquet, compte tenu de son épaisseur. Les agrafes ne doivent pas servir à fixer le parquet d'au plus 8 mm (5/16 po) d'épaisseur. La longueur et l'espacement appropriés des clous dépendent de l'épaisseur du revêtement de sol (voir tableau 2).

Clouage des lames de parquet, mm (po)		
Épaisseur du revêtement de sol	Longueur minimale des clous	Espacement minimal des clous
7,9 (5/16)	38 (1 1/2)	200 (8)
11,1 (7/16)	51 (2)	300 (12)
19,0 (3/4)	57 (2 1/4)	400 (16)
25,4 (1)	63 (2 1/2)	400 (16)
31,7 (1 1/4)	70 (2 3/4)	600 (24)
38,1 (1 1/2)	83 (3 1/4)	600 (24)

Tableau 2
Clouage des lames de parquet

Section 2.4 Autres lectures

SOURCE	PUBLICATION
Société canadienne d'hypothèques et de logement Centre canadien de documentation sur l'habitation 700, chemin de Montréal Ottawa ON K1A 0P7 613 748-2367	*Construction de maison à ossature de bois — Canada*, 1997 LNH 5031
Conseil canadien du bois 1400, Blair Place, bureau 210 Ottawa ON K1J 9B8 613 747-5544	*Le livre des portées*, 1995 *Technologie de la construction en bois*, 1997
Conseil national de recherche du Canada Institut de recherche en construction Section des publications Ottawa ON K1A 0R6 À Ottawa : 613 993-2463 Ailleurs : 1 800 672-7990	*La différence entre un pare-vapeur et un pare-air*, 1985 BPN 54F *Humidité, condensation et ventilation dans les maisons*, 1984 NRCC 23293F *La pourriture du bois*, 1969 CBD 111F *Les pare-vapeur : que sont-ils? Sont-ils efficaces?* 1976 CBD 175F *Problèmes d'humidité dans les maisons*, 1984 CBD 231F *Effets du retrait du bois dans les bâtiments*, 1984 CBD 244F
Régime de garanties des logements neufs de l'Ontario 5160, rue Younge, 6e étage North York ON M2N 6L9 416 229-9200	Building Successful Floor Systems, 1994 ISBN 1-895389-39-9

CHAPITRE 3 Introduction

MURS

Le présent chapitre porte sur tous les aspects des murs, du parement extérieur jusqu'au revêtement intérieur de finition, et tout ce qui se trouve entre les deux. Il met en évidence les principaux problèmes que présentent les murs des maisons neuves au Canada, fournit des éclaircissements sur les causes les plus courantes de ces problèmes et identifie les méthodes de conception et de construction susceptibles de réduire la fréquence des défauts de construction et des rappels de la part des clients. Bien qu'il ne soit pas exhaustif, le présent chapitre traite des méthodes de construction les plus courantes en usage partout au pays.

L'humidité est la principale cause de problèmes de construction. La pluie et la neige qui s'introduisent dans les cavités murales, l'humidité qui s'échappe depuis l'intérieur de la maison et même l'humidité contenue dans le bois de charpente peuvent donner lieu à toute une série de problèmes allant de la défaillance structurale jusqu'à la détérioration du parement et des revêtements intérieurs de finition.

De bonnes méthodes de conception et de construction peuvent éliminer ces problèmes. La mise en œuvre tout indiquée du parement extérieur et l'utilisation de bois sec et d'un pare-air efficace sont décrits dans le présent chapitre. Le constructeur y gagnera en partageant ces renseignements avec les concepteurs, les directeurs de chantier et les sous-traitants. En effet, les méthodes améliorées permettent d'accroître la durabilité et la tenue en service des murs, en plus de réduire les coûteux rappels qui grugent le compte en banque du constructeur et nuisent aux relations avec sa clientèle.

Section 3.1 Humidité et murs

INTRODUCTION

Que ce soit directement ou indirectement, l'humidité est la principale cause des défauts de construction des murs. Ces défauts peuvent découler :

- de la variation de la teneur en eau des matériaux de charpente;
- du mouvement d'air humide de la maison à travers l'enveloppe;
- du mouvement de l'humidité extérieure jusque dans le parement du bâtiment.

Ces facteurs peuvent occasionner une défaillance structurale, la détérioration et la pourriture des composants muraux, des problèmes esthétiques ainsi qu'une piètre performance de l'enveloppe thermique du bâtiment.

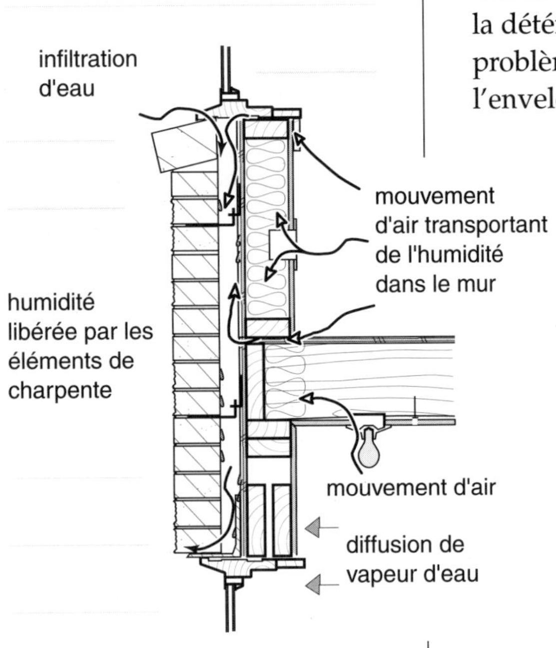

FIGURE 1
FACTEURS LIÉS À L'HUMIDITÉ AGISSANT SUR LES MURS

3.1.1 HUMIDITÉ ET BOIS

Les arbres et le bois fraîchement coupé (vert) contiennent de fortes quantités d'eau. Certaines essences de bois utilisé en construction peuvent accuser une teneur en eau aussi élevée que 100 p. 100, c'est-à-dire que le poids de l'eau dans le bois équivaut au poids du bois à l'état tout à fait sec.

En séchant, le bois perd de sa teneur en eau. Le bois sec, au sens de l'exigence du Code national du bâtiment (CNB) du Canada, est défini comme du bois dont la teneur en eau est de 19 p. 100 ou moins. Sinon, il s'agit de bois vert.

L'équilibre hygrométrique du bois désigne le degré auquel se stabilise la teneur en eau du bois. Après une période d'au plus un an, le bois de charpente bien mis en œuvre parvient à une teneur en eau de 7 à 10 p. 100. La recherche qui a été réalisée dans les provinces de l'Atlantique et en Ontario indique que le taux d'assèchement du bois dépend à la fois de la température de la cavité et de la perméabilité du revêtement mural intermédiaire.

À mesure que s'assèche le bois de charpente après sa mise en œuvre, il faut tenir compte de plusieurs facteurs :

- les changements dimensionnels (retrait, torsion, cambrure et bombement) du bois;
- la pourriture du bois lorsque l'humidité est emprisonnée dans le mur.

PROBLÈME
CHANGEMENTS DIMENSIONNELS

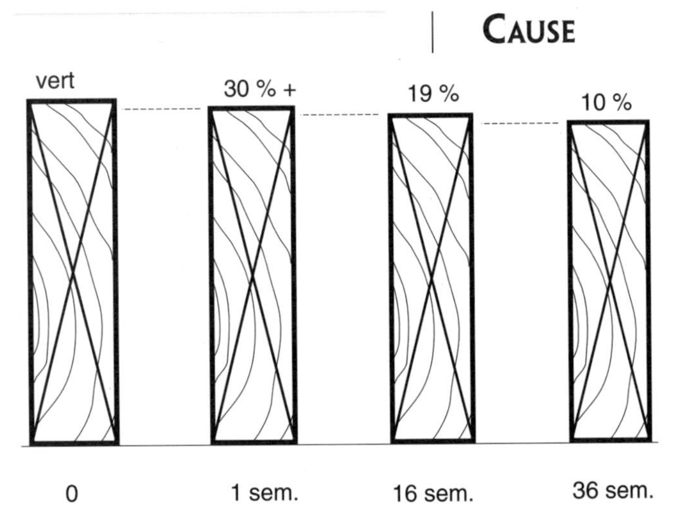

FIGURE 2
RETRAIT ET TENEUR EN EAU DU BOIS SÉCHÉ AU FOUR

CAUSE

Le gonflement et le retrait du bois à mesure qu'il capte et rejette de l'humidité.

Le bois qui passe de son point de saturation des fibres à une teneur en eau moyenne de 19 p. 100 subit un retrait d'environ 2,35 p. 100 en largeur. Pour une planche mesurant 235 mm (9 1/2 po) de largeur, le retrait représente 6 mm (1/4 po). Alors que le bois s'assèche pour atteindre de 7 à 10 p. 100, le retrait se poursuit dans une certaine mesure, se manifestant de façon plus évidente vis-à-vis de la solive de bordure (voir figure 2).

Le séchage a peu d'effet sur la longueur du bois. Cependant, à mesure qu'il sèche, le bois subit des contraintes internes. Ces contraintes peuvent engendrer la cambrure, le voilement, la torsion ou le bombement (voir figure 3).

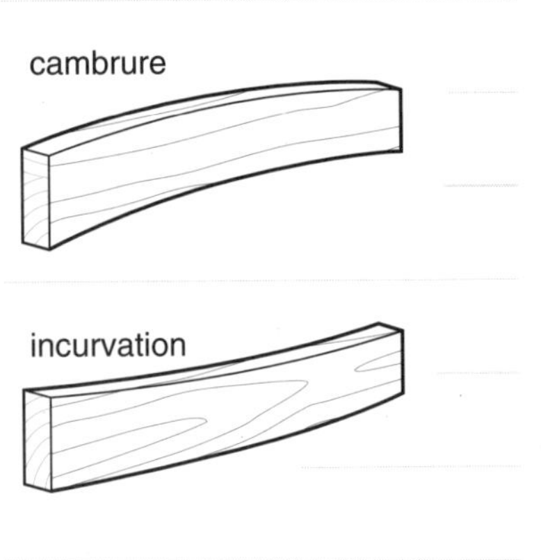

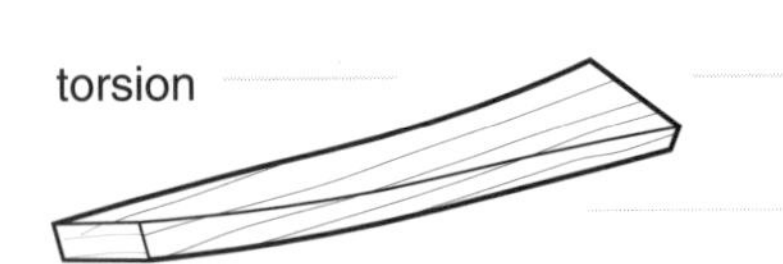

FIGURE 3
CONTRAINTES INTERNES DU BOIS

SOLUTIONS

- ◆ Prévoir les livraisons de bois de manière à réduire la durée d'entreposage sur place.
- ◆ Éviter de déposer le bois sur le sol, le tenir éloigné des plans d'eau libres, de la neige ou des dalles en béton qui sèchent.
- ◆ Conserver le bois emballé le plus longtemps possible, ou le recouvrir d'une bâche pour le protéger de la pluie ou de la neige.
- ◆ Entreposer le bois à plat, sur suffisamment de supports; le bois longtemps déformé a tendance à demeurer ainsi.
- ◆ Favoriser la ventilation des piles de bois en les séparant les unes des autres par des cales.
- ◆ Attacher ou retenir par des poids les piles de bois long ou mince; les pièces minces se déforment plus facilement que les pièces épaisses et les longues risquent davantage de se déformer que les courtes.
- ◆ Supporter suffisamment le bois devant être entreposé debout et en alterner périodiquement les extrémités.

PROBLÈME

Pourriture causée par la condensation

Cause

Moisissure dans les parois cellulaires du bois

La moisissure se manifeste lorsque l'humidité est présente à des températures de 20 et 30 °C (68 et 86 °F).

Solutions

Prévoir un environnement exempt d'humidité.

- Comme il est impossible de contrôler la température et l'approvisionnement de l'air des cavités, la meilleure façon d'empêcher la pourriture est de prévoir un environnement sans humidité. La plupart des moisissures ne peuvent pas se reproduire lorsque la teneur en eau du bois est inférieure à 19 p. 100.

3.1.2 HUMIDITÉ ET FUITES D'AIR

PROBLÈME

LE MOUVEMENT D'AIR CHAUD HUMIDE DANS LES MURS EN HIVER

CAUSE

Différences de pression entre l'intérieur et l'extérieur du bâtiment

Le vent, l'effet de tirage et l'installation mécanique créent tous des différences de pression entre l'intérieur et l'extérieur du bâtiment. L'air intérieur risque d'être entraîné par les fuites et les fissures du pare-air de l'habitation. Quoiqu'une certaine quantité de vapeur d'eau se déplace par diffusion, les fuites d'air expliquent plus de 99 p. 100 du mouvement d'humidité dans les cavités murales.

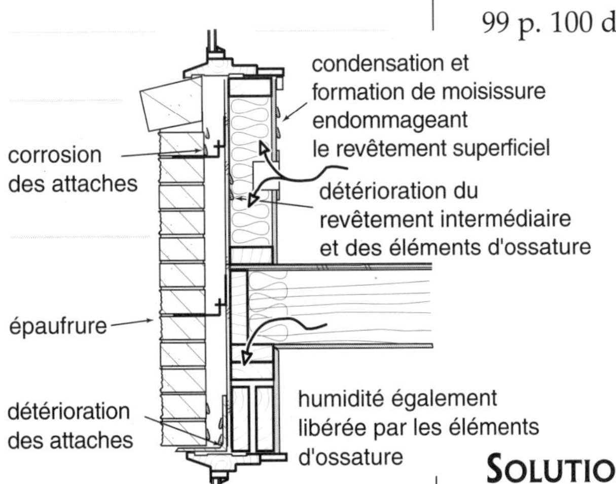

La vapeur d'eau se condense au contact des surfaces intérieures froides du mur. Elle apparaît souvent sous forme de givre à l'arrière du revêtement intermédiaire. La vapeur qui se condense à l'intérieur de la cavité du mur sous forme d'eau peut favoriser la formation de moisissure, en plus d'entraîner la détérioration des éléments d'ossature en bois, la corrosion des attaches murales et la détérioration du parement (fissuration de la brique, voilement des surfaces peintes, fissuration du stucco, etc.) (voir figure 4).

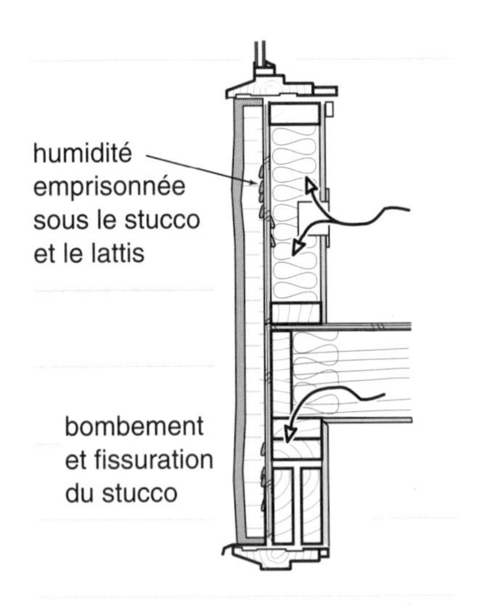

FIGURE 4
POSSIBILITÉS DE MÉFAITS ASSOCIÉS AUX FUITES D'AIR HUMIDE

SOLUTIONS

Prévoir un pare-air efficace.

La mise en place d'un pare-air efficace empêchant l'humidité à l'intérieur de la maison de parvenir jusque dans la cavité revêt une importance primordiale pour assurer la durabilité à long terme des murs.

- Vérifier la continuité du pare-air dans toute l'enveloppe du bâtiment, l'absence d'ouvertures propices aux fuites et l'étanchéité de tous les points de pénétration.
- Assurer un appui structural au pare-air pour réduire son fléchissement, sa fissuration ou son mouvement risquant d'entraîner la rupture des joints et sa détérioration au fil du temps.
- Construire le pare-air à l'aide de matériaux affichant une résistance élevée au mouvement d'air.
- Lorsque le pare-air est mis en œuvre là où il risque de se former de la condensation, s'assurer qu'il favorise le passage de la vapeur d'eau. Les matériaux doivent avoir une perméabilité à la vapeur d'eau de plus de 60 ng/(Pa.s.m^2)(1,04 grains/[pi^2.s. po.Hg.]).
- Lorsque le pare-air se compose de matériaux ayant une faible perméabilité à la vapeur d'eau (polyéthylène, feuille d'aluminium, etc.), placer en général le pare-air du côté chaud de l'isolant.

Les détails d'exécution recommandés pour les pare-air se trouvent dans l'ouvrage intitulé The Details of Air Barrier Systems in Houses, *publié par le Régime de garanties des logements neufs de l'Ontario.*

3.1.3 HUMIDITÉ EXTÉRIEURE

PROBLÈME

INFILTRATION DE PLUIE ET DE NEIGE DANS LE PAREMENT DU BÂTIMENT

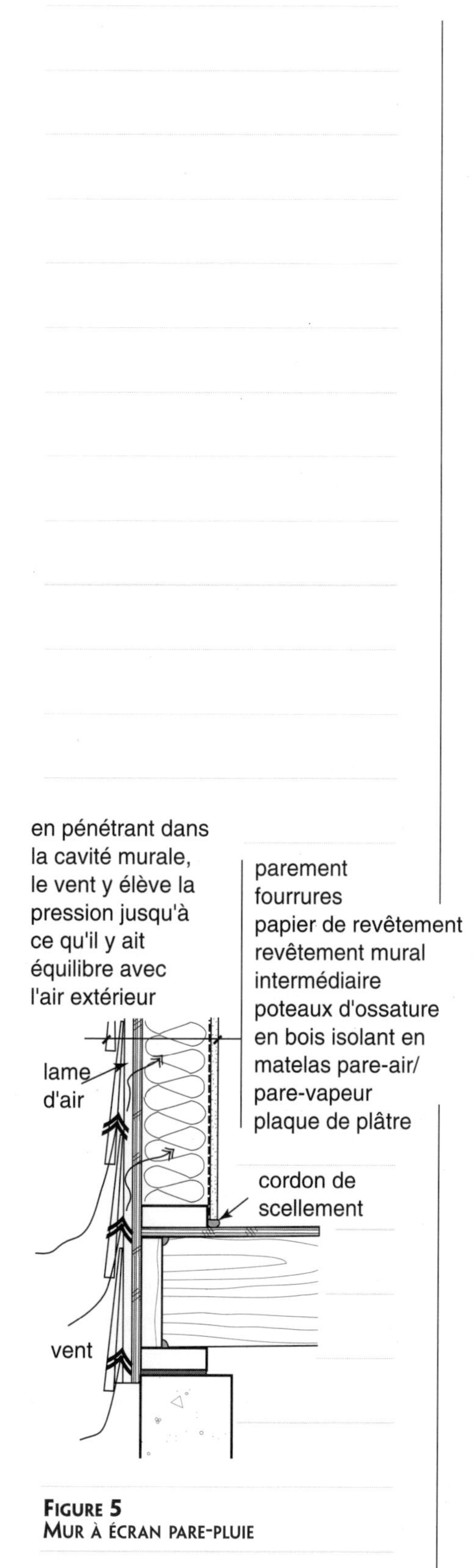

FIGURE 5
MUR À ÉCRAN PARE-PLUIE

CAUSE

Ouvertures

La pluie et la neige s'infiltrent dans le parement du bâtiment lorsqu'il y a des ouvertures et que les pressions suffisent pour y pousser la pluie ou la neige.

SOLUTIONS

Poser des solins et des produits d'étanchéité tout indiqués.

◆ Ce sont là les premières précautions à prendre.

Protéger le revêtement mural intermédiaire par un papier de revêtement bien posé.

◆ Adopter cette solution à défaut de recourir à la méthode de l'étanchéisation de façade.

Enrayer les forces dynamiques lors de l'étude technique.

◆ Malgré la largeur supérieure des débords de toit et des saillies en porte-à-faux, les murs continueront d'être mouillés lors d'orages accompagnés de forts vents. Même le mastic de calfeutrage et les produits d'étanchéité de qualité se fendilleront avec le temps lors du vieillissement des matériaux et du mouvement des éléments du bâtiment. Voilà comment l'eau finit par s'infiltrer par les fissures ainsi formées.

◆ Si l'étude technique tient compte de ces forces dynamiques, l'infiltration de pluie sera effectivement enrayée. L'adoption des principes de l'écran pare-pluie permet de parer à l'infiltration d'eau par capillarité, par gravité, de même qu'aux différences de pression d'air. Grâce à la lame d'air derrière le parement (ou le joint), la pression d'air derrière le parement peut équivaloir à celle qui s'exerce à la surface du mur, éliminant du même coup la force dynamique poussant l'eau plus loin.

Poser un écran pare-pluie.

◆ L'écran pare-pluie se compose d'une couche extérieure de bardage ou de parement et d'une paroi intérieure séparées par une lame d'air (voir figure 5) ventilée à l'extérieur pour équilibrer la pression et drainée au bas de la cavité pour éliminer l'humidité qui s'y accumule. Pour bien performer, l'écran pare-pluie requiert un pare-air efficace à l'intérieur de l'enveloppe du bâtiment (soit à la face intérieure du mur, soit comme élément du revêtement mural intermédiaire).

La conception d'un mur à écran pare-pluie doit répondre à plusieurs exigences pour en garantir la performance à long terme.

- Si le mur n'est pas étanche, l'équilibrage de la pression ne se fera pas et l'eau s'infiltrera dans le mur.
- Bloquer la lame d'air derrière le parement en partie supérieure du mur et aux angles pour maintenir l'équilibre de pression (voir figure 6).
- Prévoir des ouvertures dans la face du mur extérieur pour permettre à l'air de pénétrer dans la cavité.
- Poser un papier de revêtement, des solins et des chantepleures pour diriger l'eau à l'extérieur de la lame d'air (voir figure 7).

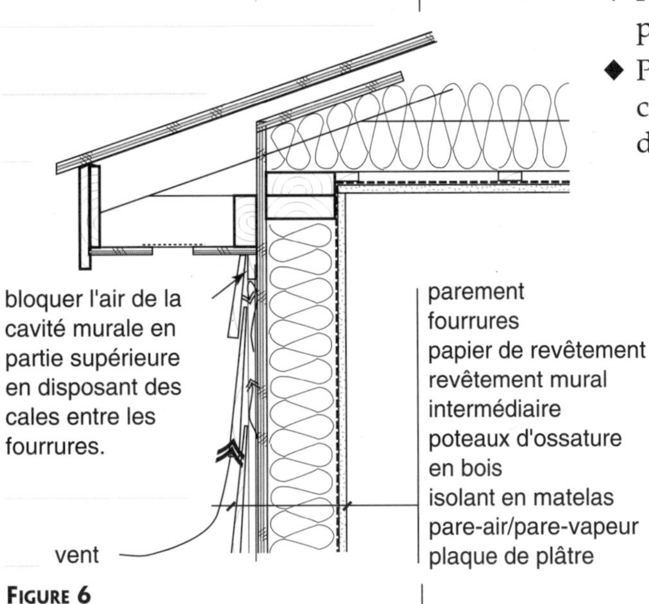

Figure 6
Blocage de la lame d'air

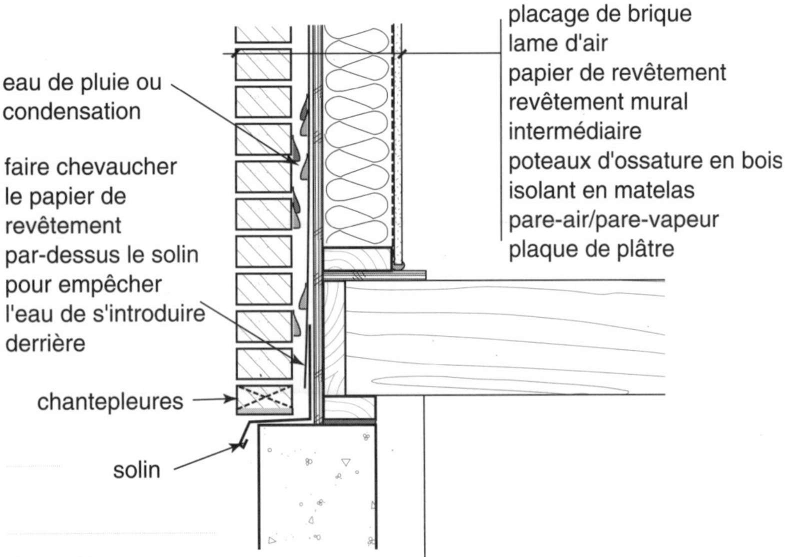

eau de pluie ou condensation
faire chevaucher le papier de revêtement par-dessus le solin pour empêcher l'eau de s'introduire derrière
chantepleures
solin
placage de brique
lame d'air
papier de revêtement
revêtement mural intermédiaire
poteaux d'ossature en bois
isolant en matelas
pare-air/pare-vapeur
plaque de plâtre

Figure 7
Drainage de la cavité

Section 3.2 Problèmes d'ossature

INTRODUCTION

Dans une maison à ossature de bois, la charpente des murs désigne les poteaux, les lisses et sablières, les cales et fourrures, les cloisons intérieures, ainsi que le revêtement mural intermédiaire.

Elle désigne également les éléments structuraux autour des ouvertures, les potelets, les poteaux nains et les linteaux.

La plupart des maisons au Canada ont une ossature murale à plate-forme, reposant sur le plancher d'en dessous et supportant le plancher au-dessus. Par contre, l'ossature à claire-voie qui s'utilise toujours dans certaines circonstances se caractérise par ses éléments structuraux qui se prolongent d'une seule venue sur plus de un étage, sans interruption aux planchers (voir figure 8).

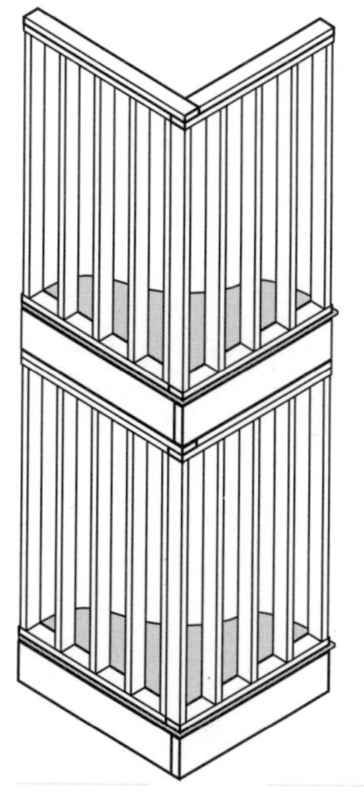

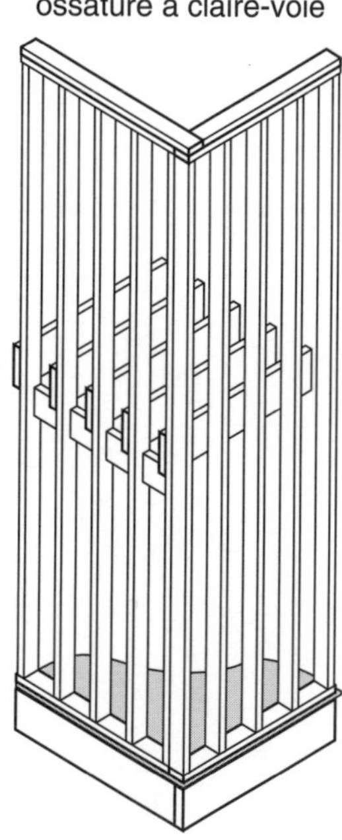

FIGURE 8
TECHNIQUES DE CHARPENTE

3.2.1 DÉTÉRIORATION D'ORDRE STRUCTURAL

PROBLÈME

DÉTÉRIORATION STRUCTURALE DES ÉLÉMENTS DE L'OSSATURE MURALE ET DU REVÊTEMENT INTERMÉDIAIRE

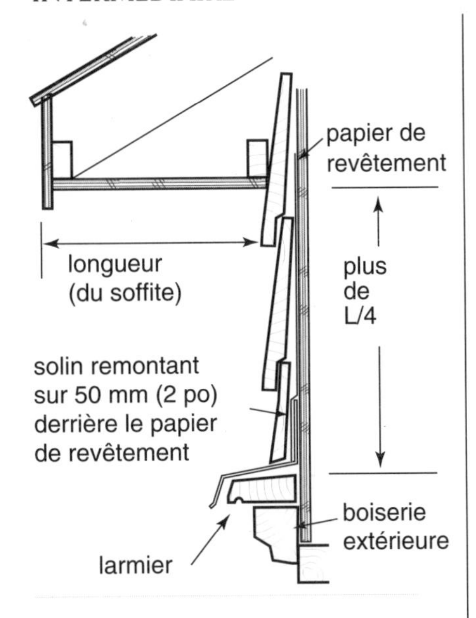

FIGURE 9
DÉTAIL D'EXÉCUTION DES SOLINS

CAUSE

Humidité dans la cavité murale

L'humidité peut s'accumuler dans la cavité murale lorsqu'elle est poussée à travers le parement extérieur, ou résulter de fuites d'air humide provenant de l'intérieur du bâtiment. Lorsque les techniques tout indiquées sont suivies, ce mode de construction peut s'avérer durable et sans défaut. Par contre, lorsque les techniques laissent à désirer, l'ossature murale et le revêtement intermédiaire risquent d'être l'objet de la moisissure et de la pourriture.

SOLUTIONS

Éliminer l'infiltration de la pluie.

- S'assurer que les solins éloignent l'eau de la face du mur autour de toutes les ouvertures (voir figure 9).
- Vérifier que la conception du parement extérieur tient compte des principes d'efficacité de l'écran pare-pluie (selon les indications de la section 3.1.3). Il est notamment question de compter sur :
  - un pare-air efficace;
  - le drainage et la ventilation de la cavité;
  - la compartimentation des cavités murales.

Empêcher l'air humide intérieur de parvenir jusque dans la cavité murale.

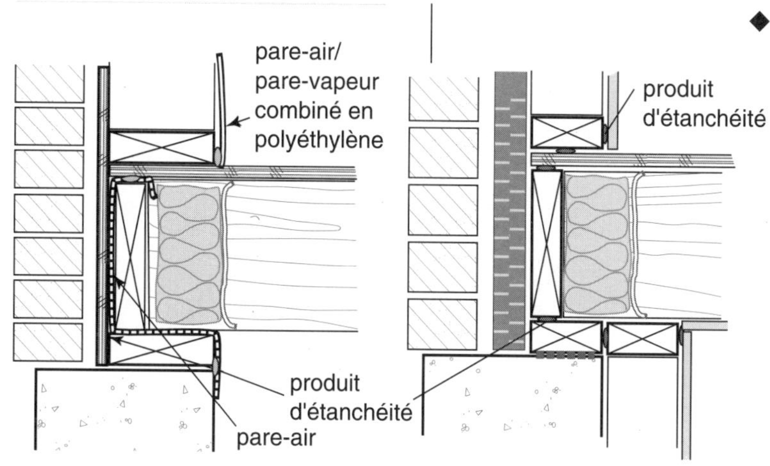

FIGURE 10
ÉTANCHÉITÉ À L'AIR À L'ENDROIT DU MUR DE FONDATION

◆ Pourvoir l'ossature murale d'un pare-air continu à travers tous les composants de l'enveloppe pour ainsi réduire les risques de mouvement d'air autour des portes et des fenêtres, autour des prises de courant , au niveau du plancher et des cloisons, et là où les circuits électriques et la plomberie passent depuis le mur extérieur jusque vers les cloisons intérieures. Le pare-air doit être continu, s'appuyer contre un appui structural, résister au mouvement d'air, se révéler durable et facile à entretenir au fil du temps (voir figures 10 et 11).

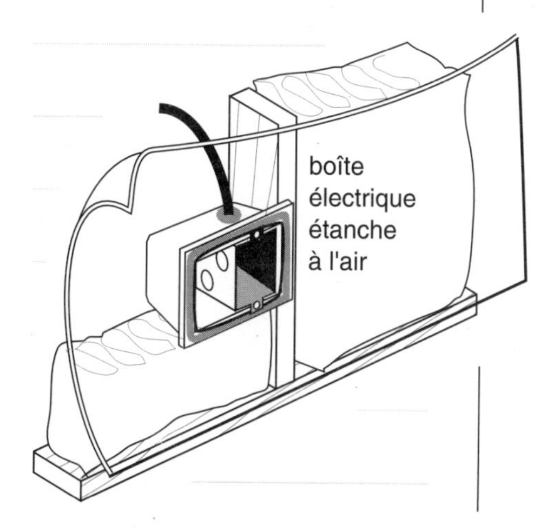

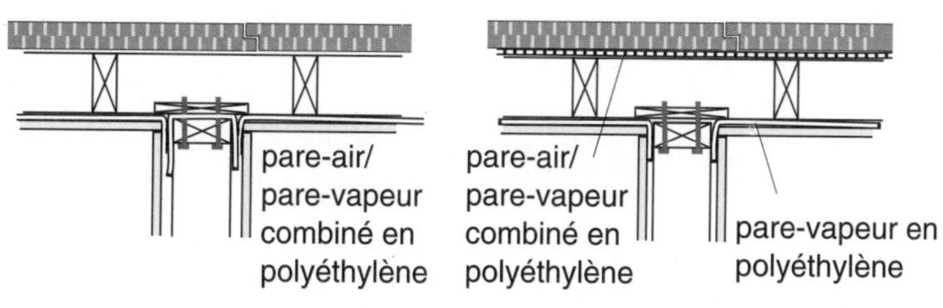

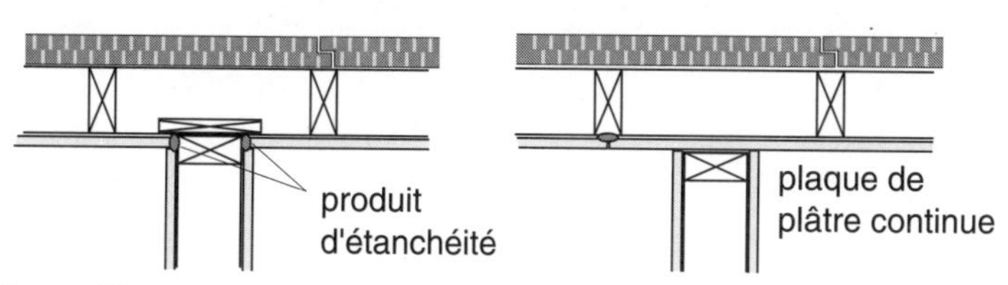

FIGURE 11
DÉTAIL D'EXÉCUTION DU PARE-AIR AUX POINTS DE PÉNÉTRATION ET À L'INTERSECTION DE CLOISONS

3.2.2 HUMIDITÉ ET BOIS

PROBLÈME

DÉFORMATION DES MURS CAUSÉE PAR LE RETRAIT

En s'asséchant, le bois de construction subit un retrait et des contraintes internes qui se manifestent sous forme de gauchissement, de cambrure, de bombement, de torsion et de fendillement. L'assèchement du bois se traduit également par le soulèvement des têtes de clou et la fissuration des plaques de plâtre.

CAUSE

Bois de construction humide

Le bois de construction peut être très humide, au moment de son achat auprès d'un fournisseur ou par suite d'un entreposage et d'une manutention laissant à désirer. La production d'un degré d'humidité excessif lors des étapes de la construction (séchage du béton, application de composé à joints et de peinture, et humidité attribuable à des appareils de chauffage temporaire), peuvent également élever la teneur en eau du bois de charpente.

SOLUTIONS

Modifier les méthodes d'achat.

- Commander du fournisseur du bois sec n'enregistrant pas une teneur en eau supérieure à 19 p. 100. Bon nombre de marchands disposent de bois accusant une très forte teneur en eau. Sélectionner le bois avec soin.

Améliorer les méthodes d'entreposage et de manutention du bois sur le chantier, selon les indications de la section 3.1.1.

Minimiser la production d'humidité lors des étapes de la construction.

- Éviter de produire un surplus d'humidité pendant les travaux, en :
  - assurant autant de ventilation naturelle et mécanique que possible;
  - évitant d'utiliser des appareils de chauffage non ventilés, alimentés au propane ou au gaz en hiver.

Mettre en œuvre des mesures correctives afin d'assurer l'aplomb de la charpente.

- Vérifier, après son exécution, que la charpente est de niveau, d'aplomb et d'équerre. Suivre les étapes ci-dessous afin de corriger les problèmes :
  - redresser les poteaux gauchis en faisant un trait de scie du côté concave et en y insérant une cale, puis renforcer le poteau avec une éclisse (voir figure 12);
  - poser des entretoises entre les poteaux qui affichent une courbure (voir figure 13);
  - bien que les poteaux rétrécissent très peu en longueur, vérifier qu'ils rejoignent tous la sablière. Si ce n'est pas le cas, insérer des cales en bois dur dans l'espace libre (mais pas des cales en cèdre, car elles s'écrasent facilement et n'offrent pas un point d'appui suffisant).

FIGURE 12
REDRESSEMENT DES POTEAUX GAUCHIS

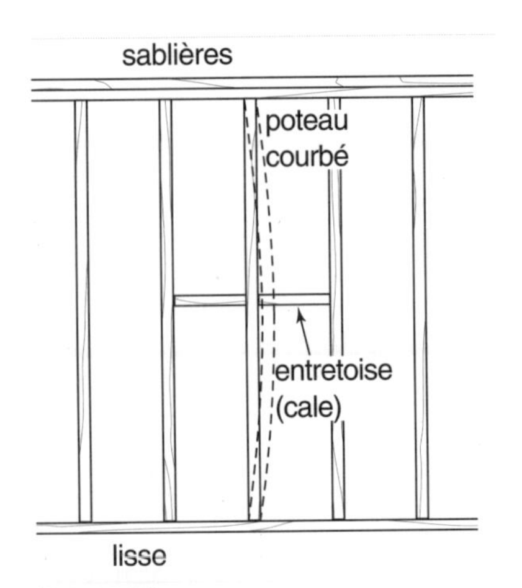

FIGURE 13
PRÉVENTION OU CORRECTION DE LA COURBURE DES POTEAUX

PROBLÈME
AFFAIBLISSEMENT DES POTEAUX D'OSSATURE MURALE

L'affaiblissement des poteaux risque d'entraîner le voilement de l'ossature et la fissuration des revêtements de finition.

CAUSE

Des méthodes de mise en œuvre contre-indiquées se traduisent par le manque d'aplomb ou l'affaiblissement des poteaux de murs porteurs causé par trop d'entailles ou de trous.

SOLUTIONS

Poser les poteaux d'aplomb.

- Prendre soin d'aligner les poteaux d'équerre. Vérifier si les diagonales de l'ossature sont égales avant de la mettre en position. Encastrer un contreventement métallique à 45 ° dans les poteaux ou mettre en œuvre le revêtement intermédiaire avant d'élever le mur en position verticale.

S'en tenir à la largeur admissible pour pratiquer entailles et trous.

- Il est souvent nécessaire d'entailler et de percer les poteaux de murs porteurs pour pouvoir passer l'électricité, la plomberie ou le chauffage. Exécuter les entailles au plus au tiers de la largeur du poteau d'un mur porteur (voir figure 14).
- Lorsque les entailles sont pratiquées au-delà de la largeur admissible, renforcer les poteaux à l'aide de pièces de bois de 38 mm (1 1/2 po) clouées sur les côtés et se prolongeant de 600 mm (24 po) de part et d'autre de l'entaille ou du trou.
- Renforcer de même les sablières entaillées si la largeur de leur partie intacte est inférieure à 50 mm (2 po) (voir la figure 15).

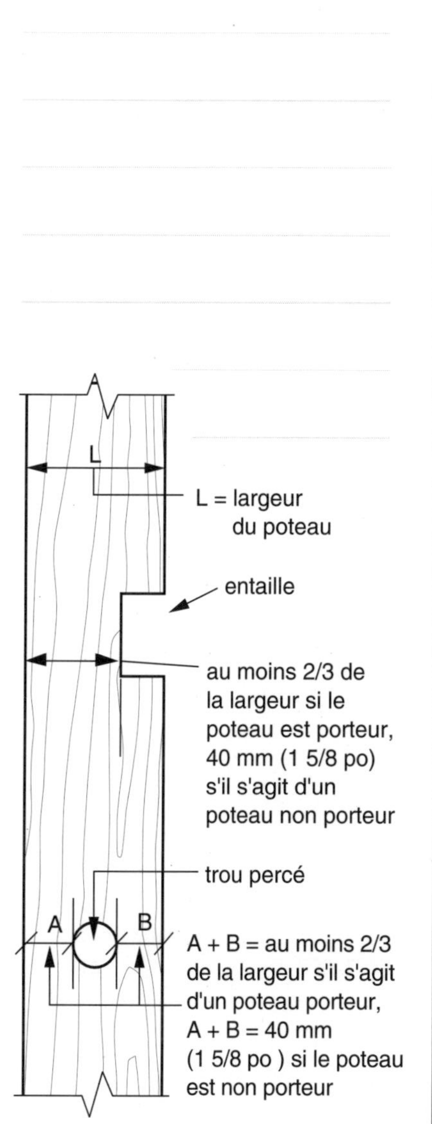

FIGURE 14
ENTAILLE DANS UN POTEAU D'OSSATURE MURALE

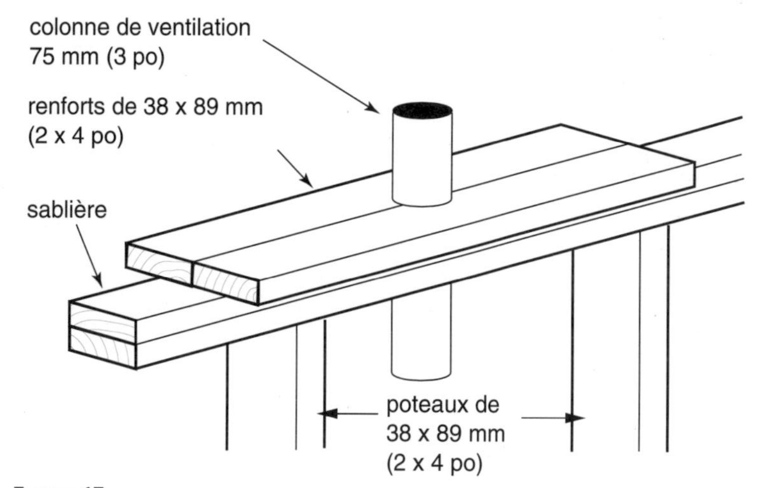

FIGURE 15
ENTAILLE DANS LA SABLIÈRE

PROBLÈME

SURFACES INTÉRIEURES FROIDES FAVORISANT LA FORMATION DE CONDENSATION ET DE MOISISSURE

CAUSE

Formation de ponts thermiques entre les éléments massifs du mur

Il y a pont thermique lorsqu'il existe une voie directe permettant à la chaleur de passer de l'intérieur du bâtiment vers l'extérieur. Les poteaux de même que les lisses et sablières des murs extérieurs favorisent la transmission de chaleur par les murs et la condensation localisée, la formation de moisissure et les taches de poussière. Fait moins remarquable, il s'ensuivra un accroissement des pertes de chaleur par conduction, ainsi qu'une hausse de la facture d'énergie et une diminution du confort des occupants. Les ponts thermiques se remarquent le plus aux points de concentration des éléments de charpente, aux angles par exemple.

Réduire la quantité de bois utilisée pour la charpente des murs, ou les doter d'une coupure thermique.

SOLUTIONS

- Espacer les poteaux selon l'entraxe maximal autorisé par le CNB de façon à réduire leur nombre, cause de la formation de ponts thermiques (voir figure 16). Cependant, l'espacement des poteaux doit permettre de satisfaire aux exigences du CNB concernant la fixation et l'épaisseur du revêtement intermédiaire et du parement.
- Réduire le nombre d'éléments de charpente aux angles et aux intersections des cloisons. Fixer les plaques de plâtre ou les matériaux extérieurs en feuille à l'aide d'agrafes (voir figure 17).

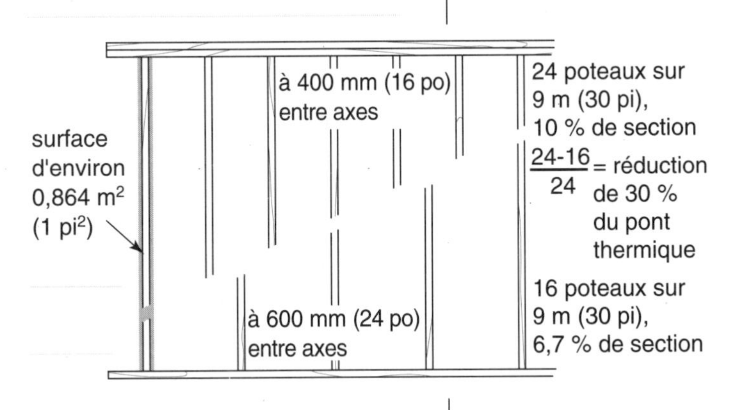

FIGURE 16
POURCENTAGE DE LA SURFACE DES POTEAUX PAR RAPPORT AU MUR

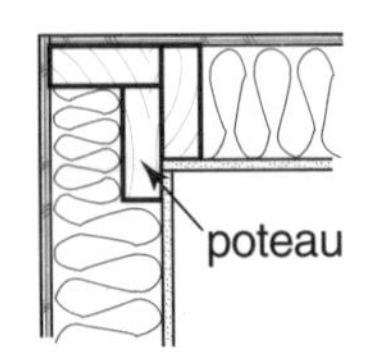

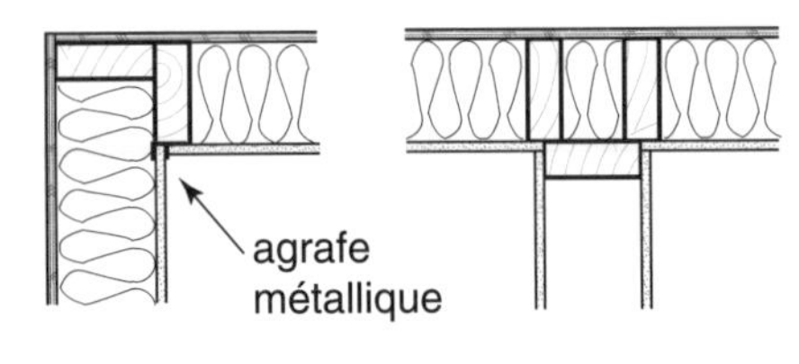

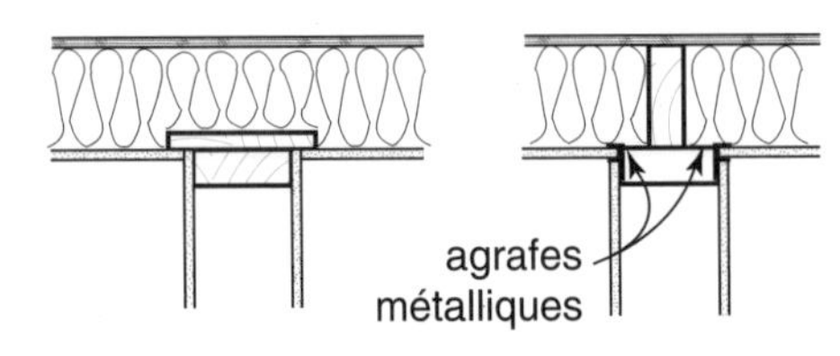

FIGURE 17
ANGLES DES MURS EXTÉRIEURS ET INTERSECTIONS DES CLOISONS INTÉRIEURES

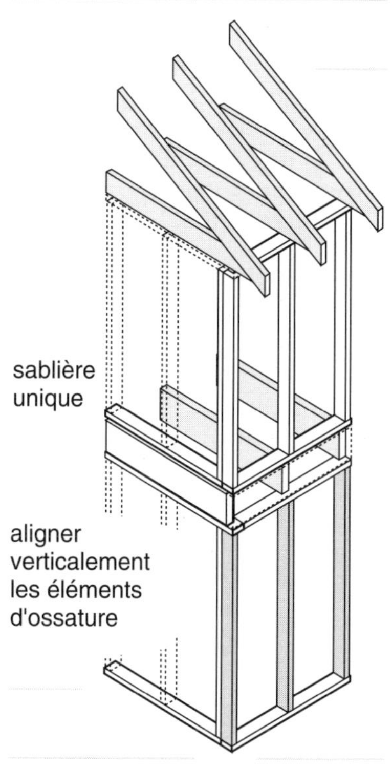

Figure 18
Alignement des éléments d'ossature

- Utiliser une seule sablière lorsque le plan autorise à disposer les solives de plancher et les fermes directement sur les poteaux en dessous (voir figure 18).
- Pour les murs extérieurs porteurs, fabriquer des poutres-caissons structurales tenant lieu de solives de rive au-dessus des portes et des fenêtres. L'utilisation d'un revêtement intermédiaire structural de part et d'autre de l'ossature permet d'incorporer davantage d'isolant à l'endroit de la solive de rive (voir figure 19).
- Utiliser un revêtement intermédiaire isolant assure une coupure thermique pour l'ossature. De nombreux constructeurs posent maintenant un revêtement intermédiaire isolant entre l'ossature des murs extérieurs et le revêtement extérieur de finition dans le but d'assurer une coupure thermique supplémentaire.

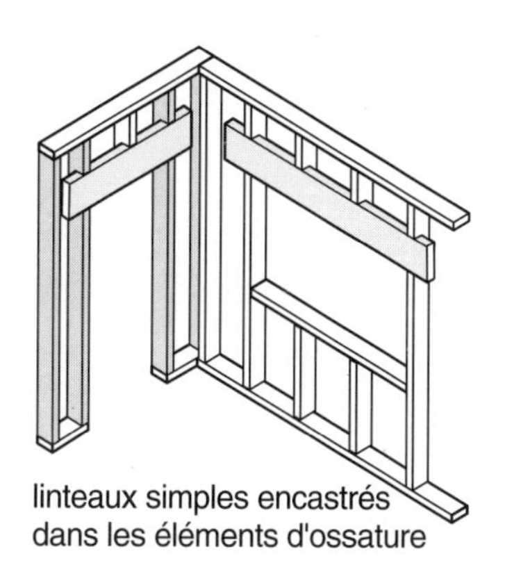

Figure 19
Linteaux

Section 3.3 Portes et fenêtres

INTRODUCTION

Les portes et fenêtres constituent deux des éléments les plus vulnérables du mur. Non seulement en sont-elles les seules parties mobiles, mais elles subissent des différences de température beaucoup plus élevées que les autres éléments du mur.

Les fabricants font valoir que l'adoption de meilleures techniques de pose permettrait de réduire de 50 p. 100 les rappels touchant les portes et fenêtres des maisons neuves. La présente section du guide cerne les causes et propose des solutions aux problèmes qui surviennent en général dans les maisons neuves.

3.3.1 MANŒUVRE DIFFICILE

PROBLÈME

MANŒUVRE DIFFICILE D'UNE PORTE OU D'UNE FENÊTRE

Les portes qui se coincent, les fenêtres coulissantes ou autres qui ne s'ouvrent ou ne se ferment pas bien font couramment l'objet de plaintes aux termes des garanties. Elles témoignent en général de mauvaises techniques d'exécution de la charpente et méthodes de pose.

CAUSE

Jeu insuffisant

La pose doit tenir compte du mouvement du bâtiment, des éléments non d'équerre et du retrait différentiel des bâtis d'attente ainsi que des encadrements de porte et des dormants de fenêtre.

SOLUTIONS

12 mm (1/2 po)

minimum de 12 mm (1/2 po)

minimum de 12 mm (1/2 po)

tracé du bâti de fenêtre

FIGURE 20
BÂTI D'ATTENTE DE FENÊTRE

- ◆ Vérifier que l'ossature est d'équerre en mesurant les diagonales et en posant des contreventements avant d'ériger le mur.
- ◆ S'assurer que les bâtis d'attente mesurent au moins 12 mm (1/2 po) de largeur et 12 mm (1/2 po) de hauteur de plus que les dormants de fenêtre ou les encadrements de porte. Certains fabricants recommandent même de prévoir respectivement 40 mm (1 1/2 po) et 20 mm (3/4 po) (voir figure 20).
- ◆ Utiliser des portes pré-ajustées ou les suspendre avec un jeu minimal de 3 mm (1/8 po) au-dessus et sur les côtés (voir figure 21). Fixer les charnières supérieures avec de longues vis de façon à prévenir l'affaissement des portes.

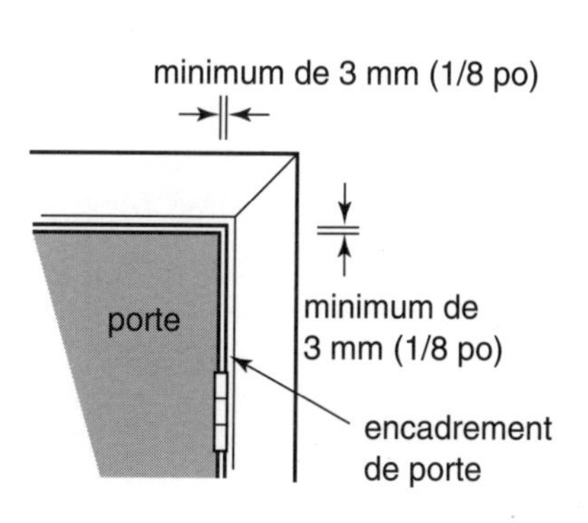

FIGURE 21
JEUX À RESPECTER

PROBLÈME
MANŒUVRE DIFFICILE D'UNE PORTE OU D'UNE FENÊTRE

CAUSE

Fléchissement ou rotation du linteau

Les portes et les fenêtres ne sont pas destinées à soutenir les charges verticales provenant des autres éléments du mur.

SOLUTIONS

- Éviter de soumettre le linteau à des charges excentrées. Vérifier que le linteau offre une résistance suffisante et qu'il prend totalement appui sur les poteaux nains. Tailler les poteaux nains d'équerre. Limiter le fléchissement du linteau à 1/360 de la portée, par exemple 5 mm (1/4 po) pour une ouverture de 1,8 m (6 pi).
- Éviter de caler la fenêtre entre la traverse supérieure du dormant et le linteau afin d'éviter de transmettre les charges au dormant de la fenêtre ou de la porte. Caler uniquement les montants du dormant et la pièce d'appui. Fixer la traverse supérieure du dormant avec des brides flexibles de manière à autoriser un mouvement quelconque de va-et-vient (voir figure 22).
- Éviter d'enfoncer des clous par le couvre-joint extérieur jusque dans le linteau.

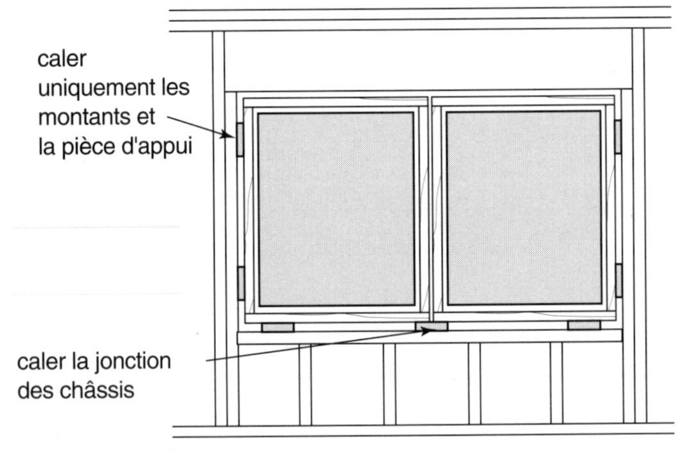

FIGURE 22
EMPLACEMENT DES CALES

PROBLÈME

MANŒUVRE DIFFICILE D'UNE PORTE OU D'UNE FENÊTRE

CAUSE

Gauchissement ou déformation du dormant

SOLUTIONS

- Prévoir un jeu minimal de 3 mm (1/8 po) entre la plaque de plâtre et le dormant de la fenêtre ou de la porte pour éviter de le soumettre à un surplus de pression. Prendre des précautions pour ne pas avoir à tailler les plaques de plâtre par la suite et risquer d'endommager le pare-air en feuille.
- Éviter la déformation causée par les pressions inégales autour du dormant en utilisant des cales précoupées en bardeau de cèdre au lieu de rebuts et en les espaçant également.
- Lors de l'utilisation de mousse expansive destinée à assurer l'étanchéité autour du dormant, éviter d'en injecter une trop grande quantité pour ne pas exercer des pressions sur le dormant. Faire usage de mousse à un seul composant. Se rappeler que plus il fait chaud, plus il se produit de dilatation.
- Les portes et fenêtres risquent moins de gauchir si elles sont rangées dans un environnement semblable à celui où elles seront posées. Éviter de les entreposer à l'extérieur.
- La brique se dilate en absorbant de l'humidité alors que l'ossature subit un retrait. Laisser un espace de 3 mm (1/8 po) entre la brique et les côtés du dormant, de 6 mm (1/4 po) sous la pièce d'appui et, le cas échéant, de 10 mm (3/8 po) sous la pièce d'appui des fenêtres du deuxième étage. En cas de recours à une pièce d'appui inclinée en brique, laisser un espace plus marqué sous la fenêtre. Calfeutrer tous les vides et les obturer avec une garniture de mousse compressible (voir figure 23).
- Le revêtement intermédiaire peut se dilater ou gauchir sous l'effet de la pluie et du soleil. Poser le revêtement intermédiaire en retrait par rapport au bâti d'attente et mettre en œuvre des solins comme il se doit.
- Opter pour des fenêtres préfinies, sinon peindre ou revêtir les fenêtres en bois peu de temps après leur pose pour éviter l'absorption d'humidité.
- Certains constructeurs posent un papier de revêtement ou du polyéthylène en bandes par-dessus le bâti d'attente de manière à empêcher l'humidité du mur de parvenir au dormant de porte ou de fenêtre. Les mousses expansives ou les garnitures de pièce d'appui offrent les mêmes avantages en plus d'améliorer l'étanchéité à l'air.

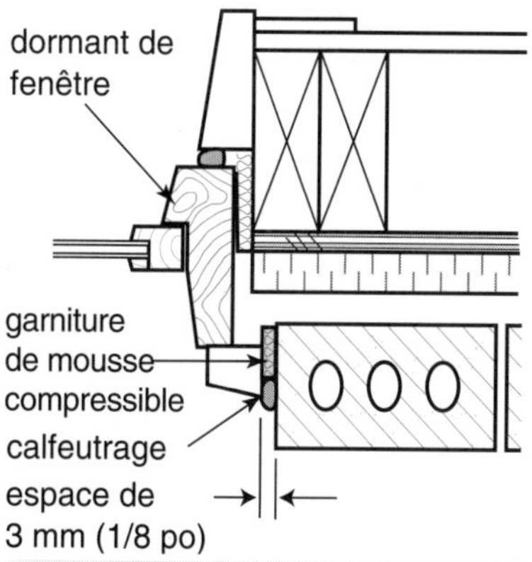

FIGURE 23
DÉTAIL D'EXÉCUTION VIS-À-VIS DU PLACAGE DE BRIQUE

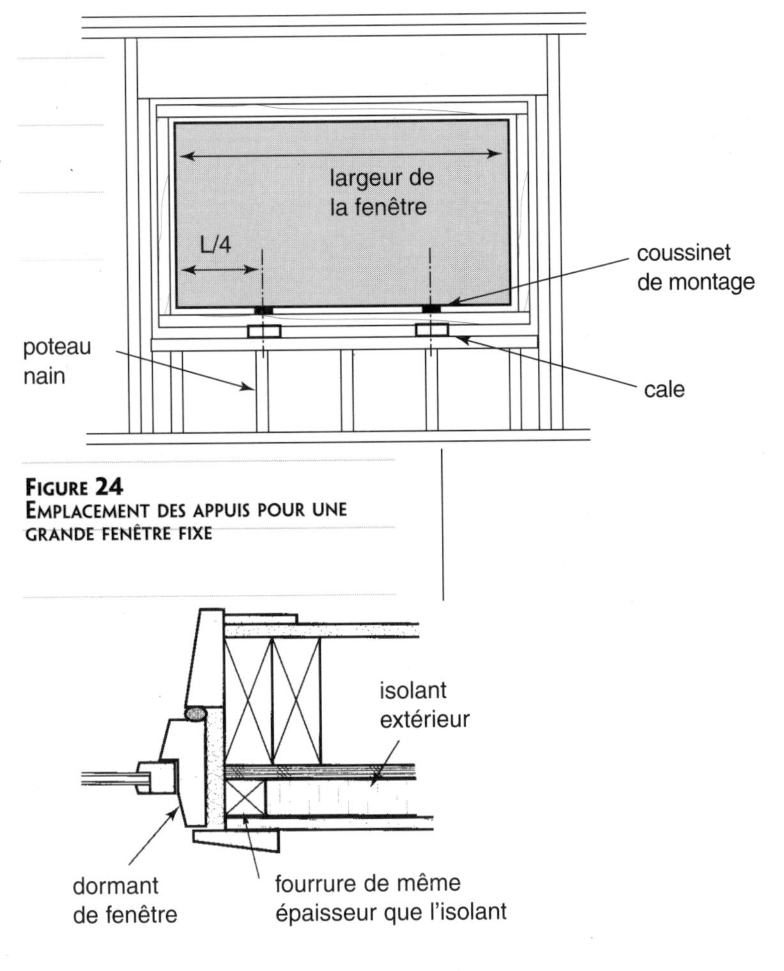

FIGURE 24
EMPLACEMENT DES APPUIS POUR UNE GRANDE FENÊTRE FIXE

FIGURE 25
DÉTAIL DE L'ISOLATION EXTÉRIEURE

- Pour prévenir l'affaissement du dormant de fenêtre, aligner, dans la mesure du possible, les cales et les poteaux nains avec les coussinets de montage se trouvant en général au quart de la longueur des fenêtres fixes et vis-à-vis de la jonction des châssis multiples (voir figure 24).
- En cas de mise en œuvre d'isolant rigide extérieur, prévoir des fourrures de la même épaisseur que l'isolant au pourtour du dormant de la porte ou de la fenêtre afin d'obtenir une surface de fixation suffisante (voir figure 25), en plus d'assurer un meilleur appui pour le calfeutrage et les solins.

PROBLÈME
MANŒUVRE DIFFICILE D'UNE PORTE OU D'UNE FENÊTRE

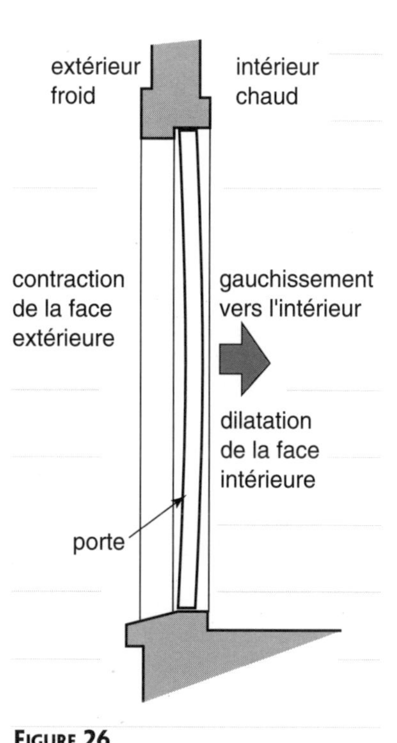

FIGURE 26
GAUCHISSEMENT THERMIQUE

CAUSE

Gauchissement thermique

Dans les zones climatiques froides, la différence de température entre les faces extérieure et intérieure d'une porte métallique peut la faire gauchir et, dans des cas extrêmes, ouvrir en plein hiver. Bien qu'il soit inévitable que les éléments soient cambrés dans une certaine mesure, cela ne doit pas nuire à l'étanchéité ni au fonctionnement de la porte (voir figure 26)

SOLUTIONS

- Fixer un espaceur au montant de la porte à l'endroit de la serrure pour permettre un certain gauchissement.
- Employer un coupe-froid s'incorporant dans le montant.
- En hiver, poser une contre-porte ou une contre-fenêtre pour réduire la différence de température.
- Un pêne dormant peut aussi mieux résister à l'ouverture spontanée des portes.

CAUSE

Gauchissement des portes de bois

SOLUTIONS

- Le coulage du béton, la finition des plaques de plâtre et l'application de peinture contribuent à élever le degré d'humidité. Assurer la ventilation pendant les travaux.
- Ranger les portes à plat à moins qu'elles soient pré-ajustées.
- Avant de peindre les portes extérieures en bois, attendre que la teneur en eau du bois se soit stabilisée. Appliquer un produit de scellement sur les chants supérieurs et inférieurs des portes afin de prévenir l'absorption d'humidité.

PROBLÈME

MANŒUVRE DIFFICILE D'UNE PORTE OU D'UNE FENÊTRE

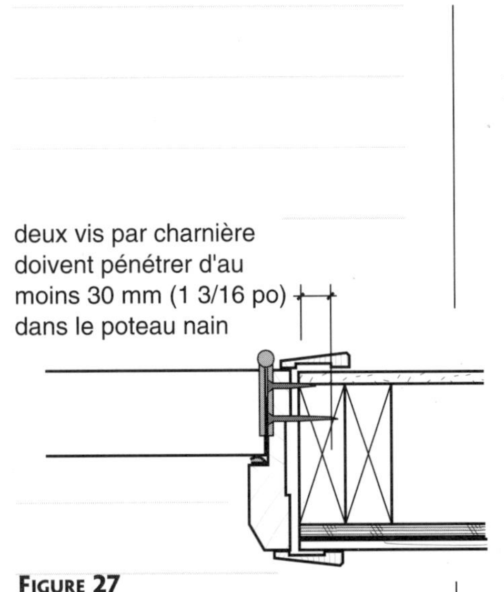

FIGURE 27
DÉTAIL D'UNE CHARNIÈRE

CAUSE

Fixation et appui inadéquats des portes

SOLUTIONS

- ◆ Faire usage de cales vis-à-vis de toutes les charnières et toute quincaillerie.
- ◆ Au moins deux vis par charnière doivent traverser à la fois le dormant et la cale, en plus de pénétrer d'au moins 30 mm (1 3/16 po) dans le bois massif (voir figure 27).
- ◆ Éviter d'enfoncer les vis au marteau.
- ◆ Envisager d'employer des charnières à roulement à billes de calibre supérieur pour les portes extérieures larges.

CAUSE

Manque d'ajustement final

SOLUTIONS

- ◆ Faire coulisser dans un mouvement de va-et-vient les fenêtres ouvrantes et les portes-fenêtres au cours de leur pose pour faire en sorte qu'elles se manœuvrent toujours bien.
- ◆ Vérifier l'installation en enlevant et en reposant tous les ouvrants et toutes les moustiquaires avant de terminer les travaux.
- ◆ Pour faciliter les ajustements ultérieurs, visser au lieu de clouer le dormant des portes à travers les cales jusque dans les poteaux nains.
- ◆ Prendre soin de ne pas peindre les rails et autres éléments de vinyle des portes et fenêtres coulissantes.
- ◆ Percer à l'avance le dormant des fenêtres de façon à pouvoir le visser en place et l'ajuster par la suite.

Section 3.4 Bardages et parements

INTRODUCTION

Les défauts et défaillances des bardages et parements vont de la détérioration étendue jusqu'à l'aspect inesthétique des matériaux constitutifs, moins destructif mais tout aussi ennuyeux. Ces problèmes résultent en général de l'élimination inadéquate de l'humidité ou de mauvaises techniques de pose. La présente section du guide fournit aux constructeurs le diagnostic des problèmes de bardages les plus courants et des suggestions pour réduire la possibilité qu'ils se présentent à nouveau.

3.4.1 PROBLÈMES GÉNÉRIQUES

PROBLÈME

INFILTRATION D'EAU PAR LE BARDAGE

L'eau peut s'infiltrer par tous les bardages. L'humidité emprisonnée risque d'entraîner la pourriture, l'écaillage de la peinture, la formation de taches d'eau, de la moisissure, la détérioration de l'isolant, du gauchissement et du gondolage ainsi que des dommages plus sérieux à l'ossature murale. L'eau qui traverse tout le mur finit par endommager les revêtements intérieurs de finition.

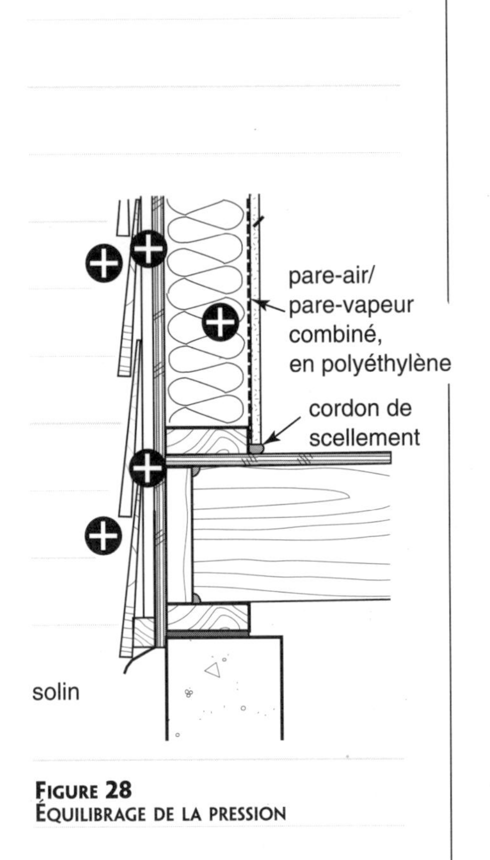

FIGURE 28
ÉQUILIBRAGE DE LA PRESSION

CAUSE

Absence d'écran pare-pluie

Pose incorrecte du papier de revêtement

SOLUTIONS

- Aménager un écran pare-pluie contribue à réduire la différence de pression entre l'extérieur (vent) et l'intérieur du mur et par conséquent l'infiltration d'eau dans la cavité murale (voir section 3.1.3). Vérifier de bien drainer la cavité murale (voir figure 28).
- Veiller à ce que le papier de revêtement du mur soit bien posé, sans déchirure, et que la feuille du dessus recouvre suffisamment la feuille du dessous. L'absence de membrane de revêtement ou sa mise en œuvre contre-indiquée permet à l'eau qui s'est introduite par le parement extérieur de traverser la cavité murale. Le papier de revêtement mural sert de membrane hydrofuge secondaire derrière le bardage. Il doit être résistant à l'humidité mais non à la vapeur d'eau pour que celle-ci puisse s'échapper à l'extérieur. Respecter les règles suivantes :
  - Une couche de papier de revêtement par-dessus le revêtement mural intermédiaire suffit dans la plupart des cas. Certains constructeurs recommandent d'utiliser deux couches de papier sous le stucco. Éviter de poser du feutre ou du papier bitumineux comme papier de revêtement sous le stucco.
  - Faire chevaucher les joints du papier de revêtement d'au moins 100 mm (4 po). Vérifier que le papier de revêtement disposé autour des ouvertures favorise l'écoulement de l'eau le long du mur vers le bas et vers l'extérieur par-dessus le solin (voir section 3.4.5).

PROBLÈME
DÉTÉRIORATION PRÉMATURÉE

Le revêtement peut se détériorer prématurément en présence d'humidité dans le mur. Les moisissures détruisent les fibres du bois et entraînent la corrosion du bardage métallique et des attaches.

CAUSE

Condensation attribuable aux fuites d'air

Possibilité d'assèchement inadéquat

SOLUTIONS

- Empêcher l'air chaud et humide de parvenir jusque dans le mur extérieur, où il peut se condenser sur la face intérieure du revêtement froid. Mettre en œuvre un pare-air continu et efficace dans le but de minimiser le mouvement de vapeur d'eau aéroportée.
- Mettre en œuvre un pare-vapeur du côté chaud du mur.

PROBLÈME

DÉFORMATION OU DÉPLACEMENT DU BARDAGE

La déformation continue du bardage finit par l'affaiblir et par créer des ouvertures par où l'eau peut s'infiltrer.

CAUSE

Pose par-dessus de l'isolant semi-rigide

SOLUTIONS

◆ Prévoir un appui stable pour le bardage. Le bardage posé directement sur de l'isolant semi-rigide peut se déformer et présenter un aspect ondulé, puisque l'isolant se comprime sous l'effet du bardage posé trop serré. Faire usage de revêtement intermédiaire, de fourrures de bois et de bardage en panneaux de fibres durs. Poser le bardage de vinyle ou de métal léger sur un support continu. Les bardages en métal plus épais plient moins facilement et peuvent donc se poser sur des fourrures. S'en tenir rigoureusement aux directives du fabricant.

Flambage des solives de bordure.

◆ Le retrait des solives de bordure et d'enchevêtrure peut entraîner le fléchissement du bardage près du plancher. Prévoir un espace supplémentaire aux intersections et tenir compte du mouvement du bardage au-dessus et au-dessous du plancher.

3.4.2 BARDAGE EN BOIS OU EN PANNEAUX DE FIBRES DURS

PROBLÈME

INFILTRATION D'EAU PAR LE BARDAGE EN BOIS OU EN PANNEAUX DE FIBRES DURS

L'eau qui s'infiltre par les interstices du bardage en bois ou en panneaux de fibres durs peut entraîner la pourriture du bois, l'écaillage de la peinture, des taches d'eau, de la moisissure, la détérioration de l'isolant, du gauchissement et du gondolement et de sérieux dommages à l'ossature murale.

CAUSE

Présence d'insterstices dans le bardage et exécution incorrecte des joints

SOLUTIONS

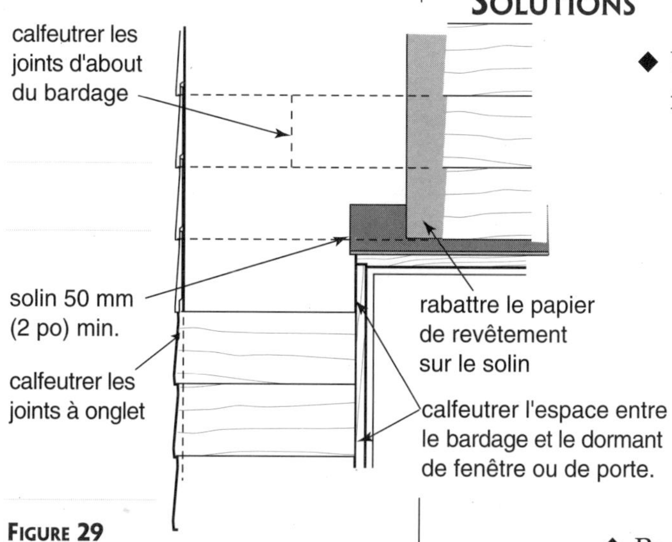

FIGURE 29
CALFEUTRAGE DES JOINTS

- Utiliser les moyens suivants pour éviter que les interstices du bardage favorisent l'infiltration d'eau :
  - calfeutrer les joints aux angles et aux bâtis de porte et de fenêtre, sauf les orifices de ventilation incorporés au mur à écran pare-pluie (voir figure 29);
  - pour le bardage en bois, utiliser du bois exempt de fentes traversantes, de trous de nœuds et de noeuds non adhérents;
  - pour prévenir le retrait et la fissuration du bois plus tard, utiliser un bardage en bois dont la teneur en eau est inférieure à 10 p. 100.
- Pour écarter l'eau et l'empêcher de s'infiltrer par les joints du bardage en bois ou en panneaux de fibres durs, prendre les précautions suivantes :
  - faire un joint vertical au moment d'abouter les éléments du bardage posé en diagonale (voir figure 30);
  - décaler les joints d'about des rangs successifs, dans la mesure du possible;
  - tailler à onglet ou faire chevaucher les joints du bardage aux angles extérieurs en l'absence de planches cornières.

pratiquer des joints verticaux et les obturer par calfeutrage faute d'utiliser des couvre-joints
solin
planches cornières
bardage en bois ou en panneaux de fibres dur posé à 45 °
rabattre le papier de revêtement sur le solin
calfeutrer les côtés et sous la pièce d'appui

FIGURE 30
BARDAGE EN PANNEAUX DE FIBRES DURS POSÉ EN DIAGONALE

◆ Pour le bardage en panneaux de fibres durs :
   - utiliser des couvre-joints et laisser un espace de 5 mm (1/4 po) pour les besoins de dilatation (voir figure 31);
   - en cas d'utilisation de profilés d'angle ou de profilés de joints d'about pour le bardage en panneaux de fibres durs à clin, suivre les instructions du fabricant à cet égard (voir figure 32);
   - veiller à faire reposer tous les joints sur les éléments d'ossature;
   - laisser un espace de 3 mm (1/8 po) entre le bardage et la boiserie de porte ou de fenêtre, et calfeutrer ce joint (voir figure 33).

◆ Pour le bardage en bois :
   - faire chevaucher d'au moins 25 mm (1 po) les rangs successifs du bardage horizontal;
   - faire les joints du bardage vertical à 45 ° pour évacuer l'eau vers l'extérieur.

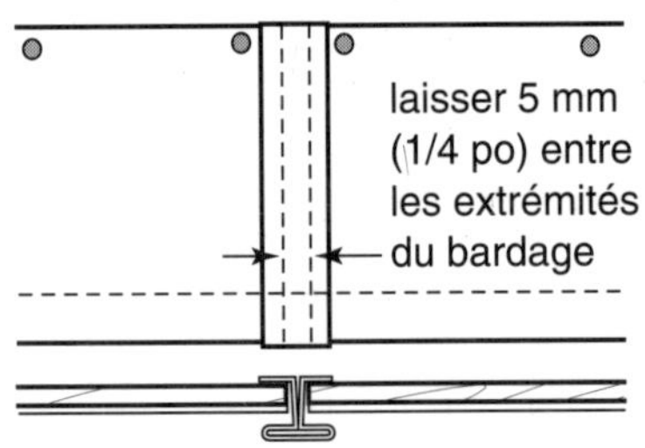

Figure 31
Couvre-joints pour le bardage en panneaux de fibres durs

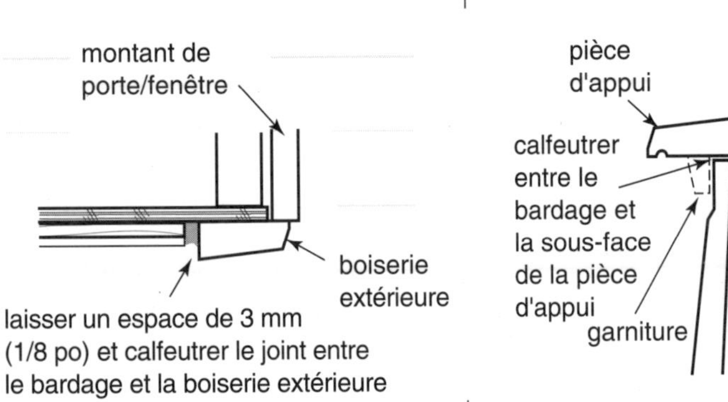

Figure 32
Espace entre le bardage et la boiserie de fenêtre

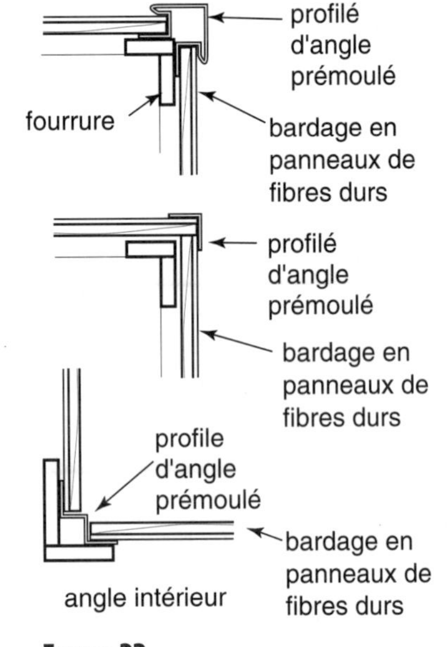

Figure 33
Profilé d'angle prémoulé pour le bardage en panneaux de fibres durs

PROBLÈME

INFILTRATION D'EAU PAR LE BARDAGE

CAUSE

Mauvais drainage des éléments muraux et larmiers de pièce d'appui ou joints inadéquats

SOLUTIONS

- Agir de manière à empêcher l'eau de se diriger vers la cavité murale en assurant une évacuation adéquate.
  - Recouvrir d'un solin la partie supérieure du dormant de porte ou de fenêtre ainsi que l'intersection de deux matériaux différents (voir figure 34).
  - Incliner suffisamment vers l'extérieur le seuil des portes et la pièce d'appui des fenêtres.
- Pratiquer un trait de scie ou une rainure en vue de contrer toute remontée capillaire de l'eau de pluie jusque sous la sous-face du seuil de porte ou de la pièce d'appui de la fenêtre et derrière le bardage.
- Dans le cas du bardage posé à l'horizontale, laisser une ouverture de 3 mm (1/8 po) aux joints à recouvrement à l'aide de clous à tête ronde ou de cales (voir figure 35).

rabattre le papier de revêtement sur le solin

stucco

solin avec jet d'eau

papier de revêtement

larmier

calfeutrage

solin

boiserie extérieure

FIGURE 34
POSE D'UN SOLIN

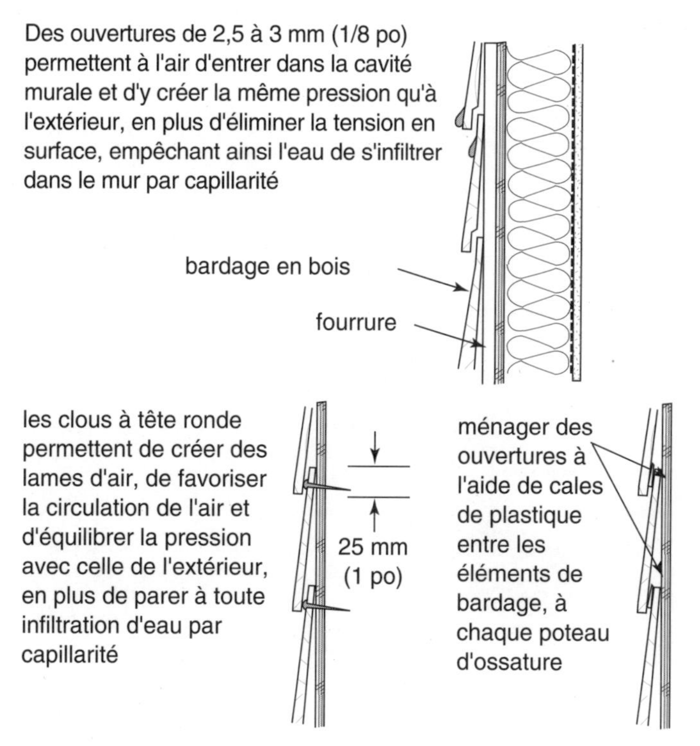

Des ouvertures de 2,5 à 3 mm (1/8 po) permettent à l'air d'entrer dans la cavité murale et d'y créer la même pression qu'à l'extérieur, en plus d'éliminer la tension en surface, empêchant ainsi l'eau de s'infiltrer dans le mur par capillarité
bardage en bois
fourrure
les clous à tête ronde permettent de créer des lames d'air, de favoriser la circulation de l'air et d'équilibrer la pression avec celle de l'extérieur, en plus de parer à toute infiltration d'eau par capillarité
25 mm
(1 po)
ménager des ouvertures à l'aide de cales de plastique entre les éléments de bardage, à chaque poteau d'ossature

FIGURE 35
OUVERTURES AUX JOINTS À RECOUVREMENT

PROBLÈME
DÉTÉRIORATION PRÉMATURÉE

Détérioration prématurée du bardage en bois sous l'effet de l'humidité

CAUSE

La condensation, due aux fuites d'air et à la diffusion de vapeur d'eau, qui se forme sur la face arrière du bardage entraîne sa détérioration prématurée. Le mouvement d'humidité à travers le bardage en bois risque de faire apparaître des taches et de la moisissure à l'extérieur et écailler la peinture. De même, le dégagement insuffisant entre le bardage et le niveau du sol ou la couverture peut donner lieu à la saturation constante du bardage et finir par l'endommager.

SOLUTIONS

Empêcher les dommages dus à la condensation.

- L'air humide intérieur qui s'échappe à travers le mur extérieur et se condense sur la face arrière du bardage en bois ou en panneaux de fibres durs créent des conditions propices à l'apparition de moisissure. Prendre les précautions suivantes :
  - mettre en œuvre un pare-air continu en vue de réduire les fuites d'air depuis l'intérieur du bâtiment;
  - réduire la diffusion de vapeur à travers le mur en mettant en place un pare-vapeur (polyéthylène et peinture pare-vapeur) sur la face intérieure du mur extérieur;
  - mettre une seule couche de papier de revêtement de 15 lb entre le revêtement intermédiaire et le bardage, avec recouvrement de 100 mm (4 po) aux rives.
  - Prévenir la pourriture en posant le revêtement à au moins 200 mm (8 po) du niveau du sol (voir figure 36) ou à 50 mm (2 po) de la jonction du toit (voir figure 37).
- L'eau peut remonter par capillarité jusqu'au bardage en bois ou en panneaux de fibres durs qui repose sur le sol ou en est trop près et occasionner la pourriture du bois.

niveler le sol en pente descendante à partir de la maison
dégagement minimal de 200 mm (8 po) pour le bardage en bois

FIGURE 36
DÉGAGEMENT ENTRE LE BARDAGE ET LE NIVEAU DU SOL

Prévenir l'infiltration de pluie ou la condensation car la présence d'humidité risque de se traduire par le gauchissement et la torsion du bardage.

- Augmenter la possibilité d'assèchement du bardage en favorisant davantage l'évacuation de l'eau, la circulation d'air à l'arrière (voir le principe de l'écran pare-pluie à la section 3.1.3) et les coupures de capillarité aux rives inférieures. Poser le bardage sur des fourrures.

Éviter d'utiliser du bardage en bois de qualité inférieure ou endommagé sur le chantier.

- Utiliser du bois propre, exempt de fissures, de bombement, de fentes et de trous de noeud. Faire usage de bois de qualité laissant à désirer constitue une bien piètre mesure d'économie.

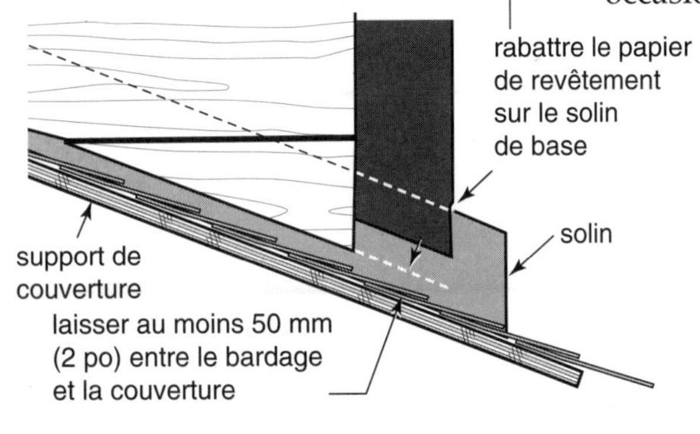

rabattre le papier de revêtement sur le solin de base
solin
support de couverture
laisser au moins 50 mm (2 po) entre le bardage et la couverture

FIGURE 37
DÉGAGEMENT ENTRE LE BARDAGE ET LE MATÉRIAU DE COUVERTURE

3.4.3 BARDAGE EN VINYLE OU EN MÉTAL

PROBLÈME

INFILTRATION DE L'EAU

L'eau s'infiltre par les joints du bardage en vinyle et en métal, imbibe l'isolant et détériore les éléments de l'ossature et les revêtements intérieurs de finition.

CAUSE

Exécution fautive des joints entre les rangs successifs de bardage aux angles et autour des portes et des fenêtres

SOLUTIONS

- Évacuer l'eau pour l'empêcher de s'infiltrer par les joints du bardage en vinyle ou en métal, en prenant les précautions suivantes :
  - suivre les instructions de pose du fabricant (voir figure 38);
  - dans le cas du bardage posé en diagonale, faire les joints à la verticale et recouvrir la bande inférieure avec la bande supérieure (voir figure 39);
  - décaler d'au moins 900 mm (36 po) tous les joints des rangs successifs.

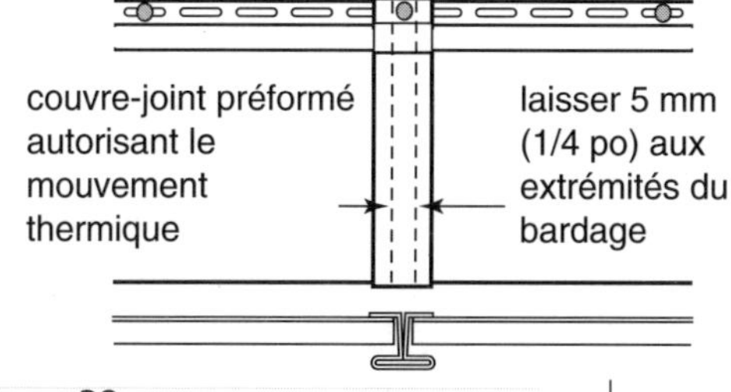
tenir compte de la dilatation
enfoncer les clous à 75 à 100 mm (3 à 4 po) de la rive
glisser de 25 mm (1 po) la bande pré-entaillée sous la bande adjacente
couvre-joint préformé autorisant le mouvement thermique
laisser 5 mm (1/4 po) aux extrémités du bardage

FIGURE 38
EXÉCUTION DES JOINTS DU BARDAGE EN MÉTAL ET EN VINYLE

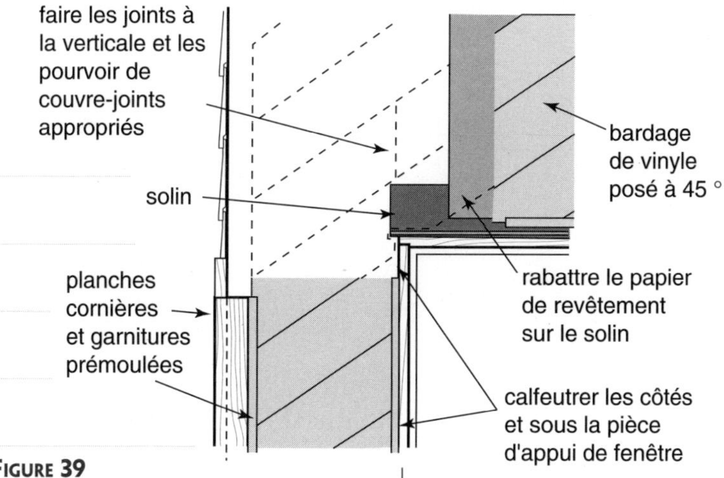
faire les joints à la verticale et les pourvoir de couvre-joints appropriés
solin
planches cornières et garnitures prémoulées
bardage de vinyle posé à 45 °
rabattre le papier de revêtement sur le solin
calfeutrer les côtés et sous la pièce d'appui de fenêtre

FIGURE 39
BARDAGE EN VINYLE POSÉ EN DIAGONALE

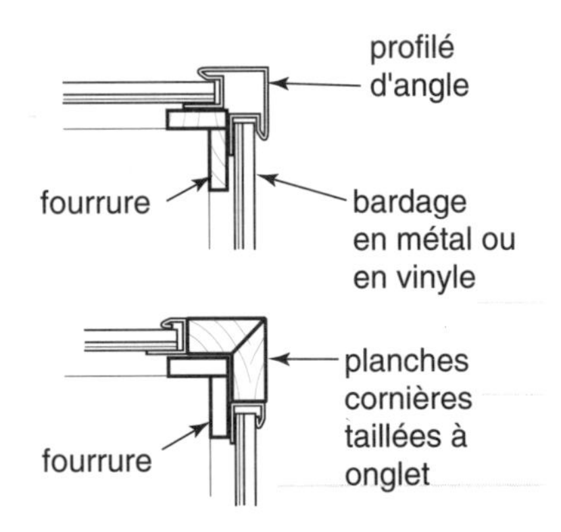

Figure 40
Exécution d'angle du bardage en aluminium, en vinyle ou en bois

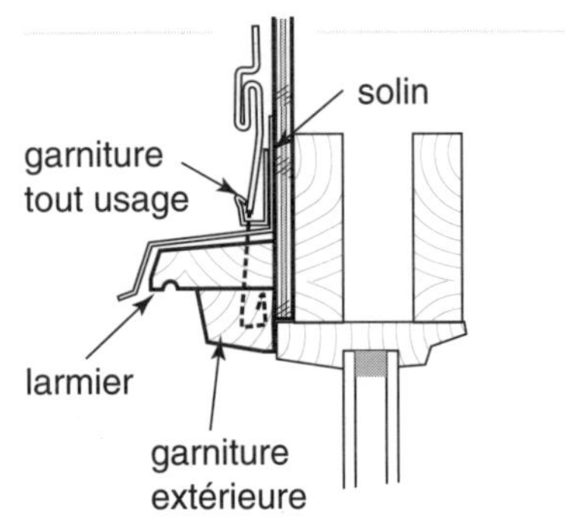

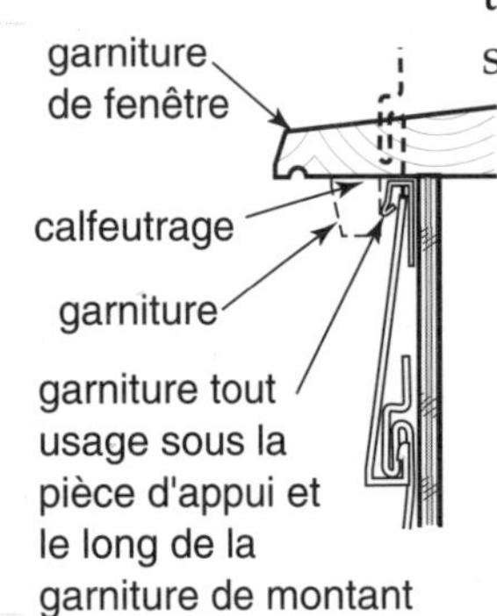

Figure 41
Finition autour des portes et fenêtres

- ◆ Prendre les précautions suivantes pour que l'eau ne pénètre pas entre les poteaux corniers :
  - utiliser uniquement des profilés d'angle aux angles extérieurs (voir figure 40 pour l'exécution de joints d'angle types suggérée par les fabricants).

Cause

Exécution fautive autour des fenêtres et des portes

Solutions

- ◆ Poser obligatoirement un solin au-dessus du dormant des portes et des fenêtres. La figure 41 illustre l'exécution vis-à-vis de la traverse supérieure, des montants et sous la pièce d'appui d'une fenêtre.

PROBLÈME

DÉFORMATION ET DÉPLACEMENT DU BARDAGE EN MÉTAL ET EN VINYLE

La déformation ou le déplacement du bardage peut créer des ouvertures par où l'eau peut entrer.

CAUSE

Exécution n'autorisant pas la dilatation ou la contraction thermique

SOLUTIONS

◆ Vérifier que la méthode de pose ne restreint pas le mouvement thermique. La plupart des problèmes du bardage en vinyle ou en métal concernent sa dilatation et sa contraction à la suite de variations de température. Pour tenir compte du mouvement, respecter les méthodes suivantes :

- poser le bardage conformément aux instructions du fabricant;
- clouer par les fentes prévues à cet effet dans le bardage et prendre soin d'enfoncer les clous au centre des fentes (voir figure 42). Éviter de clouer à travers le bardage;
- espacer les clous d'au plus 400 à 450 mm (16 à 18 po) entre axes;
- éviter d'enfoncer les clous à fond (cela pourrait restreindre le mouvement et faire voiler le bardage). Laisser environ 0,7 mm (1/32 entre la tête du clou et le bardage (voir figure 43), car le bardage est «accroché» et non cloué profondément;
- à l'intersection du bardage et du dormant de porte ou de fenêtre, laisser l'espace que recommande le fabricant. La plupart des produits sont fournis avec des profilés en J servant à couvrir le joint à cet endroit (voir figure 44);
- pour les rendre moins visibles, pratiquer les joints à recouvrement à l'opposé de la rue ou de l'entrée;
- pour le bardage en vinyle, faire un joint convenable entre les éléments. Les joints peuvent se faire à recouvrement ou à l'aide de profilés accessoires. Suivre les instructions de pose du fabricant.

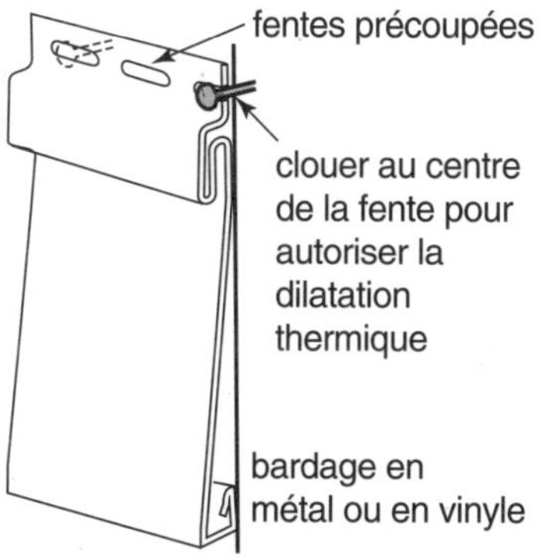

fentes précoupées

clouer au centre de la fente pour autoriser la dilatation thermique

bardage en métal ou en vinyle

FIGURE 42
CLOUAGE AU CENTRE DE LA FENTE POUR AUTORISER LA DILATATION ET LA CONTRACTION THERMIQUES

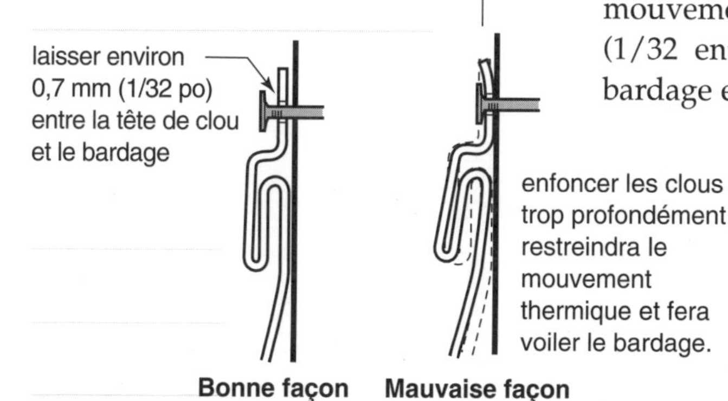
laisser environ 0,7 mm (1/32 po) entre la tête de clou et le bardage
enfoncer les clous trop profondément restreindra le mouvement thermique et fera voiler le bardage.
Bonne façon
Mauvaise façon

FIGURE 43
TECHNIQUE DE CLOUAGE APPROPRIÉE

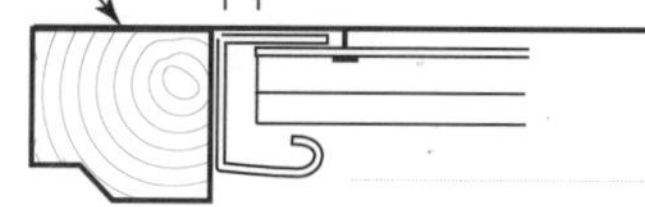
boiserie extérieure autour du montant d'une porte ou d'une fenêtre
laisser 6 mm (1/4 po) entre la boiserie et le bardage pour les besoins de dilatation thermique.

FIGURE 44
JOINT LE LONG DE LA BOISERIE

3.4.4 PLACAGE DE BRIQUE

Le placage de brique bien posé constitue un parement durable, incombustible et sans entretien.

Par contre, la piètre qualité de conception et d'exécution occasionneront des défauts coûteux à réparer. Les problèmes d'un placage de brique s'entendent de la pénétration de l'eau par le placage jusqu'au mur intérieur, de l'humidité emprisonnée dans la cavité et, ultérieurement, de la fissuration du placage.

PROBLÈME
Infiltration d'eau par le placage

L'eau qui s'infiltre par le placage jusque dans le mur risque d'entraîner la corrosion des attaches et des cornières ou, si elle réussit à traverser le revêtement intermédiaire, la détérioration des éléments d'ossature, voire d'endommager les revêtements intérieurs de finition (voir également la section 3.4.1, «Problèmes génériques»).

Cause

Pose incorrecte des solins et contre-solins

Solutions

- Éviter de se fier uniquement au calfeutrage. Poser un solin et un contre-solin à toutes les intersections du toit et des murs permet de tenir compte de tout mouvement différentiel entre les deux surfaces et empêche l'infiltration d'eau (voir figure 45).
- Poser des solins en gradins le long de la pente du toit en les repliant vers le haut du mur. Prévoir un recouvrement de 75 mm (3 po) le long de la pente du toit. Poser un contre-solin qui remonte le long du placage de brique sur 175 mm (6 po). Le contre-solin doit pénétrer d'au moins 25 mm (1 po) dans le joint de mortier et recouvrir le solin de base d'au moins 100 mm (4 po). S'assurer d'utiliser des solins de base et des contre-solins de même composition métallique pour éviter la détérioration par électrolyse.

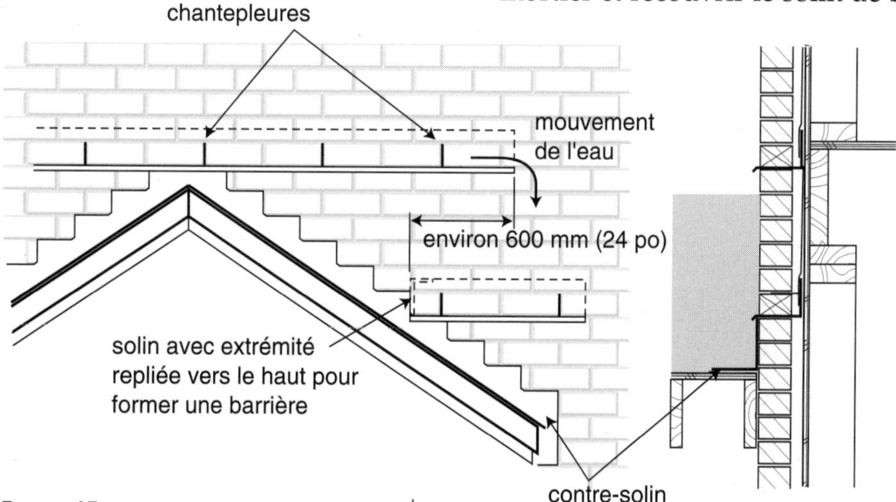

Figure 45
Solin à une intersection du toit

PROBLÈME

INFILTRATION D'EAU PAR LE PLACAGE

CAUSE

Impossibilité pour le mur d'évacuer l'eau ou de la drainer des cavités

SOLUTIONS

- S'assurer d'éloigner du bâtiment l'eau de la face du parement. Les solins posés au-dessus des ouvertures doivent être conçus pour éloigner l'eau du parement et comporter à cet effet sallie et larmier.
- Les solins doivent éloigner efficacement l'eau de l'intérieur de la cavité vers l'extérieur du parement. Les solins au-dessus des cornières d'appui et les solins de base doivent se prolonger derrière le papier de revêtement jusque sur la face extérieur du revêtement mural intermédiaire. Le solin doit aussi se prolonger en continu par-dessus la cornière d'appui jusqu'à l'extérieure. Le solin doit faire saillie d'au moins 5 mm (1/4 po) sur la cornière d'appui ou le placage de brique pour éviter d'emprisonner l'eau.
- Les chantepleures doivent toujours demeurer dégagées de façon à favoriser l'évacuation de toute quantité d'humiditié accumulée dans la cavité (voir figure 46).

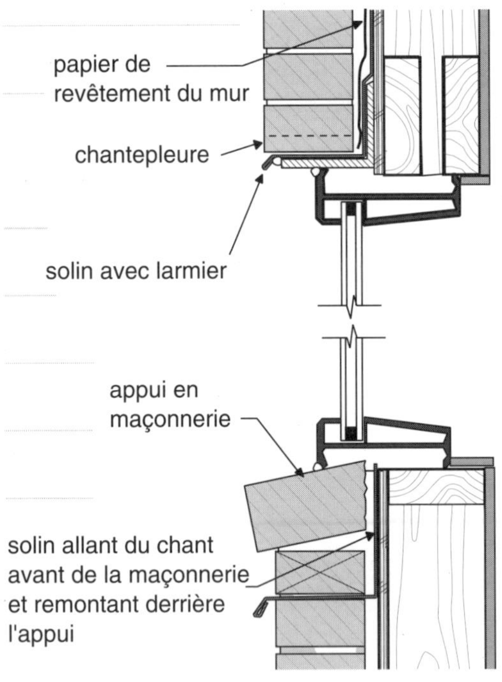

FIGURE 46
SOLIN DE FENÊTRE

PROBLÈME

Fissuration du placage de brique

La fissuration de la brique et du mortier peuvent permettre à l'eau de s'infiltrer et, dans des cas sérieux, compromettre la sécurité. La fissuration du placage de brique se produit bien souvent à la suite d'un tassement différentiel des fondations.

Cause

Impossibilité pour le parement de résister au tassement différentiel

Solutions

- Tout mouvement différentiel des fondations se transmet jusqu'au placage de brique, d'où les risques de fissuration (voir figure 47). Pour tenir compte de tout mouvement différentiel, prévoir des joints de fissuration verticaux entre le placage de brique et les autres éléments du parement. Réaliser des joints de rupture verticaux lorsque les éléments de fondation changent, comme au raccordement des fondations d'un garage non chauffé, par exemple.

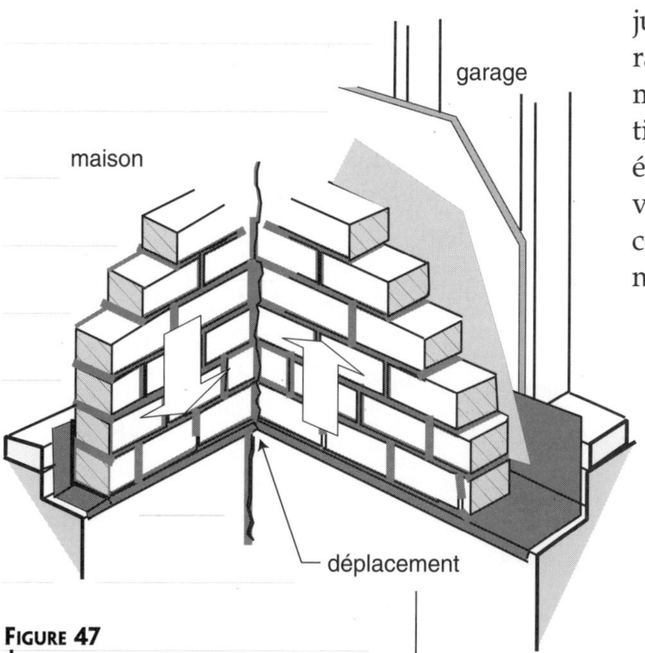

Figure 47
Joint de rupture vertical

PROBLÈME
FISSURATION DU PLACAGE DE BRIQUE

CAUSE

Briquetage par temps froid ou humide

Par temps froid, en gelant, le mortier qui accuse une teneur en eau élevée se dilate et fait fissurer le mortier et la maçonnerie de brique.

SOLUTIONS

- S'abstenir de déposer les briques sur le sol, retirer leur emballage plastique et les couvrir d'une bâche en favorisant la circulation de l'air pour abaisser leur teneur en eau.
- Au moment de malaxer le mortier par temps froid, réduire la quantité d'eau de gâchage et utiliser de l'eau chaude. Conserver la température du mortier au-dessus de 5 °C (40 °F). Tenir couvert le sable afin d'en réduire la teneur en humidité. Chauffer le sable et vérifier que le mélange ne contient pas de grumeaux gelés. Ériger une tente autour de la zone des travaux de briquetage, puis y apporter les briques pour en élever la température. Couvrir toutes les parties non finies afin d'empêcher l'eau ou la glace de s'introduire dans le mur. Ensuite, travailler les joints de mortier uniquement lorsqu'ils ont assez pris pour laisser une empreinte de pouce. Éviter de racler les joints.

CAUSE

Le placage de maçonnerie qui ne bénéficie pas d'un appui latéral suffisant risque de plier ou de fissurer sous l'effet des pressions du vent.

SOLUTIONS

- Pour le placage de brique de plus de 75 mm (2 15/16 po) d'épaisseur, poser des agrafes protégées contre la corrosion, d'au moins 1 mm (1/32 po) d'épaisseur, 22 mm (7/8 po) de largeur et façonnées de manière à former un lien mécanique avec le mortier. De plus, vérifier que les dispositifs de fixation des agrafes pénètrent d'au moins 30 mm (1 1/4 po) (voir figure 48).

Espacement des agrafes du placage

Espacement vertical maximal, mm (po)	Espacement horizontal maximal, mm (po)
400 (16)	800 (32)
500 (20)	600 (24)
600 (24)	400 (16)

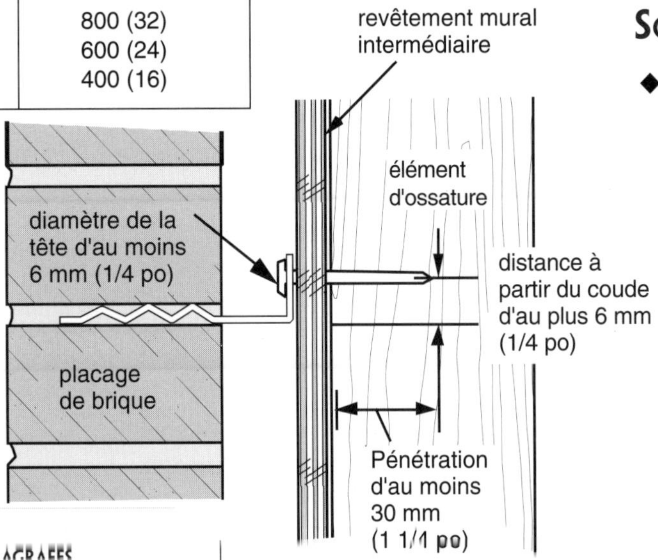

FIGURE 48
EXIGENCES VISANT LES AGRAFES DE LIAISONNEMENT DE LA BRIQUE

3.4.5 STUCCO

INTRODUCTION

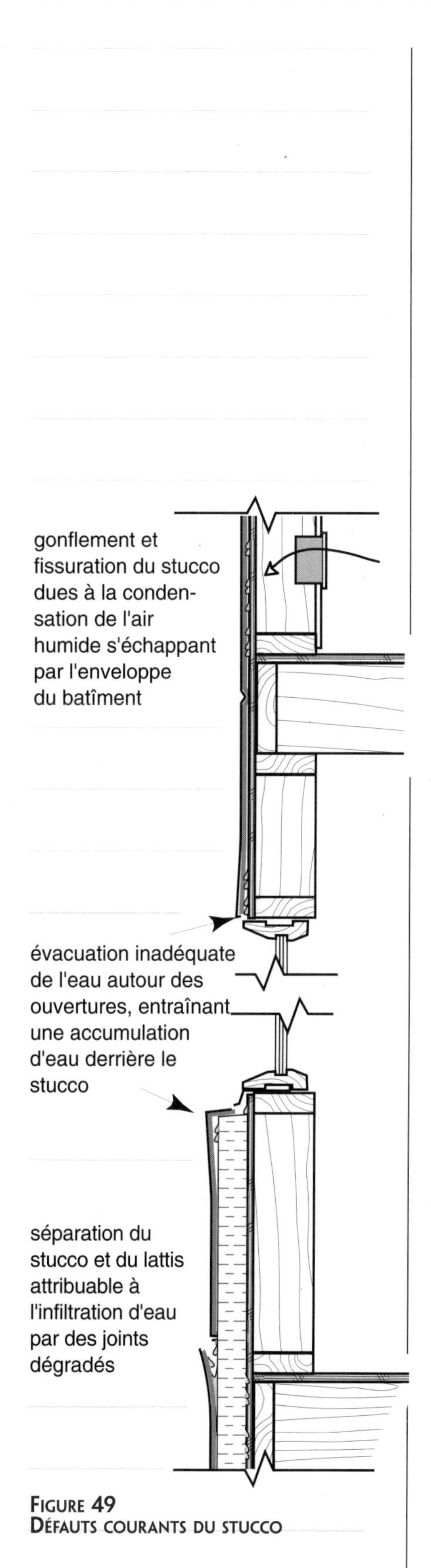
gonflement et fissuration du stucco dues à la condensation de l'air humide s'échappant par l'enveloppe du batîment
évacuation inadéquate de l'eau autour des ouvertures, entraînant une accumulation d'eau derrière le stucco
séparation du stucco et du lattis attribuable à l'infiltration d'eau par des joints dégradés

FIGURE 49
DÉFAUTS COURANTS DU STUCCO

Le stucco s'utilise dans de nombreuses régions du Canada; il offre beaucoup de souplesse en matière de conception, procure à l'enveloppe une étanchéité à l'air plutôt élevée et constitue, s'il est bien mis en œuvre, un revêtement extérieur de finition durable et sans entretien.

Par ailleurs, le nombre de problèmes reliés au stucco qui se sont manifestés partout au Canada témoigne de la piètre compréhension des techniques correctes de conception et de mise en œuvre. Dans la presque totalité des régions du pays, le stucco se dégrade prématurément, pratiquement toujours à cause du mouvement d'humidité incontrôlé dans les murs. L'humidité emprisonnée derrière le stucco, qu'elle provienne de l'extérieur ou de l'intérieur, peut occasionner une détérioration rapide du revêtement de finition.

En règle générale, les défauts du stucco (voir figure 49) s'expliquent comme suit :

- évacuation inadéquate de la pluie ou de la neige autour des ouvertures et des points de pénétration du stucco;
- humidité excessive du stucco, à cause du dégagement insuffisant par rapport au sol ou des matériaux de couverture, ou de l'accumulation d'humidité sur les surfaces horizontales du stucco;
- infiltration de la pluie et de la neige par les ouvertures pratiquées dans le stucco jusque dans le mur;
- emprisonnement d'air humide provenant de l'intérieur de la maison dans le mur derrière le stucco.

Dans une large mesure, les problèmes mettent en évidence la faiblesse des systèmes conçus selon la méthode de l'étanchéisation de façade, où la majeure partie de la protection est soumise à la détérioration et la dégradation imputables à des facteurs environnementaux. Sans entretien régulier et efficace, ces systèmes sont portés à fuir. Bien des concepteurs démontrent qu'ils saisissent mal la nécessité de bien assurer le drainage des murs dans l'éventualité où de l'humidité s'accumulerait derrière le stucco.

PROBLÈME

Dommages causés par l'humidité à l'intérieur des murs

Cause

Infiltration d'eau de pluie et de neige autour des points de pénétration

L'exécution contre-indiquée des solins et du scellement des points de pénétration représente la cause la plus commune d'infiltration d'eau dans les murs. L'eau qui n'est pas bien évacuée autour des fenêtres, des portes, des évents et d'autres points de pénétration peut couler derrière le stucco et parvenir dans le mur. La défaillance de la membrane de revêtement permet à l'eau de pénétrer dans l'ossature. L'eau qui y demeure finit par faire pourrir les éléments d'ossature et le revêtement intermédiaire, et aussi par tacher les revêtements intérieurs de finition.

Solutions

Utiliser un papier de revêtement ou une membrane d'étanchéité à l'air approuvés.

- Le feutre et le papier bitumés ne sont pas permis comme membrane de revêtement derrière le stucco. Vérifier que le papier de revêtement ou la membrane d'étanchéité couvre toute l'enveloppe et ne présente aucune déchirure. On peut assurer un protection supplémentaire en utilisant deux couches.

Poser correctement le papier de revêtement autour des ouvertures afin d'empêcher l'infiltration d'eau.

- Poser le papier de revêtement ou la membrane d'étanchéité à l'air à la manière des bardeaux, afin de permettre à l'eau de s'écouler vers le bas du mur. Faire chevaucher le papier de revêtement au bas de l'ouverture avec celui qui entoure l'ouverture (voir figure 50).

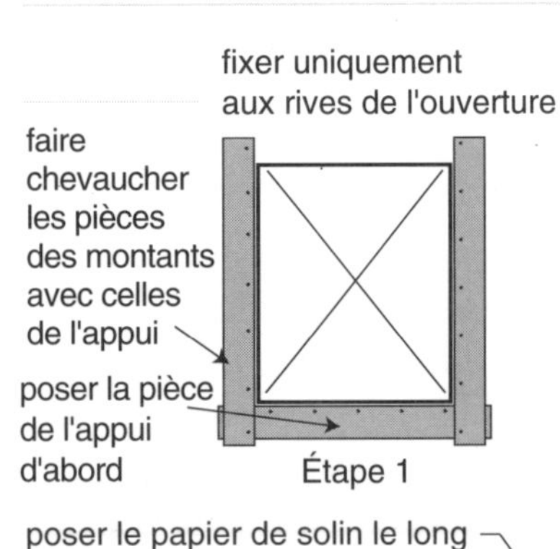

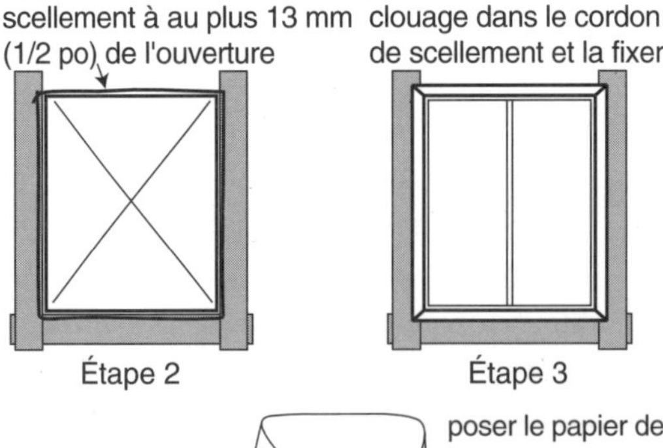

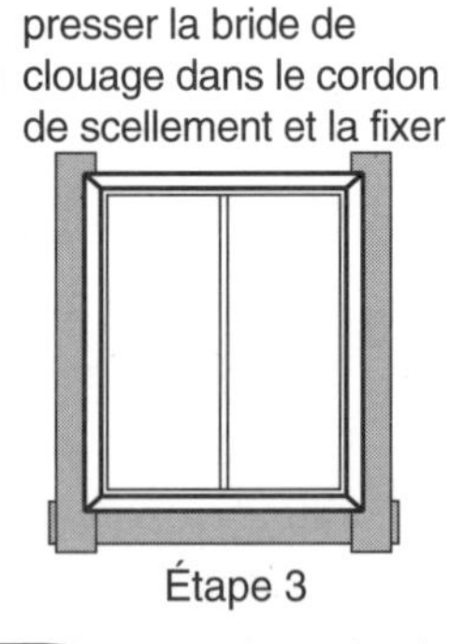

presser la bride de clouage dans le cordon de scellement et la fixer
Étape 3

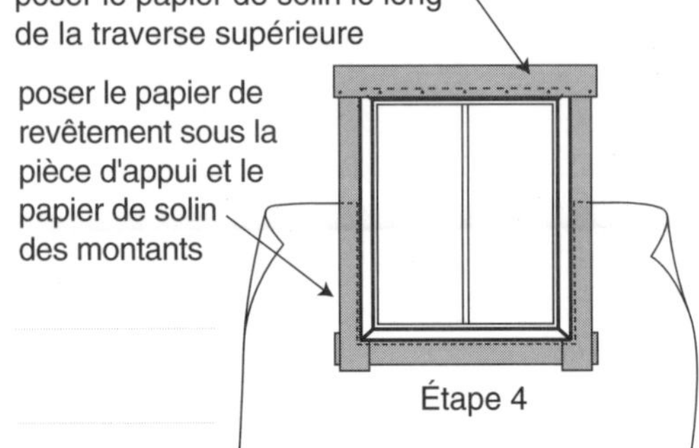

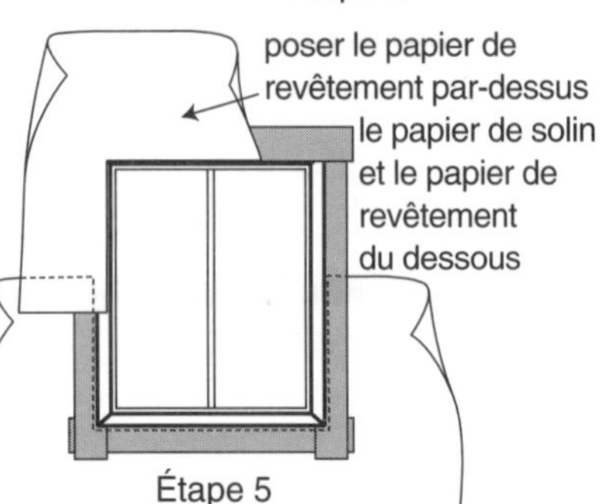

Figure 50
Pose du papier de revêtement autour d'ouvertures

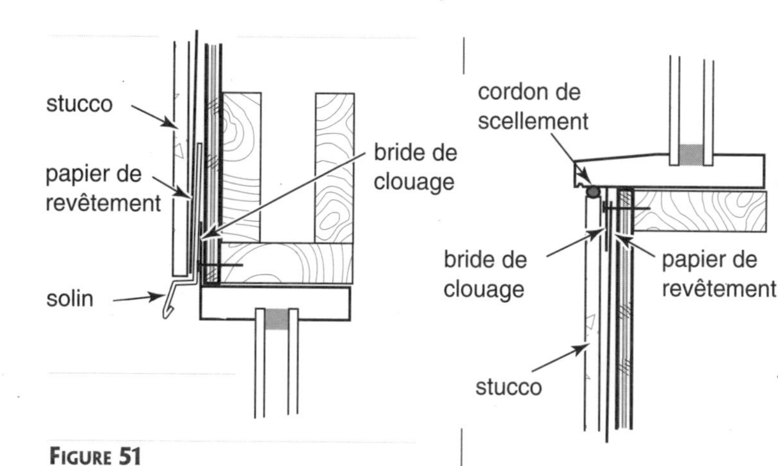

Figure 51
Finition autour des portes et fenêtres

Utiliser les bonnes méthodes de pose des solins et de scellement autour des baies de fenêtre et de porte (voir figure 51).

- Poser au-dessus d'une porte ou fenêtre un solin de façon à écarter l'eau du parement partout où la distance entre le haut de la fenêtre ou de la porte et le soffite est supérieure au quart de la longueur du soffite.
- Faire remonter le solin sur au moins 50 mm (2 po) en s'assurant que le papier de construction recouvre le solin.

Adopter de bonnes techniques de scellement autour des fenêtres et des portes.

- Lorsque le stucco se rend jusqu'aux portes et fenêtres, poser un cordon de scellement élastomère destiné à empêcher l'eau de pénétrer.
- Lorsque la pièce d'appui de la fenêtre ou le seuil de porte n'assurent pas une protection complète contre l'infiltration d'eau, appliquer un cordon de scellement élastomère sous la pièce d'appui ou le seuil.

Cause

Infiltration d'eau de pluie ou de neige à la jonction de différents matériaux de parement

L'absence ou la pose contre-indiquée d'un solin à la jonction de différents éléments du parement entraîne souvent l'infiltration d'eau derrière le stucco, causant ainsi des dommages au mur.

Solutions

Poser correctement le papier de construction et les solins pour bien assurer l'évacuation de l'eau.

- Le papier de revêtement doit recouvrir tout solin. Le solin doit remonter le mur sur au moins 50 mm (2 po) derrière le papier de construction. Le solin doit recouvrir le papier de revêtement en-dessous. Éviter de sceller l'espace au-dessus du solin, car il vise à faciliter l'évacuation de l'eau derrière le stucco (voir figure 52).
- Appliquer un cordon de calfeutrage élastomère entre le stucco et la sous-face du solin.

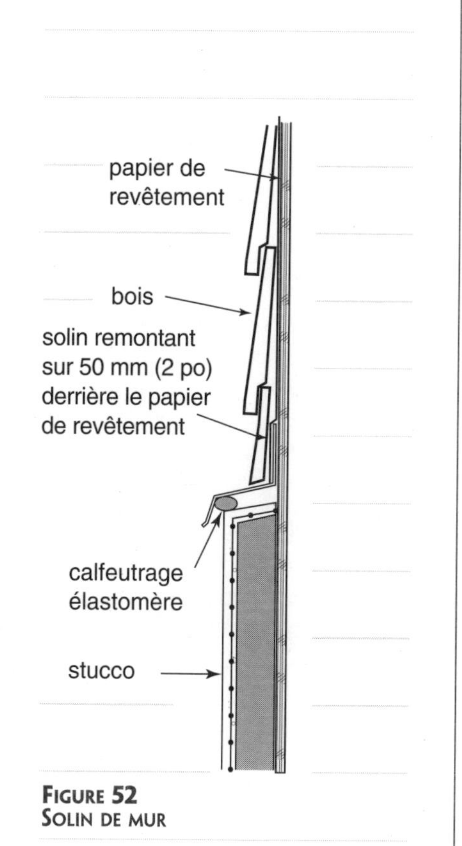

Figure 52
Solin de mur

Prévoir un dégagement suffisant en plus de l'utilisation de solins et de contre-solins à la jonction du stucco et de surfaces horizontales.

◆ Mettre en œuvre le stucco à 200 mm (8 po) au moins au-dessus du niveau du sol fini, à moins de l'appliquer sur du béton ou de la maçonnerie.

◆ Poser des solins et des contre-solins à l'intersection du stucco et d'une surface horizontale, comme un toit plat (voir figure 53).

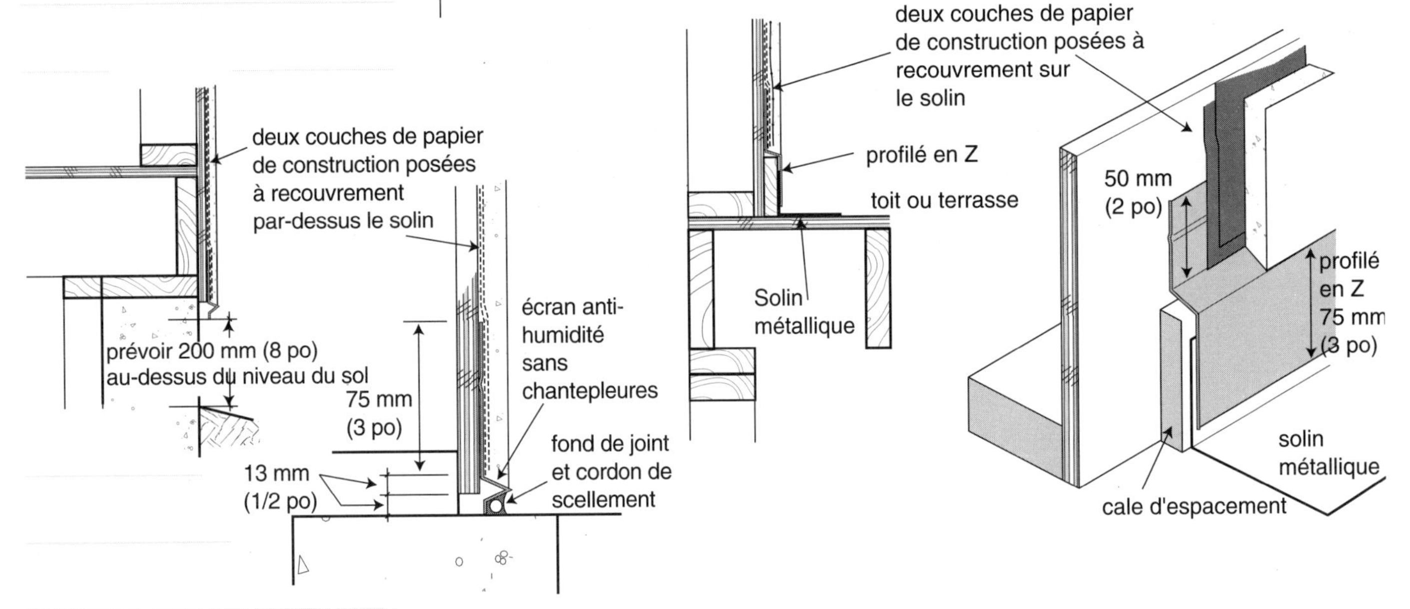

Figure 53
Options de solin

Cause

Infiltration d'eau de pluie ou de neige par les fissures du stucco

À l'instar des autres produits de maçonnerie, le stucco peut se fissurer à la suite d'un malaxage ou d'un durcissement inadéquat, ou faute d'avoir tenu compte de la dilatation et de la contraction.

Solutions

Vérifier que le stucco a été bien mélangé et qu'il durcit comme il se doit.

◆ Les mélanges pour stucco à respecter sont précisés dans le CNB.

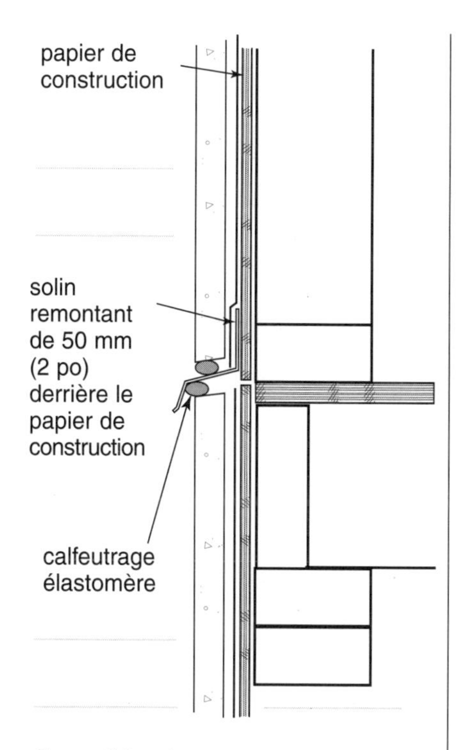

FIGURE 54
JOINTS STRUCTURELS À L'ENDROIT DE LA SOLIVE DE RIVE

- L'eau doit être propre et exempte de contaminants et être ajoutée selon les proportions indiquées au tableau 1. L'ajout d'une trop forte quantité d'eau affaiblit le stucco et peut donner lieu à énormément de retrait.

Mélanges pour stucco en volume			
Ciment Portland	Ciment à maçonner de type H	Chaux	Granulats
1 1	— 1	0,25 à 1 —	3,25 à 4 parties pour 1 de matériau cimentaire

Tableau 1
Mélanges pour stucco (en volume) (CNB 9.28.5.1)

- L'addition de plastifiants améliore l'ouvrabilité du stucco. Tous les adjuvants doivent être conformes à la norme CAN3-A266-2-M.
- Prévoir suffisamment de temps entre les couches pour favoriser leur durcissement approprié. Suivre les directives de pose du fabricant.

Prévoir des joints structurels pour tenir compte du retrait normal de l'ossature murale.

- Le bois de charpente subit un retrait en s'asséchant après la construction, surtout vis-à-vis de la solive de rive. Prévoir des joints structurels, ainsi que des solins appropriés, au-dessus de la solive de rive pour tenir compte du mouvement de l'ossature (voir figure 54).

Bien fixer le lattis à l'ossature et l'armer aux angles pour lui conférer une résistance supplémentaire.

- Sur une surface verticale, limiter l'espacement des dispositifs de fixation du lattis à 150 mm (6 po) entre axes verticalement et à 400 mm (16 po) entre axes horizontalement, ou à 100 mm (4 po) verticalement et à 600 mm (24 po) horizontalement. Il est permis d'effectuer le clouage selon une disposition différente, sous réserve qu'il y ait au moins 20 attaches par m^2 (deux dispositifs de fixation par pi^2) de surface de mur (voir figure 55).
- Renforcer le lattis métallique aux angles du bâtiment et à tous les replis du stucco à l'endroit des portes et des fenêtres.
  - Renforcer les angles extérieurs en prolongeant le lattis ou l'armature d'au moins 150 mm (6 po) sur chacun de leurs côtés; à défaut, poser une bande de lattis ou d'armature verticalement de manière à couvrir au moins 150 mm (6 po) de chaque côté des angles (voir figure 56).

  Enrober complètement le lattis dans le stucco.

  - Le lattis qui n'est pas parfaitement enrobé par les trois couches de stucco requises peut rouiller. En effet, la rouille donne lieu à la dilatation de l'espace qu'occupe le lattis et à la fissuration de la surface extérieure du stucco.
  - Le lattis doit être enrobé parfaitement par la première couche, ou la couche de base, de stucco.

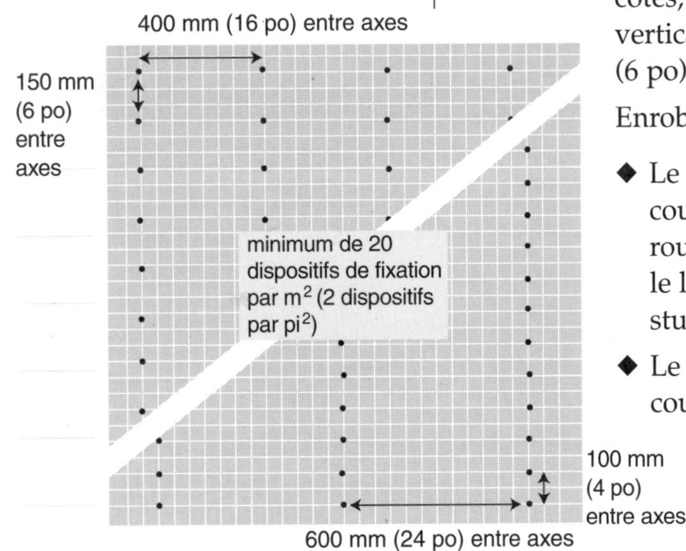

FIGURE 55
DISPOSITION DES DISPOSITIFS DE FIXATION

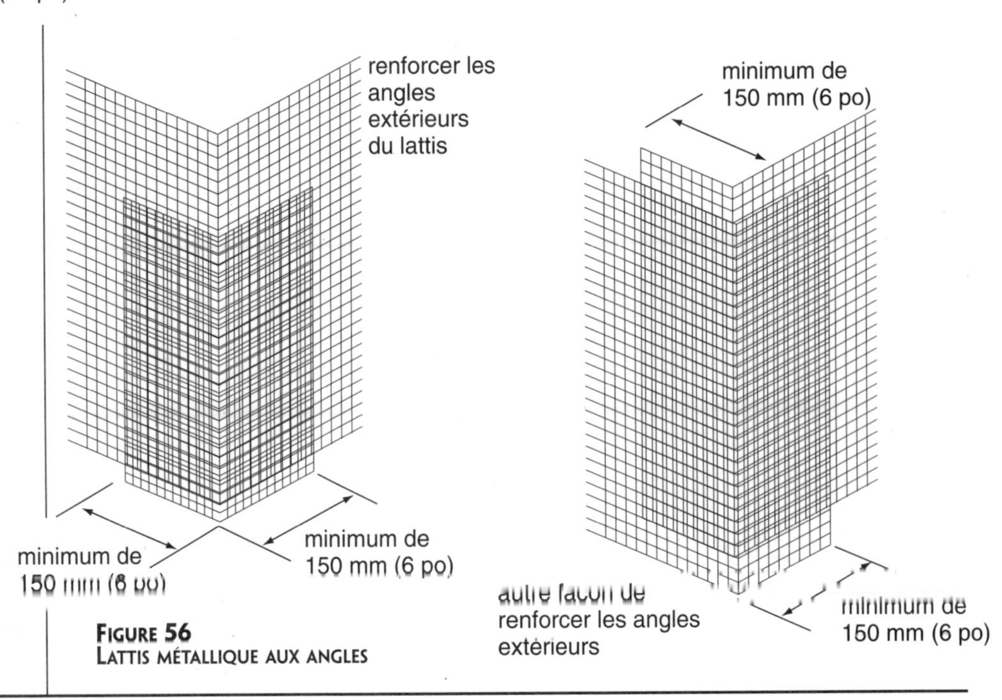

FIGURE 56
LATTIS MÉTALLIQUE AUX ANGLES

PROBLÈME
Finition inesthétique du mur

Cause

Préparation contre-indiquée du stucco

Tant la texture que la couleur de la couche de finition du stucco varieront d'un lot à l'autre si l'on ne s'en tient pas à des méthodes judicieuses de contrôle de la qualité.

Solutions

Assurer l'homogénéité de la préparation de la couche de finition.

- La préparation du stucco sur les lieux exige une attention particulière de façon à en assurer l'homogénéité d'un lot à l'autre.
- Mesurer avec soin les quantités du mélange et suivre la même préparation pour chaque lot.

SECTION 3.5 PLAQUES DE PLÂTRE

INTRODUCTION

Le revêtement de finition en plaques de plâtre donne lieu à une quantité importante de plaintes de la part des consommateurs. Comme il est très visible, ce revêtement mural dépend fortement des travaux déjà effectués par d'autres corps de métier, surtout les charpentiers.

On signale un nombre plus élevé de problèmes liés à la pose des plaques de plâtre à cause de l'utilisation de bois vert, de la forte quantité d'isolant mis en œuvre, de calendriers d'exécution des travaux serrés ainsi que de l'augmentation des travaux de construction en hiver.

3.5.1 SOULÈVEMENT DES CLOUS

PROBLÈME

Soulèvement des clous

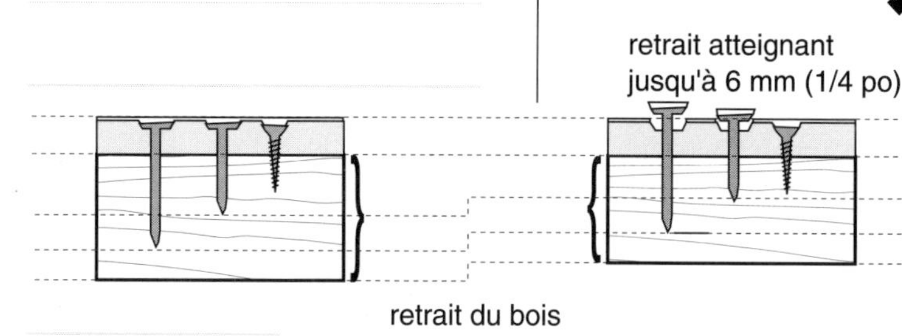

Figure 57
Soulèvement des clous (exagéré)

Cause

Bois de charpente vert

- En s'asséchant, le bois de charpente subit un retrait. Et à mesure qu'ils s'assèchent et rétrécissent par rapport aux attaches, les poteaux se séparent des plaques de plâtre. Une variation de 10 p. 100 de la teneur en eau d'un poteau d'épinette ou de pin peut provoquer un retrait allant jusqu'à 6 mm (1/4 po). Tout mouvement subséquent des plaques entraîne le soulèvement des clous (voir figure 57).

Techniques d'exécution de la charpente laissant à désirer

Solutions

- Utiliser du bois de charpente présentant une teneur en eau la plus basse possible (d'au plus 14 %, dans la mesure du possible). Écarter le bois marqué vert; rechercher, par exemple, l'estampille «S-DRY» plutôt que «S-GRN», ou employer, à condition de pouvoir en obtenir à bon compte, du bois séché au four.
- Protéger le bois de charpente de la pluie, de la neige et de l'ensoleillement direct.
- Inspecter la charpente avant de procéder à la pose des plaques de plâtre. Vérifier que l'alignement ne varie pas de plus de 6 mm (1/4 po). Redresser les poteaux gauchis à l'aide de traits de scie et de cales (voir figure 58).
- Faire en sorte que les cales ne fassent pas saillie (voir figure 59).

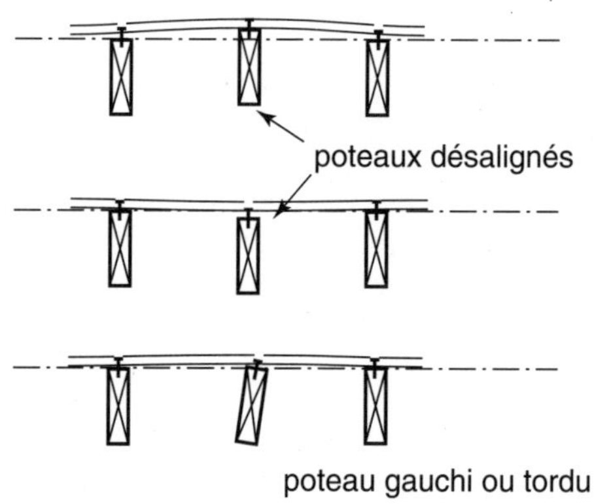

Figure 58
Soulèvement des clous causé par une exécution fautive de la charpente

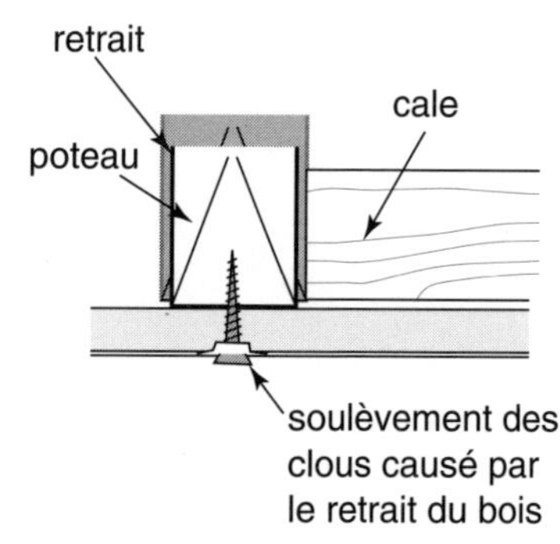

Figure 59
Éviter les saillies

Cause

Soulèvement des attaches

Certains constructeurs indiquent que les vis à gros filet résistent mieux au soulèvement.

Solutions

- Au moment de fixer les plaques de plâtre, appliquer une pression ferme de la main ou à l'aide d'un outil mécanique pour qu'elles soient bien en contact avec les éléments de charpente.
- Enfoncer les premières attaches simplement pour retenir les plaques, puis achever de les clouer ou de les visser.
- Enfoncer des vis ou des clous par groupes de deux pour mieux ramener les plaques contre les poteaux (voir figure 60).
- Décaler les attaches pour écourter la distance en diagonale entre les clous ou les vis.
- Les clous ou les vis dont la tête traverse le papier perdent de leur emprise sur les plaques. Poser, le cas échéant, une deuxième attache près de la première.

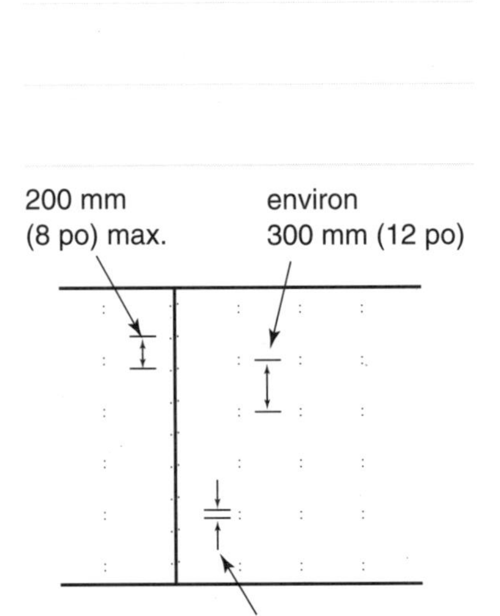

Figure 60
Clouage des murs par paire

3.5.2 FISSURATION

PROBLÈME

AUTRES TYPES DE FISSURES

CAUSE

Vibrations

La pose, par l'extérieur, des agrafes de liaisonnement de la brique, du bardage ou des boiseries peut desserrer les clous des plaques de plâtre.

SOLUTIONS

- Prévoir la pose des plaques de plâtre après l'achèvement de la plupart des travaux extérieurs.

CAUSE

Retrait du composé à joints

SOLUTIONS

- Pour prévenir la fissuration en surface, éviter de sursaturer d'eau le composé à joints et de le faire sécher rapidement par temps chaud.
- Pour prévenir les fissures aux angles, éviter d'appliquer une trop grande quantité de composé au sommet des angles intérieurs.

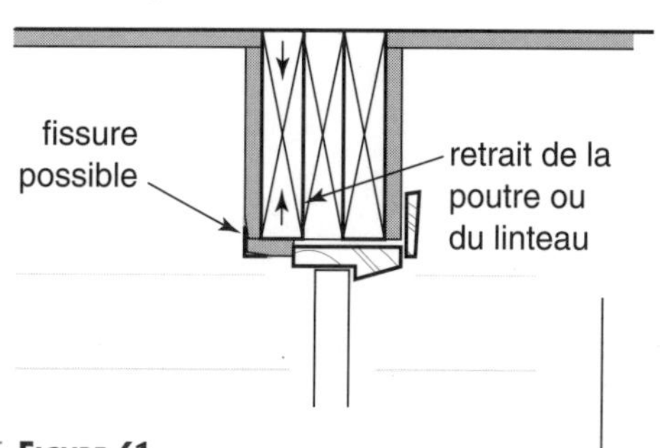

FIGURE 61
FISSURATION À L'ENDROIT DE LA BAGUETTE D'ANGLE

CAUSE

Baguette d'angle se détachant de la charpente

Le retrait différentiel, en particulier vis-à-vis des poutres ou des chevêtres, peut provoquer des fissures le long de la rive de la baguette (voir figure 61).

SOLUTIONS

- Clouer la baguette d'angle tous les 100 mm (4 po) plutôt qu'au minimum recommandé de 150 mm (6 po). La fixer avec une pince à sertir ne suffit pas.
- Éviter de prolonger la baguette d'angle jusqu'au support de revêtement de sol. Laisser un espace de 13 mm (1/2 po).
- Éviter d'aplatir la baguette d'angle en la fixant et faire en sorte qu'elle puisse être couverte suffisamment par le composé de finition.
- Dans les endroits très visibles, comme à l'entrée du séjour et de la salle à manger, certains constructeurs préfèrent une boiserie à une baguette d'angle.

Cause

Contraintes aux embrasures

Le mouvement différentiel autour des embrasures (portes et fenêtres) peut soumettre les plaques murales à des contraintes et les faire fissurer.

Solutions

- Éviter de pratiquer des joints à la rive du linteau (voir figure 62).
- Renforcer les angles en posant en diagonale des lisières de ruban à joint de 150 à 200 mm (6 à 8 po) de longueur.
- Prévoir une ossature adéquate pour absorber les vibrations dues à la manœuvre des portes et fenêtres. Tailler les poteaux nains avec précision.
- En cas de recours à une ossature métallique, renforcer les intersections du linteau et des montants, sinon ajouter d'autres éléments de charpente. Remplir de coulis les dormants des portes lourdes ou démesurément grandes.

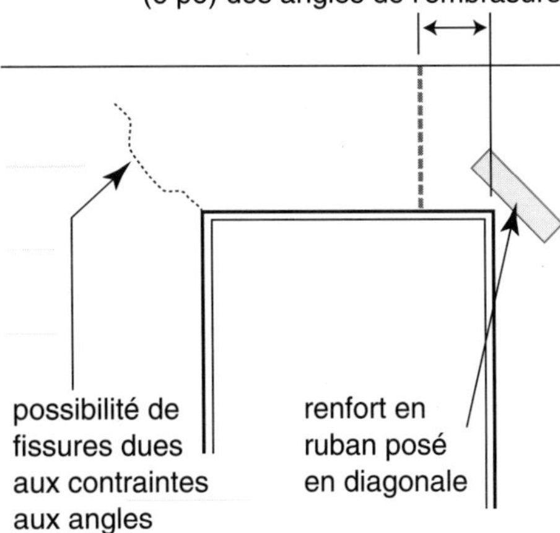

Figure 62
Prévention des fissures dues aux contraintes

Cause

Renfort d'angle insuffisant

Solutions

- ◆ Le mouvement des plaques de plâtre risque d'occasionner la formation de fissures aux angles extérieurs ou à l'intersection des cloisons intérieures et des murs extérieurs. Les baguettes d'angle métalliques procurent le renfort voulu. Espacer les clous et les vis d'au plus 200 mm (8 po) aux angles. Prévoir un fond de clouage suffisant ou faire usage d'agrafes pour plaques de plâtre (voir figure 63).
- ◆ Dans le cas de poteaux métalliques, disposer les plaques de plâtre de l'intérieur de l'angle jusqu'à la face extérieure et renforcer les angles (voir figure 64).

renfort de
38 x 38 mm
(2 x 2 po)

Figure 63
Quatre possibilités d'assemblages d'angles intérieurs

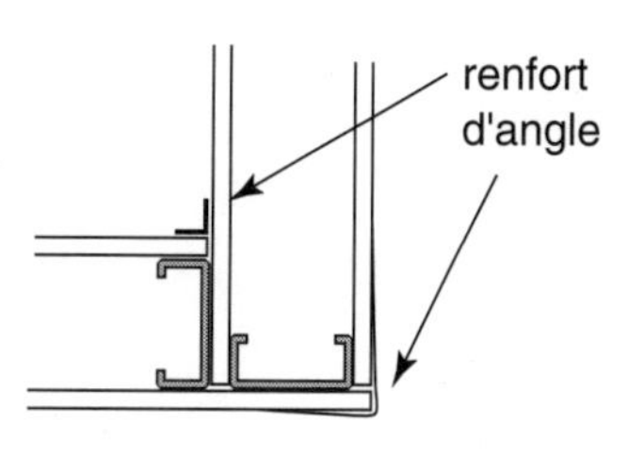

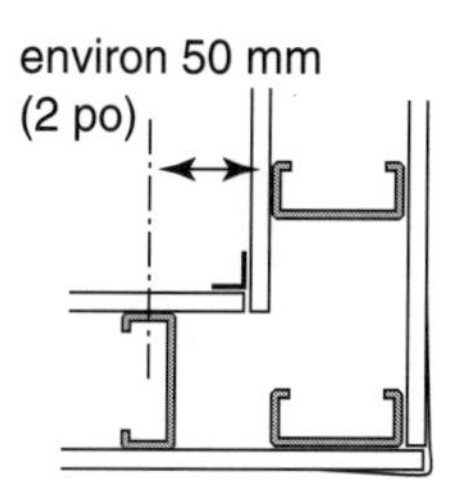

Figure 64
Angles intérieurs d'une ossature métallique

PROBLÈME

JOINTS VISIBLES, PLISSEMENT ET DÉCOLLEMENT DU RUBAN

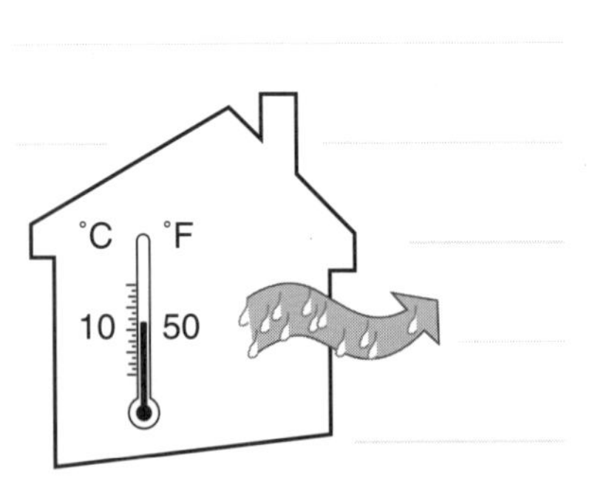

FIGURE 65
CHAUFFAGE ET VENTILATION

CAUSE

Milieu ambiant

Chaleur ou ventilation insuffisantes, surtout pendant la construction en hiver

SOLUTIONS

- Maintenir la température à un minimum de 10 °C (50 °F) deux jours avant et quatre jours après l'application du composé dans le but d'éviter toute perte d'adhérence par température trop froide (voir figure 65).
- Conserver les plaques à l'état sec et exemptes de givre.
- Protéger contre le gel les composés prêts à l'emploi.
- Assurer une ventilation suffisante pour favoriser le séchage. Le chauffage temporaire peut créer un surcroît d'humidité.
- La cure de la dalle de sous-sol dégage également de l'humidité dans l'air. Attendre que la cure soit terminée et enlever toute accumulation d'eau en surface avant de procéder à la finition des plaques de plâtre, ou encore attendre avant de couler la dalle que les plaques aient été revêtues d'une couche d'apprêt. Assurer la ventilation.

CAUSE

Rives des plaques endommagées

SOLUTIONS

- Prévoir la livraison des plaques avant la pose des fenêtres ou attendre avant de poser les grandes fenêtres de façon à faciliter la livraison.
- Éviter de transporter les plaques sur de grandes distances ou de les monter par des escaliers étroits. Convenir avec le fournisseur du mode de livraison préférable.
- Bien empiler les plaques au centre des pièces pour en protéger les coins. Les extrémités endommagées sont susceptibles d'occasionner un plissement en surface.
- Éviter d'entreposer les plaques temporairement à l'extérieur. Protéger les plaques de la pluie, de la neige et de l'humidité.

3.5.3 JOINTS

PROBLÈME

JOINTS VISIBLES, PLISSEMENT ET DÉCOLLEMENT DU RUBAN

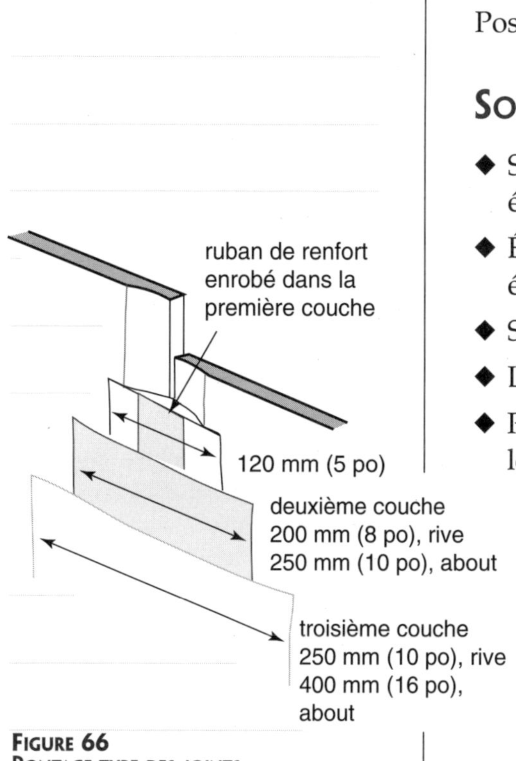

FIGURE 66
PONTAGE TYPE DES JOINTS

CAUSE

Pose incorrecte du ruban et du composé

SOLUTIONS

- S'assurer d'enrober parfaitement le ruban dans le composé pour éviter qu'il se soulève plus tard.
- Éviter de sursaturer d'eau le mélange ou d'appliquer une couche épaisse de composé.
- S'en tenir aux instructions du fabricant et aux exigences du CNB.
- Laisser le composé sécher complètement entre les couches.
- Peindre uniquement lorsque le composé est bien sec afin d'éviter le noircissement des joints.
  - Élargir davantage la rive amincie des panneaux à abouter que leurs extrémités (voir figure 66).
  - Éviter de trop poncer le composé ou de poncer la plaque proprement dite, de peur que certaines zones des joints et des plaques ne deviennent embues (aspect inégal).
  - Dans les endroits très éclairés, les moindres défauts superficiels se voient facilement. À cet égard, envisager d'appliquer une peinture mate ou peu brillante dans le but d'atténuer les défauts apparents.

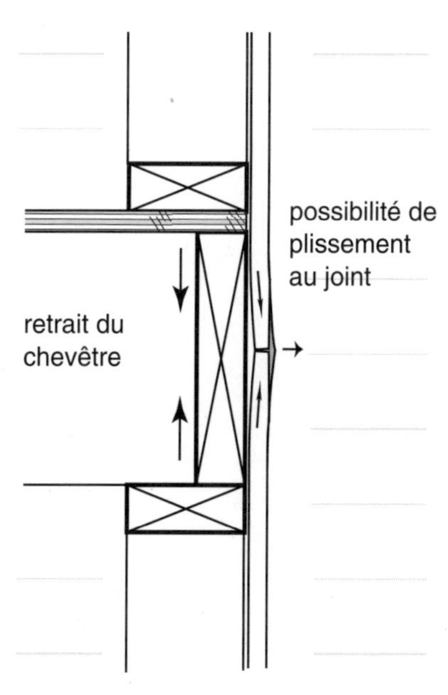

FIGURE 67
PLISSEMENT VIS-À-VIS DES CHEVÊTRES

CAUSE

Retrait du bois de construction

Le retrait à l'endroit des chevêtres risque de causer un plissement de surface, en particulier dans les cages d'escalier (voir figure 67). Il peut se produire lorsque les poteaux et les solives subissent un gauchissement et une torsion.

SOLUTIONS

- Laisser porter les plaques sur les chevêtres en les fixant au-dessus et en dessous, mais non sur les chevêtres, ou encore pratiquer des joints de fissuration horizontaux et les dissimuler par des couvre-joints.
- Inspecter la charpente avant de poser les plaques de plâtre. Rectifier ou remplacer les poteaux gauchis. Dans la mesure du possible, recourir à du bois séché au four.

Cause

Pose incorrecte des plaques

Solutions

- Fixer les plaques du centre vers les rives afin de les soustraire à tout effort de compression. Éviter de forcer en place des plaques trop grandes.
- Réduire les joints d'about en utilisant les plaques les plus longues possible.
- En cas d'ossature métallique, poser les poteaux de façon à ce que les ailes soient toutes dans le même sens et fixer les plaques dans le sens opposé des ailes (voir figure 68) pour éviter le fléchissement des ailes et, plus tard, des problèmes de joints.

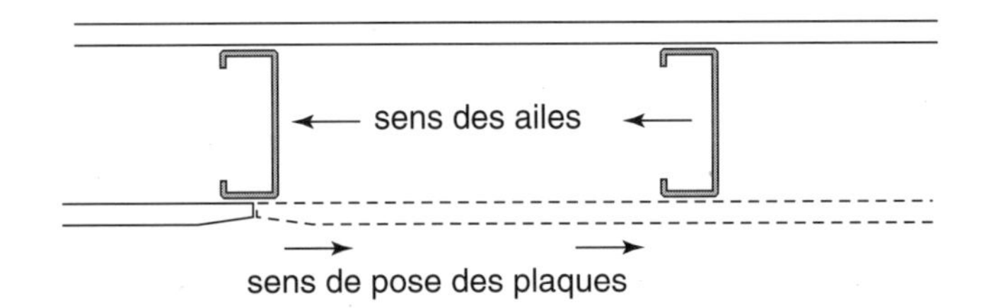

Figure 68
Sens de la pose

3.5.4 HUMIDITÉ

PROBLÈME

DÉTÉRIORATION DANS LES ZONES D'HUMIDITÉ ÉLEVÉE

CAUSE

Surcroît d'humidité et de vapeur d'eau dans la salle de bains, la buanderie et aux soffites

L'absorption d'humidité peut provoquer la dilatation et l'effritement de l'âme des plaques, le décollement du papier de recouvrement et la croissance de moisissures.

SOLUTIONS

- Dans les endroits humides, employer des plaques de plâtre résistant à l'humidité. Le CNB requiert maintenant de fixer sur un support résistant à l'humidité les revêtements en carreaux de céramique et de plastique des murs autour des baignoires et des cabines de douche.
- Laisser un espace de 7 mm (1/4 po) entre la plaque et la baignoire, le sol de la douche ou le retour (voir figure 69).
- Afin d'éviter les problèmes autour de la baignoire, certains constructeurs remplacent les plaques de plâtre par un support cimentaire pour la pose des carreaux de céramique ou installent une cabine de baignoire en fibre de verre.
- Fixer les enceintes de baignoire aux murs intérieurs.
- Certains constructeurs posent des fourrures sur les murs de la salle de bains, ménageant ainsi une lame d'air derrière les plaques pour laisser échapper l'humidité.

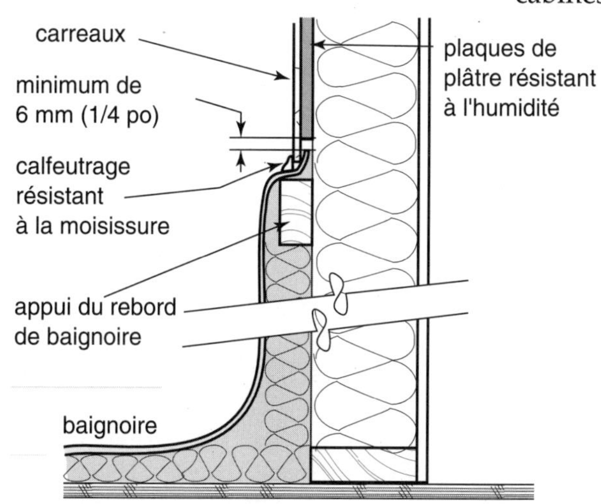

FIGURE 69
DÉTAIL DE POSE AUTOUR D'UNE BAIGNOIRE

Section 3.6 Autres lectures

SOURCE	PUBLICATION
Canadian Gypsum Company Ltd. C.P. 4044 Succursale A 777, Bay Street Toronto ON M5W 1K8 905 803-5600	Drywall Construction Handbook, 1990
Association canadienne des constructeurs d'habitations 150, avenue Laurier ouest, bureau 500 Ottawa ON K1P 5J4 613 230-3060	*Guide du constructeur de l'ACCH*, 1994
Société canadienne d'hypothèques et de logement 700, chemin de Montréal Ottawa ON K1A 0P7 613 748-2367	*Construction de maison à ossature de bois — Canada*, 1997 LNH 5031
Régime de garantie des logements neufs de l'Ontario 5160, rue Yonge, 6e étage North York ON M2N 6L9 416 229-9200	The Details of Air Barrier Systems, 1994 Code and Construction Guide for Housing, 1993 Building Smart: Truss Uplift, 1993

CHAPITRE 4 Toits et plafonds

Introduction

Le présent chapitre traite des problèmes les plus courants des toits et des plafonds et indique aux constructeurs d'habitations canadiens comment les éviter. Pour cela, il explique en détail les principes de conception, la performance attendue des matériaux et les techniques de construction tout indiquées.

Trois catégories principales sont présentées : les matériaux de couverture, la charpente du toit et le revêtement intérieur de finition sont abordés en fonction de leur détérioration structurale, des dommages et des infiltrations d'eau.

Comme le toit protège des intempéries le vide sous toit et le reste de la maison, sa durabilité revêt de l'importance. Les problèmes récurrents que posent des matériaux établis comme les bardeaux d'asphalte, les bardeaux de bois et les bardeaux de fente témoignent de la nécessité d'améliorer les méthodes d'exécution. Les tuiles et les couvertures métalliques, qui gagnent en popularité, exigent davantage de soin lors de la conception, de l'établissement du calendrier des travaux et de la mise en place.

Bien sûr, la solidité de la charpente du toit est primordiale. Faute de quoi, il s'ensuivra du fléchissement, des déplacements et des infiltrations d'eau. La conception soignée et la qualité d'exécution assurent une base solide aux matériaux de couverture, qui, à leur tour, protègent les éléments structuraux du toit.

Le présent chapitre traite également des problèmes concernant le revêtement intérieur des plafonds, y compris le fléchissement, l'humidité et la formation de moisissure. Leur origine remonte d'ordinaire à des défauts structuraux ou à des problèmes de matériaux de couverture. Il fait aussi état de l'établissement du calendrier des travaux et du contrôle approprié du milieu intérieur du bâtiment durant la construction.

Ce chapitre ne porte pas sur tous les aspects de la construction du toit et certains des problèmes discutés ici sont plus fréquents dans certaines régions du pays que dans d'autres selon les techniques de construction régionales ou les conditions météorologiques. Cependant, il fournit la plupart des renseignements nécessaires pour cerner les causes des problèmes de façon à éviter de commettre des erreurs au cours de la construction.

Section 4.1 Matériaux de couverture

INTRODUCTION

Les matériaux de couverture visent à protéger la maison contre les éléments. Il s'agit des bardeaux, des bardeaux de fente, de la couverture métallique, du papier de revêtement et des solins. La défaillance de l'un ou l'autre de ces matériaux ou la piètre qualité d'exécution risquent de se traduire par une détérioration prématurée des matériaux et un manque d'étanchéité.

Cette section traite des infiltrations d'eau attribuables à un mode de pose incorrect ou à des déficiences structurales. Elle traite aussi de la détérioration prématurée des matériaux de couverture causée par les conditions intérieures ou par les éléments.

Divers types de matériaux de toiture sont traités dans cette section, y compris les bardeaux d'asphalte, les bardeaux de bois et les bardeaux de fente, la couverture métallique, les tuiles de béton et les tuiles d'argile. Les solins sont tout aussi importants car ils constituent avec les matériaux de couverture une membrane étanche. Le document traite des solins en gradins, des solins de noue, des solins en dos d'âne et des solins de colonne de ventilation.

Cette section traite également de l'accumulation de glace, de la protection du débord de toit, ainsi que des exigences à suivre pour assurer l'isolation et la ventilation appropriées du vide sous toit et du plafond.

4.1.1 DÉTÉRIORATION ET DOMMAGES D'ORDRE STRUCTURAL

PROBLÈME

BARDEAUX D'ASPHALTE BRISÉS

CAUSE

Le vent peut soulever les bardeaux et les briser.

Les forts vents peuvent soulever les bardeaux, en particulier pendant la canicule, alors que l'adhésif ne résiste pas autant au soulèvement. La détérioration se produit quand le vent fait plier les bardeaux vers l'arrière et vers l'avant, finissant par les casser.

SOLUTIONS

Fixer tous les bardeaux, y compris ceux qui sont autocollants.

- Suivre les instructions du fabricant quant à la meilleure plage de température pour poser les bardeaux autocollants. Les bardeaux d'asphalte se travaillent mieux dans les plages de température de 10 à 23 °C (50 à 74 °F). Au-dessous de 10 °C (50 °F), ils deviennent raides et la bande auto-adhésive n'adhère pas correctement. Les bardeaux autocollants peuvent nécessiter quelques semaines de temps chaud pour bien coller (voir figure 1).
- En cas de pose par temps froid, coller les bardeaux à la main lorsque la température s'élève au-dessus de 10 °C (50 °F). Mettre une pastille d'environ 25 mm (1 po) d'adhésif ou de mastic à couverture sous le centre de chaque jupe. Appliquer une quantité supplémentaire de mastic à couverture sous les jupes des bardeaux situés à proximité des pignons.

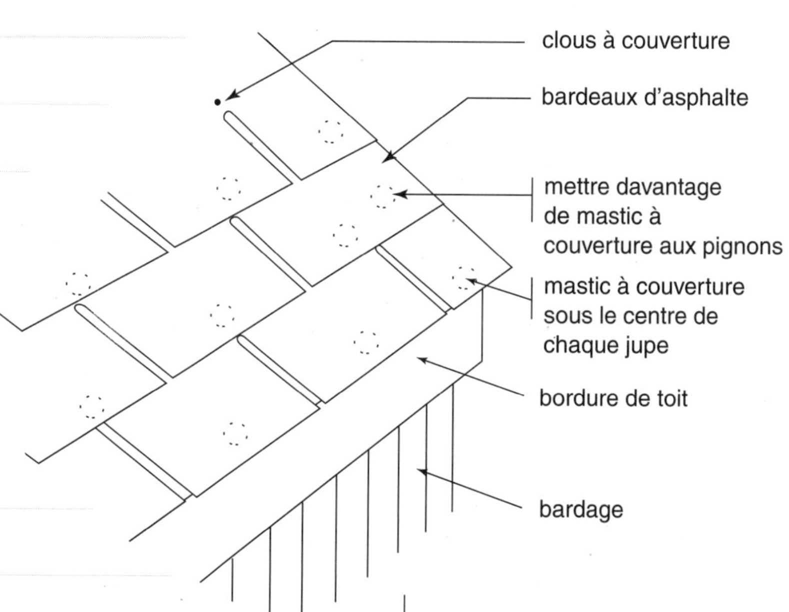

FIGURE 1
FIXATION DES BARDEAUX

PROBLÈME

ONDULATION DES BARDEAUX D'ASPHALTE

CAUSE

Infiltration de vapeur d'eau

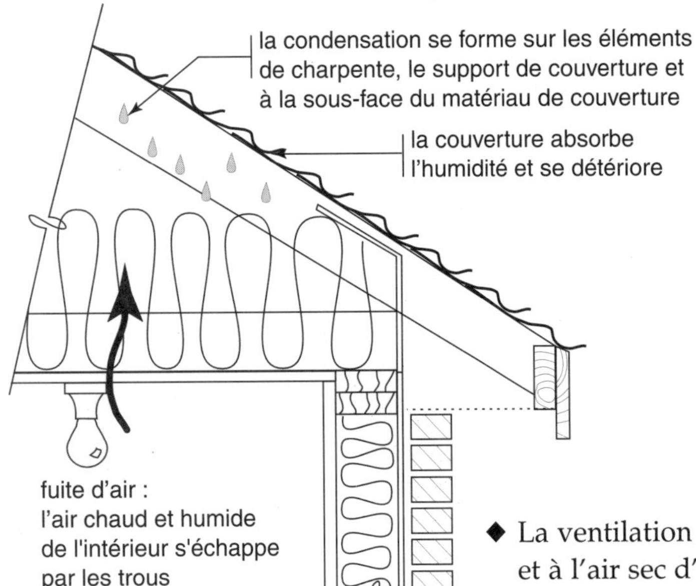

la condensation se forme sur les éléments de charpente, le support de couverture et à la sous-face du matériau de couverture
la couverture absorbe l'humidité et se détériore
fuite d'air : l'air chaud et humide de l'intérieur s'échappe par les trous

FIGURE 2
DÉTÉRIORATION DE LA COUVERTURE SOUS L'EFFET DE L'HUMIDITÉ

L'eau qui s'introduit sous les bardeaux d'asphalte risque de les faire onduler, creuser ou rétrécir (voir figure 2).

SOLUTIONS

Réduire la quantité d'humidité qui s'accumule sous les bardeaux.

- La quantité de vapeur d'eau qui s'introduit dans le vide sous toit peut être réduite par la mise en œuvre tout indiquée d'un pare-air et d'un pare-vapeur. Minimiser tous les points de fuite d'air possibles vers le vide sous toit.
- La ventilation du vide sous toit permet à l'air humide de sortir et à l'air sec d'entrer. Le Code national du bâtiment du Canada (CNB) requiert que la surface libre des orifices de ventilation à l'air libre ne soit pas inférieure à 1/300 de la surface du plafond recouvert d'isolant. Pour les toits présentant une pente inférieurs à 1 sur 6, la surface libre de ventilation ne doit pas être inférieure à 1/150 de la surface du plafond recouvert d'isolant.
- Répartir uniformément les orifices de ventilation, en en ménageant au moins 25 p. 100 en partie supérieure et au moins 25 p. 100 en partie inférieure.
- Poser la couverture seulement sur un support ou un platelage sec.
- Veiller à ce que l'isolant n'obstrue pas les orifices de ventilation des soffites.

PROBLÈME

DÉTÉRIORATION DE LA SURFACE DES BARDEAUX D'ASPHALTE

CAUSE

La lumière du jour et la température élevée du toit peuvent entraîner un durcissement différentiel de l'asphalte des bardeaux.

La surface extérieure durcit plus vite que la surface intérieure, d'où le risque de rupture du matériau de couverture et d'infiltration d'eau.

SOLUTIONS

Garder la température du toit basse.

- Ventiler le vide sous toit conformément à l'article 9.19.1.2 du CNB pour y abaisser la température (voir figure 3).
- Atténuer l'effet du rayonnement solaire en choisissant une couverture de couleur claire qui réfléchira une partie des rayons solaires.

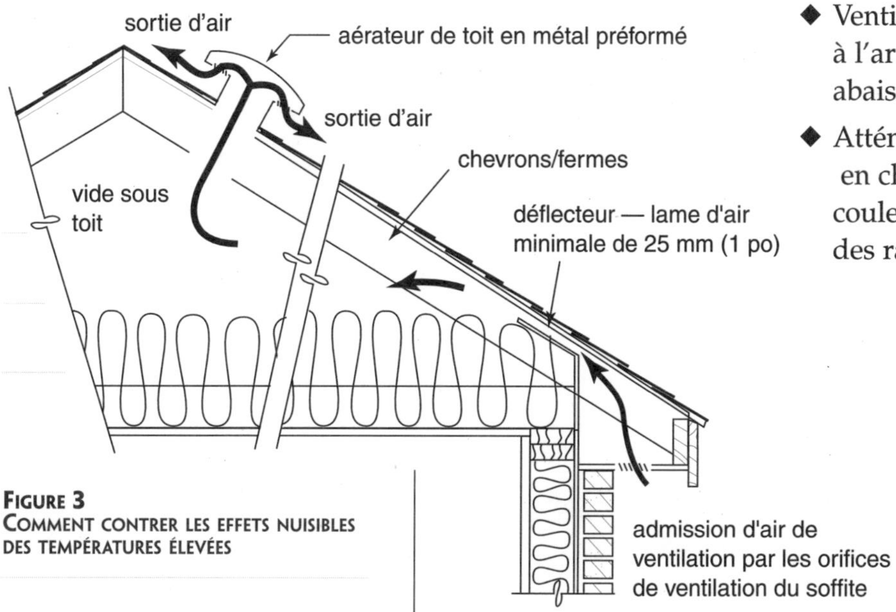

FIGURE 3
COMMENT CONTRER LES EFFETS NUISIBLES DES TEMPÉRATURES ÉLEVÉES

PROBLÈME

DÉFORMATION ET DÉPLACEMENT DES BARDEAUX

CAUSE

Support de couverture inadéquat ou fixation contre-indiquée des bardeaux

La déformation ou le déplacement des bardeaux d'asphalte peut tenir à de nombreuses causes différentes. En effet, le mouvement du platelage de bois, l'épaisseur, l'espacement ou la pose du support de couverture, le soulèvement des clous du support et la fixation incorrecte des bardeaux peuvent tous causer ces problèmes. La déformation persistante du platelage ou support de couverture affaiblira le toit et percera les bardeaux, favorisant ainsi l'infiltration d'eau.

SOLUTIONS

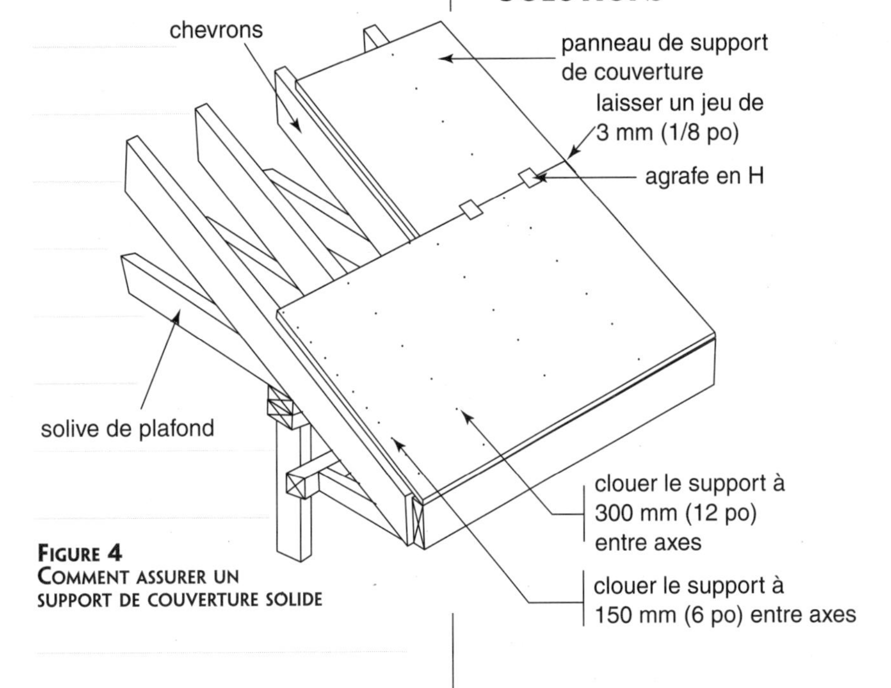

FIGURE 4
COMMENT ASSURER UN SUPPORT DE COUVERTURE SOLIDE

Prévoir un support convenant à la pose des bardeaux et vérifier que tous les bardeaux sont bien fixés (voir figure 4).

- Éviter le mouvement du platelage causé par le bois vert. Les bardeaux d'asphalte qui sont posés sur un support en bois vert subissent généralement un flambage à mesure que le bois s'assèche et subit un retrait.
- Employer du bois sec ou attendre que la teneur en eau du bois atteigne 19 p. 100 avant de poser les bardeaux. Ventiler le vide sous toit de façon à éliminer l'humidité, cause du gonflement et de la dilatation du support.
- Réduire le déplacement du support en utilisant des panneaux plutôt que des planches.
- Les vents forts peuvent faire vibrer le support de couverture trop mince ou insuffisamment rigide et desserrer les dispositifs de fixation des bardeaux. L'épaisseur requise du support de couverture est fonction de la portée des chevrons. Le CNB requiert que les panneaux de contreplaqué et que les panneaux de copeaux ordinaires et de copeaux orientés de catégorie 0-2 aient une épaisseur minimale de 7 mm (5/16 po) selon un espacement des appuis de 400 mm (16 po) entre axes et soient supportés aux rives. L'épaisseur requise des appuis espacés de 60 mm (24 po) entre axes est de 9 mm (3/8 po).

- Si le support de couverture est constitué de bois vert, le retrait du bois fera soulever les clous et compromettra l'étanchéité à l'eau de la couverture en bardeaux d'asphalte.
- Les deux caractéristiques les plus importantes des clous à bardeau sont le diamètre de la tête et la résistance à la corrosion. Les clous doivent être assez longs pour s'enfoncer d'au moins 12 mm (1/2 po) dans le support de couverture. Ils doivent avoir une tête dont le diamètre n'est pas inférieur à 9 mm (3/8 po) et une tige d'au moins 3 mm (1/8 po). Les agrafes utilisées pour les bardeaux en asphalte ne doivent pas avoir une longueur inférieure à 19 mm (3/4 po) ni un diamètre ou une épaisseur inférieur à 2 mm (1/16 po) et leur couronne doit avoir au moins 25 mm (1 po).
- Le CNB requiert de fixer les bardeaux de 1 m (40 po) de largeur par au moins 4 clous ou agrafes; toutefois, ce nombre peut être réduit dans le cas de bardeaux plus petits, en proportion de la largeur des bardeaux. Les clous ou agrafes doivent être posés à une distance de 25 mm (1 po) à 40 mm (1 1/2 po) des rives latérales de chacune des bandes de bardeaux, puis selon un espacement égal entre ces limites. La pose contre-indiquée des bardeaux risque d'occasionner leur déplacement et de créer des ouvertures favorisant l'infiltration d'eau.Toujours consulter les instructions de pose du fabricant de la couverture (voir figure 5).

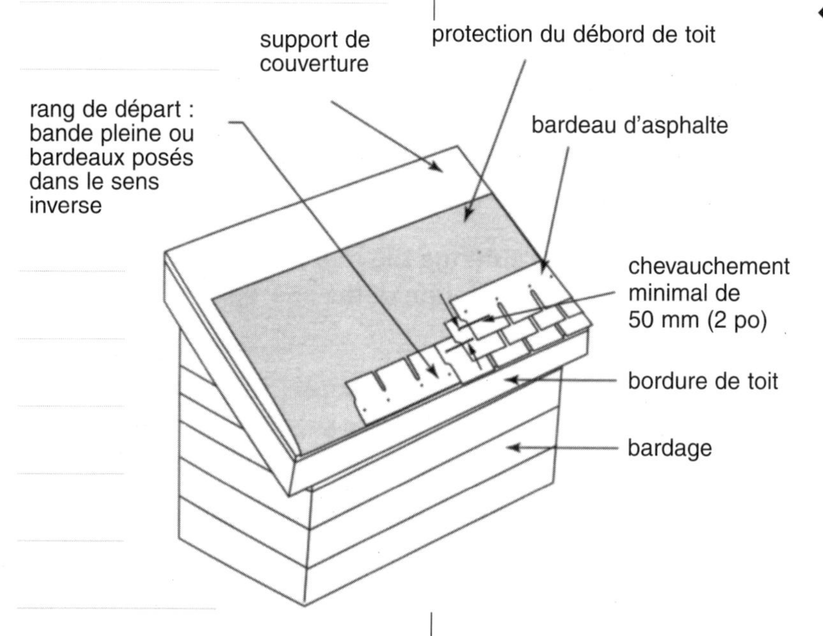

Figure 5
Pose tout indiquée de la couverture

PROBLÈME

POURRITURE DE LA COUVERTURE EN BOIS; ROUILLE DE LA COUVERTURE MÉTALLIQUE

CAUSE

Condensation sur la face inférieure de la couverture

La présence de vapeur d'eau sur la face inférieure des bardeaux de bois ou de fente risque d'entraîner leur pourriture.

La condensation peut se former sur la face inférieure de la tôle lorsque l'air humide chaud fuit ou se diffuse depuis l'intérieur et entre en contact avec la couverture à une température inférieure au point de rosée. La condensation peut également se former sur la face intérieure de la tôle par suite d'un transfert rapide de chaleur par conduction ou rayonnement. Cette condensation fait corroder et rouiller le métal.

SOLUTIONS

Réduire la quantité d'humidité entrant dans la cavité du toit en mettant en œuvre un pare-air et un pare-vapeur efficaces. La ventilation du vide sous toit abaisse le taux d'humidité (voir figure 6).

- Mettre en œuvre dans la maison un pare-air et un pare-vapeur efficaces. C'est surtout important au plafond, étant donné que la surpression à proximité du plafond pousse l'air humide chaud vers le vide sous toit.
- Veiller à bien rendre étanches tous les points de pénétration du pare-air.
- Ventiler le vide sous toit conformément au CNB. Cette mesure contribuera à éliminer l'humidité qui s'y introduit.
- Faire usage de bardeaux de bois ou de fente traités sous pression pour en améliorer la durée utile.
- Empêcher tout contact avec le vide sous toit en posant une couche de pose d'aluminium ou de feutre sous la couverture métallique. Faire en sorte que les dispositifs de fixation ne deviennent pas des ponts thermiques, car ils favorisent grandement la condensation

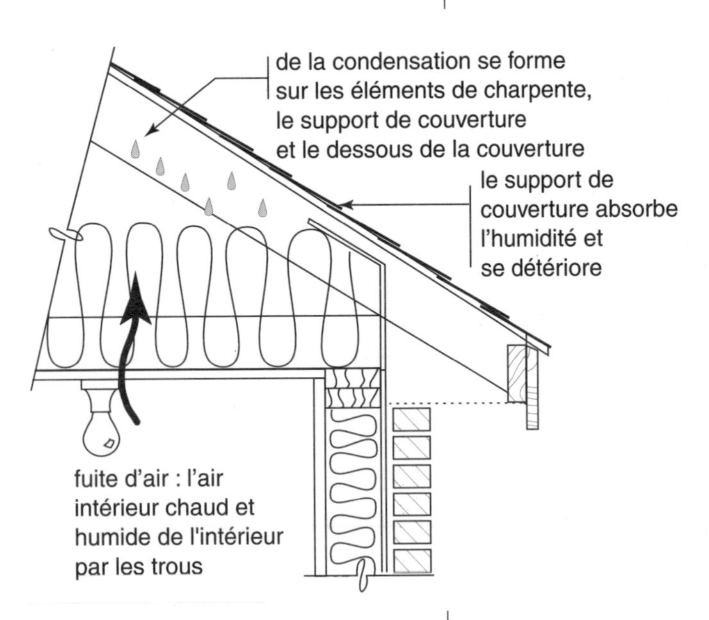
de la condensation se forme
sur les éléments de charpente,
le support de couverture
et le dessous de la couverture
le support de
couverture absorbe
l'humidité et
se détériore
fuite d'air : l'air
intérieur chaud et
humide de l'intérieur
par les trous

FIGURE 6
DOMMAGES CAUSÉS PAR L'HUMIDITÉ
À LA COUVERTURE EN BOIS OU EN MÉTAL

PROBLÈME

FISSURATION DES TUILES DE BÉTON OU D'ARGILE

CAUSE

Dommages causés par les couvreurs durant la construction

Les travailleurs qui doivent exécuter des travaux extérieurs au-dessus des tuiles de couverture peuvent en faire fissurer en circulant dessus.

SOLUTIONS

Éviter de poser les derniers rangs de tuiles.

- Éviter de poser les derniers rangs de tuiles jusqu'à ce que tous les travailleurs aient terminé la pose des revêtements extérieurs de finition, comme le bardage, le stucco, la peinture, le briquetage, etc. (voir figure 7).
- Poser les solins et les tuiles de couverture de finition lorsque tous les travaux au-dessus des tuiles sont terminés.

revêtement extérieur de finition
éviter de poser les derniers rangs de tuiles tant que les travaux de revêtement extérieur de finition ne seront pas terminés

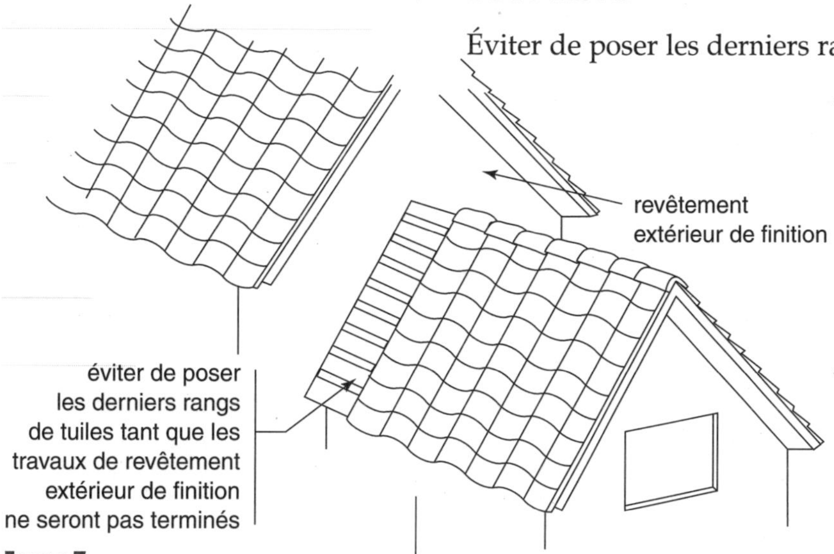

FIGURE 7
COUVERTURE EN TUILES DE BÉTON OU D'ARGILE

4.1.2 INFILTRATION D'EAU

PROBLÈME

DÉFAILLANCE DES SOLINS

CAUSE

Dimensions et pose incorrectes des solins

Les solins de toit sont des pièces de tôle destinées à étanchéiser la jonction des matériaux contre l'eau ou la pluie poussée par le vent. Ils se posent aux intersections des murs et du toit, aux noues et autour des points de pénétration du toit. La plupart des problèmes se produisent parce que les solins sont trop petits ou qu'ils ne sont pas posés avec le chevauchement suffisant ou aux bons endroits par rapport à d'autres matériaux.

SOLUTIONS

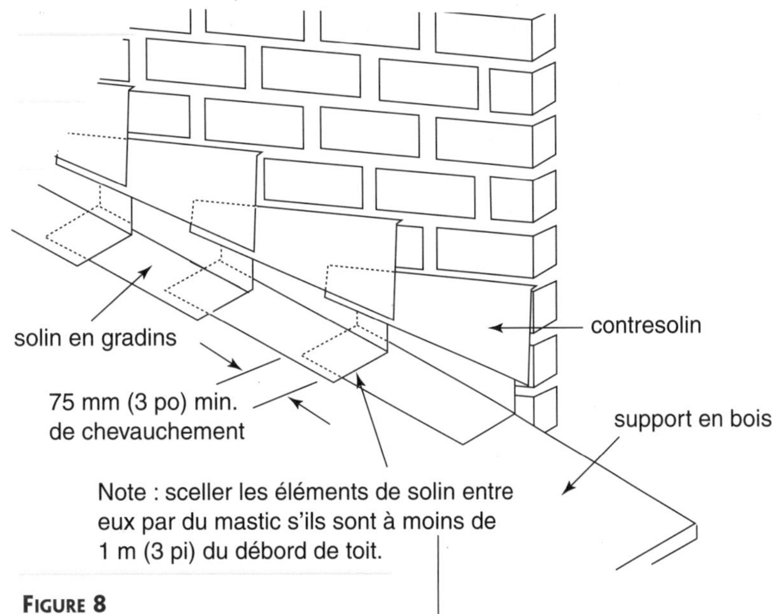

solin en gradins
75 mm (3 po) min.
de chevauchement
contresolin
support en bois
Note : sceller les éléments de solin entre eux par du mastic s'ils sont à moins de 1 m (3 pi) du débord de toit.

FIGURE 8
SOLIN EN GRADINS

Les solins doivent avoir une épaisseur minimale et être posés de façon à bien étanchéiser la jonction des matériaux (voir figure 8).

- Fixer un solin de base au toit à l'intersection des murs et du toit et le replier à 90 ° vers le haut du mur. En cas d'usage de solin en gradins, assurer un chevauchement de 75 mm (3 po) le long de la pente.
- Le contre-solin doit remonter de 150 mm (6 po) le long du côté du mur. Lorsque la finition du mur est en maçonnerie, encastrer le contre-solin d'au moins 25 mm (1 po) dans le joint de mortier et recouvrir le solin de base d'au moins 100 mm (4 po).
- Comme les contre-solins ne s'utilisent pas pour tous les autres revêtements de finition muraux, le papier de revêtement et le matériau de finition doivent recouvrir le solin de base. Pour le bardage en bois, laisser un intervalle de 50 mm (2 po) entre le bardage et le toit pour empêcher que l'eau soit aspirée dans le bois.

◆ Les solins des noues à découvert peuvent être constitués de tôle d'au moins 600 mm (24 po) de largeur ou de deux couches de matériau de couverture en rouleau. En cas d'utilisation de ce dernier matériau, poser le matériau de type S ou de type M au centre de la noue, la surface minérale dessous, d'au moins 457 mm (18 po) de largeur. Mettre en place une seconde couche de matériau de type M, la surface minérale sur le dessus, d'une largeur de 914 mm (36 po). Éviter de marcher sur la noue recouverte, car le matériau risque de se contracter et de se perforer facilement. Dans certaines régions, il peut être autorisé de recouvrir la noue de feutre plutôt que de tôle ou d'un matériau de couverture en rouleau (voir figures 9 et 10).

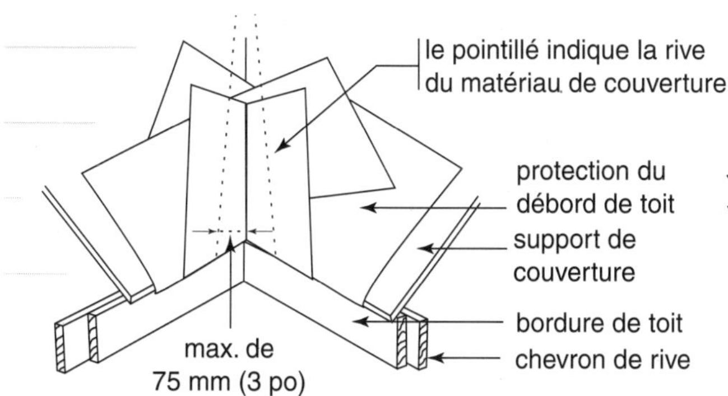

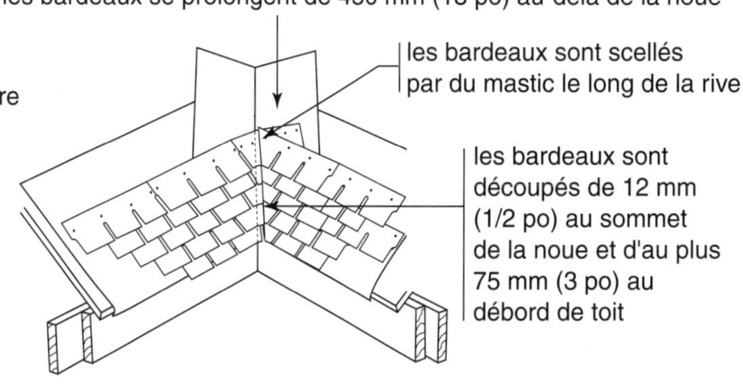

Figure 9
Exécution correcte à la noue

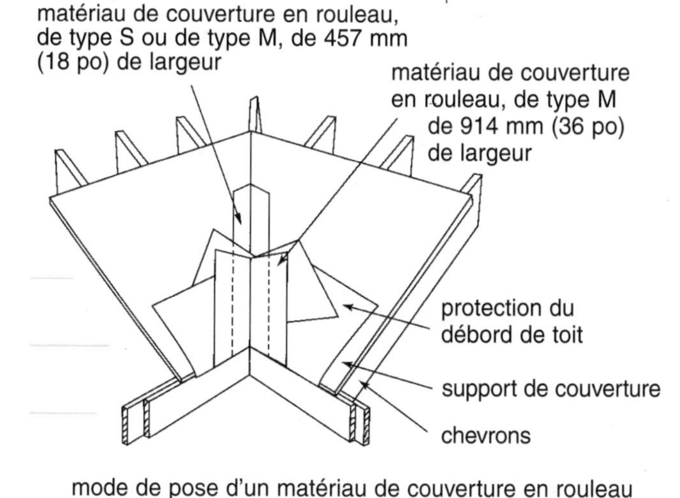

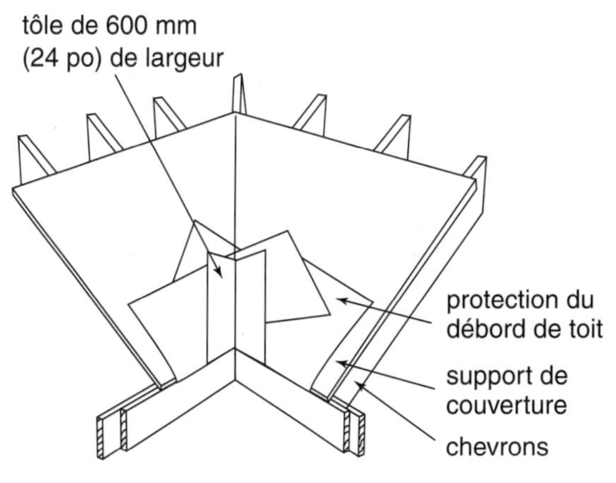

Figure 10
Solins de noue

◆ Découper le matériau de couverture en ligne droite de part et d'autre de la noue. La distance entre la finition et le centre de la noue ne doit pas être inférieure à 50 mm (2 po).

◆ Les aérateurs de toit, la colonne de ventilation et, le cas échéant, la cheminée métallique sont généralement accompagnés de solins préformés. Suivre les instructions de pose du fabricant pour assurer leur étanchéité.

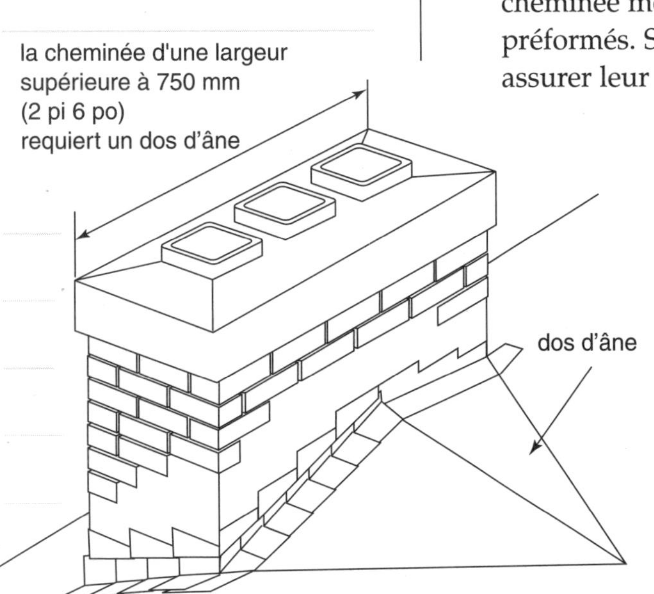

Figure 11
Dos d'âne derrière une cheminée en maçonnerie

◆ Derrière la cheminée d'une largeur supérieure à 750 mm (30 po), qui traverse le toit incliné, la jonction entre le toit et la cheminée doit être recouverte d'un solin métallique dont une partie recouvre la cheminée sur une hauteur au moins égale à 1/6 de la largeur de la cheminée sans être inférieure à 150 mm (6 po), et dont l'autre partie remonte le long de la pente jusqu'à un point situé à la même hauteur que le solin recouvrant la cheminée, sans que la longueur de remontée soit inférieure à 1 1/2 pureau. Faute de procéder de cette manière, prévoir un dos d'âne (voir figure 11).

◆ Couvrir le dos d'âne de tôle ou de matériau de couverture d'un poids et d'une qualité équivalents au matériau de couverture et poser un solin approprié à leur intersection avec le toit. Prévoir solins et contre-solins à la jonction du dos d'âne et de la cheminée.

PROBLÈME

INFILTRATION D'EAU CAUSÉE PAR L'ACCUMULATION DE GLACE

CAUSE

Protection du débord de toit inadéquate

La barrière de glace au bord du toit est causée par la chaleur qui s'échappe de la maison et la neige fondante qui s'y accumule. L'eau s'écoule sous la neige qui recouvre le toit, puis gèle en parvenant à la rive extérieure du débord de toit au-dessus de la zone plus froide du soffite, formant ainsi une barrière de glace qui empêche l'eau de parvenir au débord de toit. La glace s'accumule sous forme de glaçons et de plaques, si bien que l'eau peut remonter par les bardeaux et s'introduire dans le vide sous toit si aucune mesure adéquate de protection du débord de toit n'est prise.

SOLUTIONS

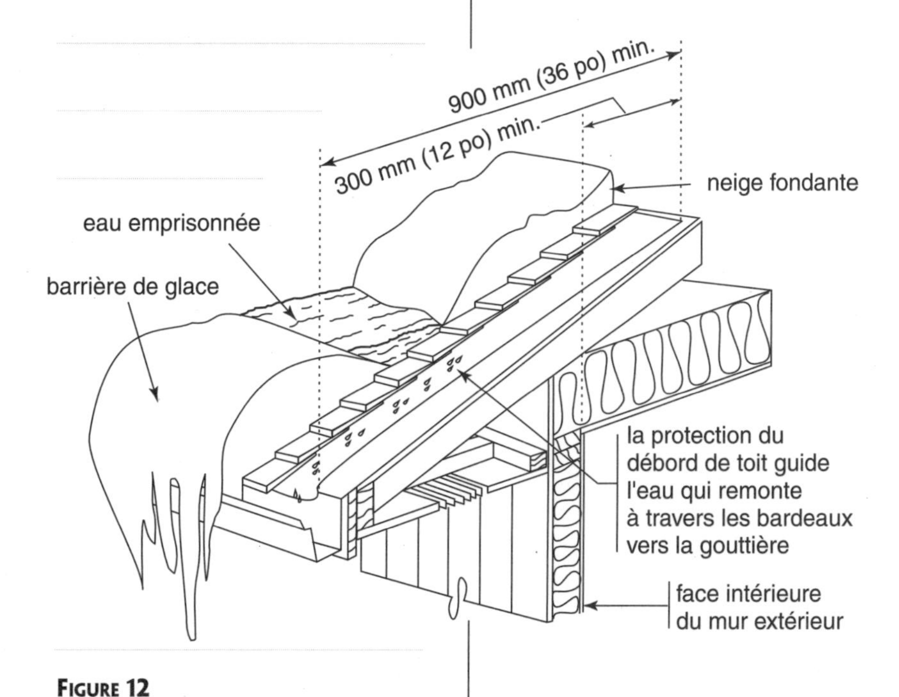

FIGURE 12
BARRIÈRE DE GLACE

Prévoir suffisamment d'isolant thermique par-dessus les murs extérieurs et de ventilation entre l'isolant et le support de couverture suffira pour éviter la formation d'une barrière de glace. La protection du débord de toit peut aussi contribuer à prévenir les dommages (voir figure 12).

- La protection aux débords de toit et aux noues empêchera l'eau de parvenir jusqu'au support de couverture. Voici les options autorisées en matière de protection des débords de toit :
  - du feutre imprégné d'asphalte no 15 posé en deux épaisseurs qui se recouvrent de 480 mm (19 po) et retenues entre elles au moyen d'un mastic approprié;
  - un matériau de couverture en rouleau de type M ou S posé avec un recouvrement minimal de 100 mm (4 po) au droit des rives et retenu au moyen d'un mastic approprié;
  - des feuilles à base de revêtement en fibre de verre ou fibre de polyester;
  - des membranes composites autoscellantes constituées d'un matériau bitumineux modifié;
  - des produits de protection contre la glace et l'eau.

- Prévoir en débord des toits en bardeaux ou en tuiles un revêtement de protection remontant la pente du toit d'au moins 900 mm (36 po) par rapport à sa rive, jusqu'à 300 mm (12 po) au moins à l'intérieur de la face interne du mur extérieur.
- Des câbles chauffants à basse tension disposés aux noues peuvent contribuer à garder ces zones dégagées de glace et de neige.
- L'utilisation de fermes à chevrons relevés permet de disposer davantage d'isolant par-dessus les murs extérieurs. Cette mesure réduit les déperditions de chaleur de la maison en direction du vide sous toit et la fonte de la neige sur le toit.
- Le recours à des déflecteurs préfabriqués assure une circulation d'air entre l'isolant du plafond et la face inférieure du support de couverture et, de ce fait, conserve la surface du toit plus froide et contribue à réduire la fonte de la neige (voir figure 13).

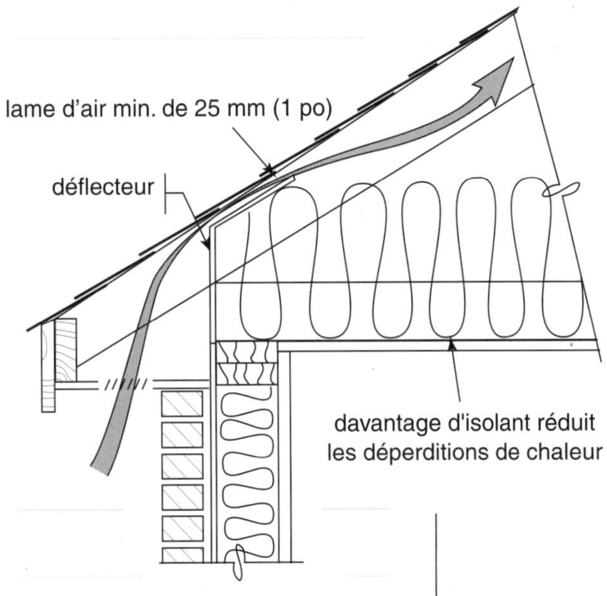

FIGURE 13
ISOLATION ET VENTILATION CONSERVENT LE TOIT PLUS FROID

PROBLÈME

INFILTRATION D'EAU PAR LA COUVERTURE EN BOIS

CAUSE

Pureau trop prononcé, absence de couche intermédiaire entre les rangs de bardeaux de fente ou joints mal placés.

SOLUTIONS

Poser les bardeaux de bois ou de fente selon les exigences du CNB.

- Faire en sorte que la pluie poussée par le vent ne traverse pas la couverture en bardeaux jusqu'au vide sous toit en faisant chevaucher les bardeaux correctement. Le CNB précise que le pureau des bardeaux de fente exposés au vent, à la pluie ou au soleil ne doit pas être supérieur à 190 mm (7 1/2 po) pour les bardeaux de fente d'au moins 450 mm (18 po) de longueur et 250 mm (10 po) pour les bardeaux d'une longueur d'au moins 600 mm (24 po). Le pureau des bardeaux de bois s'établit en fonction de la longueur, de la qualité des bardeaux, ainsi que de la pente du toit. Les bardeaux de qualité n° 1, de 400 mm (16 po) de longueur, peuvent avoir un pureau maximal de 125 mm (5 po), ceux de 450 mm (18 po) de longueur, un pureau maximal de 140 mm (5 1/2 po) et ceux de 600 mm (24 po) de longueur, un pureau maximal de 190 mm (7 1/2 po) (voir figure 14).
- Étendre une bande de feutre à couverture perméable à la vapeur d'eau (d'une largeur minimale de 450 mm [18 po]) sur la partie supérieure des bardeaux de fente et la faire reposer sur le support de couverture. Placer l'extrémité inférieure du feutre à une distance égale à deux fois le pureau au-dessus du bout épais. Cette couche intermédiaire de feutre agit tel un déflecteur, empêchant la pluie ou la neige poussée par le vent de s'introduire dans la cavité du toit.
- Espacer les bardeaux de 6 mm (1/4 po) les uns des autres et les décaler d'au moins 40 mm (1 1/2 po) d'une rangée à l'autre de manière que les joints soient en quinconce. Espacer les bardeaux de fente de 6 mm (1/4 po) à 9 mm (3/8 po) et les décaler d'au moins 40 mm (1 1/2 po) de façon à disposer en quinconce les joints d'une rangée à l'autre (voir figure 15).

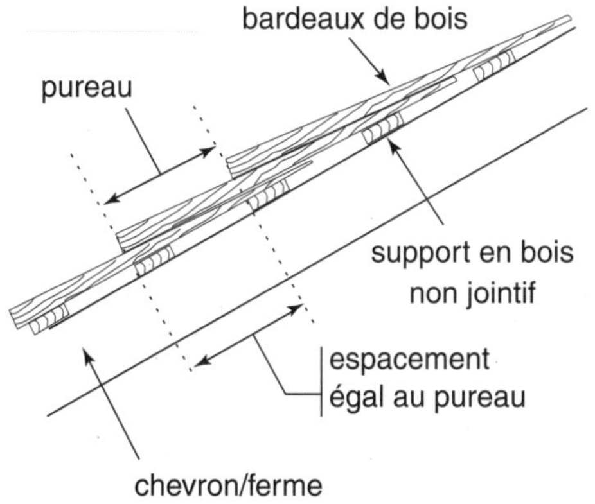

FIGURE 14
PUREAU DES BARDEAUX

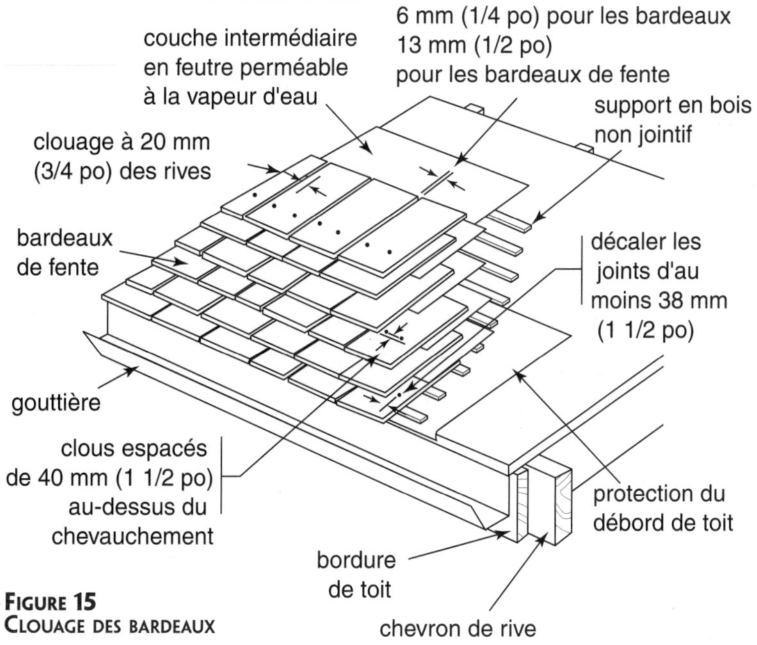

FIGURE 15
CLOUAGE DES BARDEAUX

PROBLÈME
INFILTRATION D'EAU PAR LA COUVERTURE MÉTALLIQUE

CAUSE

Mouvement thermique

La tôle a un coefficient de dilatation élevé. En se dilatant, elle peut augmenter la taille de la perforation du métal et en se contractant, elle peut desserrer les dispositifs de fixation.

SOLUTIONS

Utiliser les dispositifs d'ancrage appropriés.

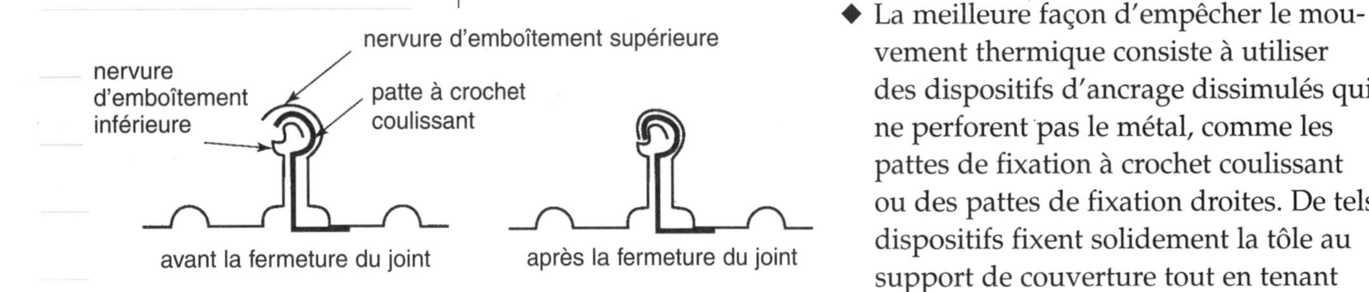

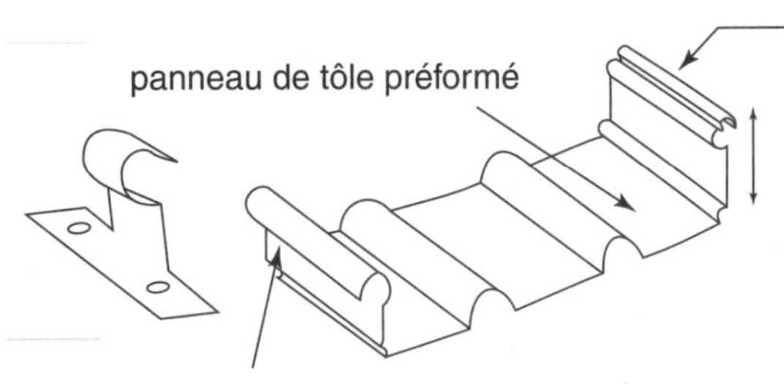

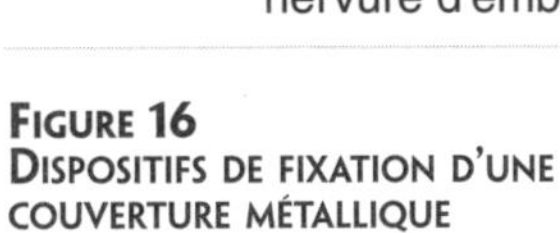

FIGURE 16
DISPOSITIFS DE FIXATION D'UNE COUVERTURE MÉTALLIQUE

- La meilleure façon d'empêcher le mouvement thermique consiste à utiliser des dispositifs d'ancrage dissimulés qui ne perforent pas le métal, comme les pattes de fixation à crochet coulissant ou des pattes de fixation droites. De tels dispositifs fixent solidement la tôle au support de couverture tout en tenant compte du mouvement thermique (voir figure 16).
- Éviter d'utiliser des boulons ou vis exposés qui traversent la tôle. Comme le mouvement thermique de la tôle est inévitable, utiliser des dispositifs spéciaux qui autorisent le libre mouvement de la tôle, selon qu'elle se dilate ou se contracte.
- Placer des joints de néoprène sous les dispositifs de fixation.
- Veiller à placer les dispositifs de fixation droit.

Section 4.2 Charpente du toit

INTRODUCTION

La charpente du toit, qui désigne les éléments structuraux, y compris les chevrons, les fermes et le support de couverture, doit assurer une base solide et stable aux matériaux de couverture.

Différents problèmes structuraux peuvent compromettre la performance et la longévité des matériaux de couverture. Le mouvement du support, le fléchissement du support, le mouvement autour des ouvertures, le mouvement aux points de raccordement, ainsi que la dilatation ou le gonflement du support peuvent tous agir sur les matériaux de couverture. D'ordinaire, prêter l'attention qu'il faut aux détails et à la conception permet de résoudre ces problèmes.

La performance des matériaux de couverture peut également influer sur la charpente du toit. En effet, le surcroît d'humidité au vide sous toit risque d'occasionner la détérioration des éléments structuraux et du support de couverture. Cette humidité peut provenir de l'infiltration d'eau dans les matériaux de couverture, de la formation de barrières de glace, ou encore de l'intérieur de la maison.

De judicieuses techniques de construction misant sur le relèvement de l'isolation thermique et l'étanchéité du pare-air sont susceptibles d'améliorer considérablement l'efficacité énergétique de la maison et de réduire notamment les problèmes mettant en cause l'humidité au vide sous toit.

4.2.1 DÉTÉRIORATION ET DOMMAGES D'ORDRE STRUCTURAL

PROBLÈME

FLÉCHISSEMENT DU SUPPORT DE COUVERTURE

CAUSE

Soutien insuffisant du support de couverture

Le support de couverture insuffisamment appuyé aux rives peut subir bien des défauts. En effet, il peut fléchir sous l'effet du vent ou sous les pas des gens qui circulent sur le toit, ou même se tordre ou se dissocier des matériaux de couverture.

SOLUTIONS

Poser le support de couverture en contreplaqué le fil de face perpendiculaire aux chevrons ou aux fermes et bien appuyer et assujettir les rives des panneaux.

- Poser les panneaux de copeaux orientés, de copeaux ordinaires ou de contreplaqué le fil de face perpendiculaire aux éléments de charpente du toit.
- L'appui aux rives du support de couverture en panneaux de moins de 12 mm (1/2 po) d'épaisseur fixés aux chevrons ou aux fermes espacés de 600 mm (24 po) entre axes doit être assuré par des agrafes métalliques en H posées à mi-chemin entre les chevrons ou les fermes ou par des cales de 38 x 38 mm (2 x 2 po) clouées entre les éléments de charpente du toit (voir figure 17).
- Fixer tous les panneaux du support de couverture le long des chevrons ou des fermes espacés de 300 mm (12 po) entre axes et assujettir les rives à tous les 150 mm (6 po) entre axes là où les panneaux reposent sur des appuis aux rives.
- Les planches utilisées comme support de couverture doivent avoir une largeur de 286 mm (11 po) au plus et être posées de manière que leurs extrémités reposent sur un support et que leurs joints soient décalés.

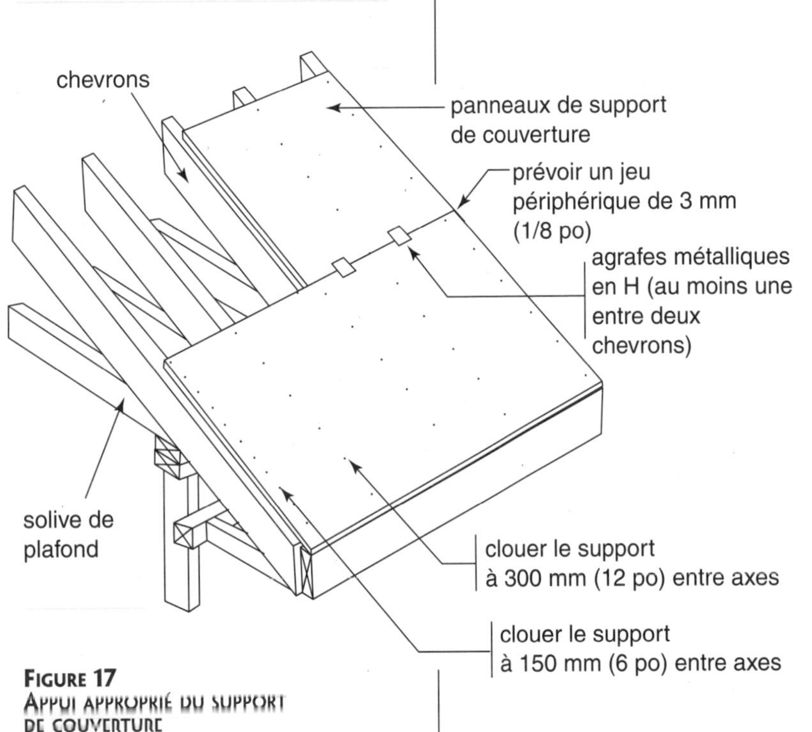

FIGURE 17
APPUI APPROPRIÉ DU SUPPORT DE COUVERTURE

PROBLÈME
FLÉCHISSEMENT DU SUPPORT DE COUVERTURE

CAUSE

Support de couverture trop mince pour supporter les tuiles de béton ou d'argile.

Le CNB requiert que l'épaisseur des panneaux utilisés comme support de couverture corresponde à 9,5 mm (3/8 po) lorsque le support est espacé de 600 mm (24 po) entre axes. Le support de cette épaisseur résistera aux charges permanentes et aux surcharges de calcul, mais pourra fléchir et nuire à l'apparence.

SOLUTIONS

Réduire l'espacement des fermes ou des chevrons.

- Pour réduire le fléchissement du support de couverture, faire passer l'entraxe des éléments de charpente du toit de 600 mm (24 po) à 400 mm (16 po).

Augmenter l'épaisseur du support de couverture.

- Le fléchissement peut également être atténué en portant l'épaisseur du support de couverture au-delà de l'exigence minimale du CNB (voir tableau 1).

	Épaisseur minimale du support de couverture, mm (po)				
Espacement maximal des chevrons ou des solives mm (po)	Contreplaqué et copeaux orientés, de catégorie O-2		Copeaux orientés de catégorie O-1 et copeaux ordinaires de catégorie R-1		Bois de construction
	Rives supportées	Rives non supportées	Rives supportées	Rives non supportées	
300 (12)	7,5 (5/16)	7,5 (5/16)	9,5 (3/8)	9,5 (3/8)	17,0 (11/16)
400 (16)	7,5 (5/16)	9,5 (3/8)	9,5 (3/8)	11,1 (7/16)	17,0 (11/16)
600 (24)	9,5 (3/8)	12,7 (1/2)	11,1 (7/16)	12,7 (1/2)	19,0 (3/4)

Tableau 1
Épaisseur minimale du support de couverture

PROBLÈME

FLÉCHISSEMENT DE LA CHARPENTE DU TOIT AUTOUR DES OUVERTURES

CAUSE

Exécution incorrecte de la charpente autour des ouvertures du toit

L'exécution incorrecte ou l'insuffisance des éléments de charpente autour des ouvertures ménagée en prévision des lanterneaux risque de faire fléchir le toit.

SOLUTIONS

Réaliser les bâtis d'attente de façon à assurer un transfert approprié des charges.

- Lorsqu'un chevron doit être taillé en prévision d'un lanterneau, exécuter la charpente du toit en conséquence de façon à autoriser le transfert adéquat des charges.
- Lorsqu'un chevron est taillé, jumeler les chevrons aux rives de l'ouverture. Jumeler les chevêtres entre les chevrons jumelés et fixer solidement les chevrons taillés aux chevêtres jumelés. Des étriers à solive peuvent servir à assujettir les chevrons taillés aux chevêtres jumelés. Les chevêtres transmettent les charges des chevrons taillés aux chevrons voisins (voir figure 18).
- Les fermes ne doivent pas être encochées ni coupées sans dessin ni instruction de l'atelier du fabricant pour assurer que les charges sont suffisamment réparties.

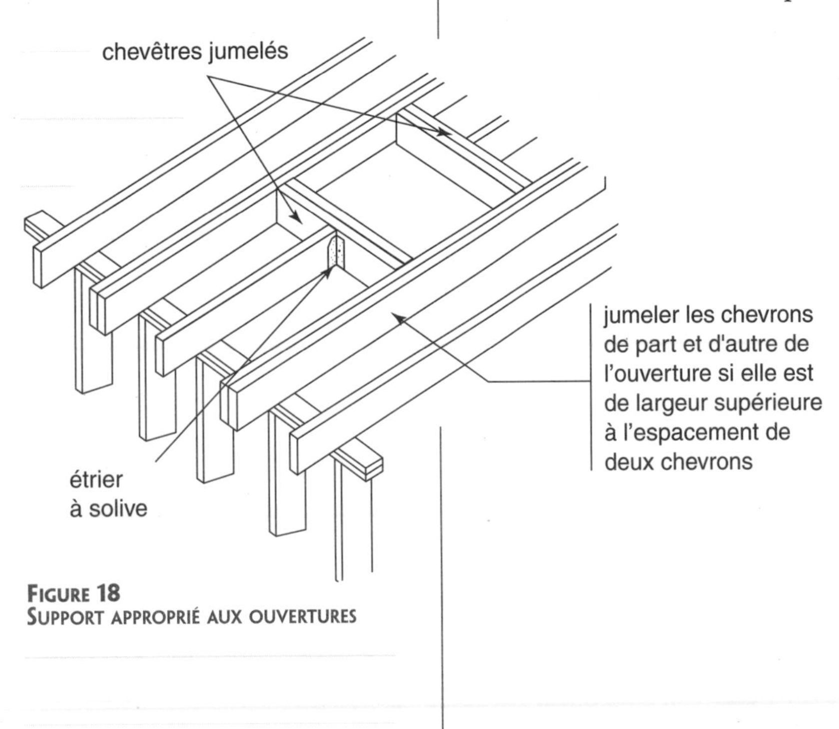

FIGURE 18
SUPPORT APPROPRIÉ AUX OUVERTURES

PROBLÈME

FLÉCHISSEMENT DE LA CHARPENTE DU TOIT À LA JONCTION DES ÉLÉMENTS DE FERME

CAUSE

Supports inadéquats ou faiblesse des raccords

L'utilisation du mauvais type de connecteurs, la fixation contre-indiquée des connecteurs aux éléments de ferme et le sous-dimensionnement des poutres d'appui ou des fermes jumelées peuvent entraîner le fléchissement de la charpente du toit par suite de surcharges de neige.

SOLUTIONS

S'en tenir aux supports et aux raccords prévus dans les dessins d'exécution des fermes de toit.

- Les modèles de toit et les structures gagnent en complexité. Les fabricants de fermes fournissent des dessins d'exécution détaillés qui précisent les types de raccords et les besoins de fixation pour toutes les fermes. La résistance du toit réalisé à l'aide de fermes dépend de la qualité d'exécution des joints.
- Utiliser des étriers à ferme de dimensions suffisantes et bien les assujettir aux poutres ou fermes d'appui (voir figure 19).
- Bien clouer les raccords qui ne nécessitent pas de connecteurs spéciaux. Prendre bien soin de ne pas endommager ni fendre les membrures de ferme en clouant en biais.

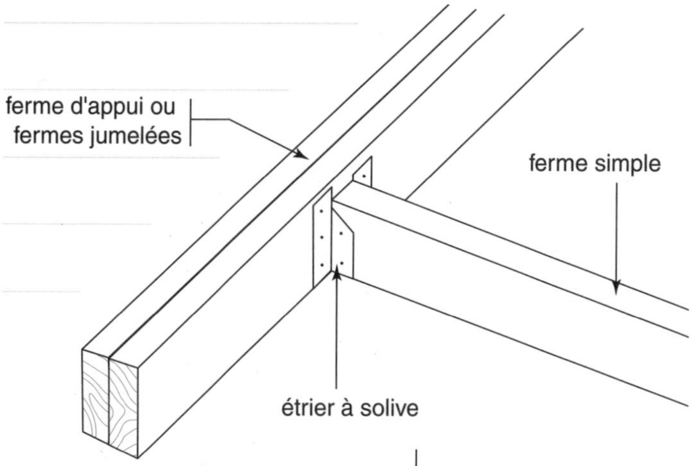

FIGURE 19
ÉTRIERS SPÉCIAUX SERVANT À RELIER LES ÉLÉMENTS DE CHARPENTE

PROBLÈME

SOULÈVEMENT DU SUPPORT DE COUVERTURE AUX JOINTS

CAUSE

Pose trop serrée des panneaux du support de couverture

Les panneaux de revêtement s'utilisent souvent pour «mettre d'équerre» le toit et à ce titre se posent les extrémités des panneaux les unes contre les autres. Lorsque l'humidité ou la température cause la dilatation des panneaux, faute de jeu périphérique, il s'ensuit le soulèvement des panneaux aux rives.

SOLUTIONS

Espacer les panneaux du support de couverture selon le jeu périphérique requis.

- Au moment d'utiliser un support de couverture en panneaux de copeaux orientés, de copeaux ordinaires ou de contreplaqué, laisser entre les panneaux le jeu périphérique de 2 mm (1/16 po) prescrit par le CNB. Par ailleurs, les fabricants peuvent recommander de laisser un jeu supérieur pour leurs propres produits. Certains types d'agrafes métalliques en H assurent automatiquement le jeu approprié aux rives des panneaux. Il faut cependant laisser l'espace suffisant aux extrémités (voir figure 20).

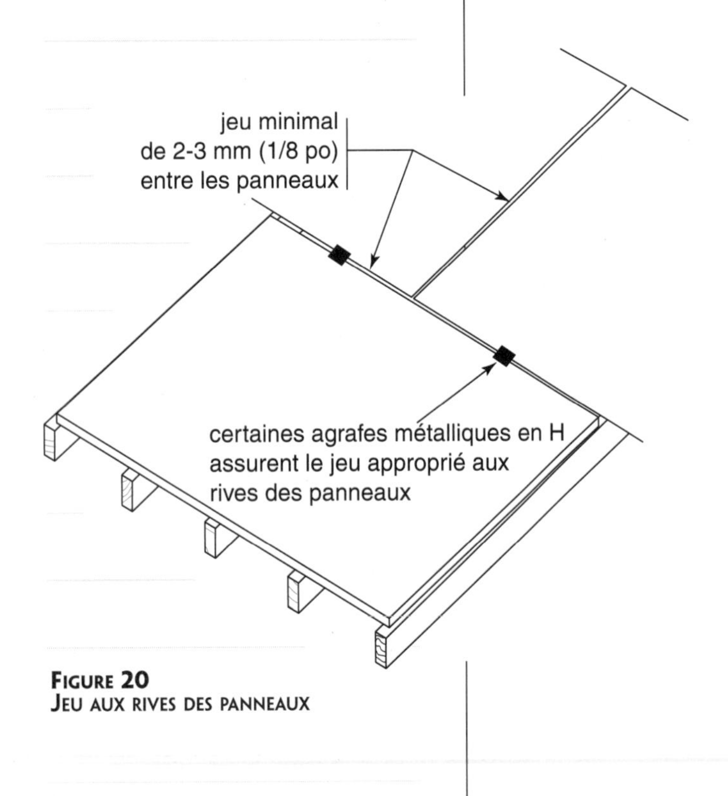

FIGURE 20
JEU AUX RIVES DES PANNEAUX

4.2.2 INFILTRATION D'EAU

PROBLÈME

POURRITURE DES ÉLÉMENTS STRUCTURAUX ET DU SUPPORT DE COUVERTURE

CAUSE

Infiltration d'eau attribuable à l'accumulation de glace

La protection inadéquate des débords de toit risque de mouiller le support de couverture et conduire à sa détérioration prématurée. La glace accumulée peut emprisonner l'eau au-delà de la limite de la protection des débords de toit.

L'accumulation de glace se produit au bord du toit. En effet, la chaleur qui s'échappe de la maison fait fondre la neige sur le toit. Par la suite, l'eau descend la pente du toit jusqu'à ce qu'elle atteigne la rive extérieure du débord de toit par-dessus le soffite non chauffé, où elle gèle et forme une barrière de glace. En s'intensifiant, la barrière de glace empêche l'eau de cheminer vers le débord de toit. C'est ainsi que l'eau peut remonter au-delà de la protection, mouiller le support de couverture et les éléments de charpente et finir par les faire pourrir.

SOLUTIONS

Protéger suffisamment les débords de toit sous les matériaux de couverture.

- Poser une bande de matériau à couverture imperméable aux débords de toit et aux noues de manière à empêcher l'eau de s'infiltrer par les bardeaux derrière la barrière de glace (voir figure 21).
- Les systèmes de toit compliqués où des versants s'égouttent sur un autre versant ou qui sont directement exposés au soleil méritent une attention particulière. En pareille situation, il est recommandé de prévoir un écran de protection contre la glace et l'eau sur le toit et sous les solins.

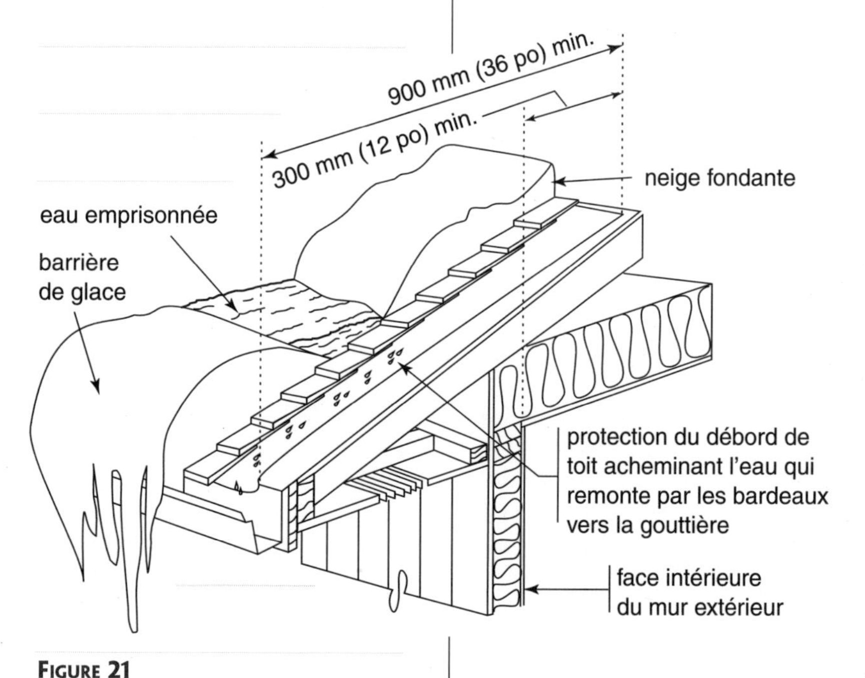

FIGURE 21
BARRIÈRE DE GLACE

PROBLÈME

POURRITURE DES ÉLÉMENTS STRUCTURAUX ET DU SUPPORT DE COUVERTURE

CAUSE

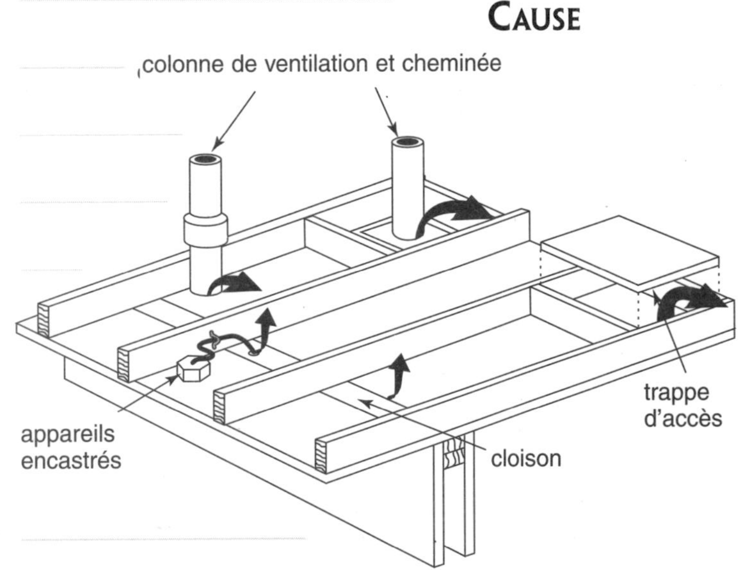

FIGURE 22
FUITES D'AIR HUMIDE EN DIRECTION DU VIDE SOUS TOIT

Surcroît d'humidité au vide sous toit

Le bois commence à pourrir lorsque sa teneur en eau atteint 20 p. 100 ou plus et que la température ambiante est supérieure à 20 °C (68 °F). L'humidité parvenue au vide sous toit peut être absorbée par les éléments structuraux et le support de couverture, créant ainsi des conditions aboutissant à la pourriture. L'humidité parvient au vide sous toit en raison de l'air humide qui s'échappe de l'intérieur de la maison (voir figure 22).

SOLUTIONS

Éliminer les fuites d'air en direction du vide sous toit.

- Réduire la quantité des fuites d'air humide en direction du vide sous toit en intercalant un pare-air efficace entre l'intérieur chauffé et le vide sous toit. Le pare-air, dont il faut assurer la continuité, peut être constitué de polyéthylène, d'éléments de charpente massifs, de mastics et de garnitures, de panneaux de bois, de plaques de plâtre et d'autres produits.
- Bien sceller les points de pénétration du pare-air comme aux cloisons, aux boîtes électriques et aux canalisations de plomberie en utilisant un matériau flexible pour assurer l'étanchéité à l'air.

PROBLÈME

POURRITURE DES ÉLÉMENTS STRUCTURAUX ET DU SUPPORT DE COUVERTURE

CAUSE

Infiltration d'eau autour des solins

La couverture endommagée ou pourvue de solins inadéquats est sujette aux infiltrations d'eau qui, le cas échéant, mouilleront le support de couverture et les éléments structuraux qui, s'il y sont constamment exposés, finiront par se dégrader.

SOLUTIONS

Bien poser les solins du toit.

- Prévoir à toutes les intersections du toit, des murs et de la cheminée, des solins et, s'il y a lieu, des contre-solins qui autoriseront le mouvement différentiel des surfaces et obvieront à l'infiltration d'eau (voir figure 23).
- Suivre les détails d'exécution que le fabricant fournit à l'égard des aérateurs de toit. Utiliser un solin de néoprène préformé pour la colonne de ventilation.
- Les solins doivent être durables, résister aux intempéries, sans nécessiter d'entretien.
- Remplacer ou réparer les matériaux endommagés avant de poser les solins.

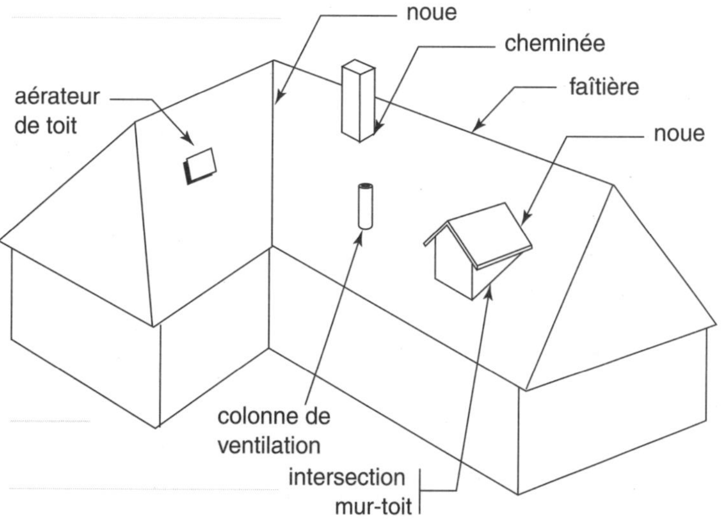

FIGURE 23
SOLINS NÉCESSAIRES AUX POINTS DE PÉNÉTRATION DU TOIT

Section 4.3 Revêtements intérieurs de finition

INTRODUCTION

La plupart des problèmes que pose le revêtement intérieur de finition du plafond se manifestent sous forme de taches d'humidité, des taches sombres, de fissures ou d'aspect inégal, et tiennent, dans bon nombre de cas, aux matériaux de couverture ou à la charpente du toit.

La fissuration du revêtement de finition du plafond est d'ordinaire relié à la charpente du toit, et, la plupart du temps, aux fermes. Les raccords, les charges excessives et leur calcul peuvent être en cause.

L'ondulation du plafond découle de conditions défavorables auxquelles la maison a été soumise au cours de la construction et de l'établissement du calendrier des travaux. Il est simple d'éviter ce problème et, par conséquent, des réparations difficiles et coûteuses.

Les taches d'humidité apparaissant au plafond s'expliquent généralement de deux façons : l'infiltration d'eau par la couverture ou la fuite d'air humide provenant de l'intérieur.

La présente section traite également de la moisissure. Comme dans bien des cas, les techniques à suivre pour résoudre d'autres difficultés solutionneront ce problème. En règle générale, adopter de meilleures méthodes d'exécution et porter davantage d'attention aux détails suffiront pour régler les problèmes.

4.3.1 DÉTÉRIORATION ET DOMMAGES D'ORDRE STRUCTURAL

PROBLÈME

RUPTURE À LA JONCTION MUR-PLAFOND

CAUSE

Soulèvement des fermes

Les conditions de température et d'humidité peuvent faire subir aux membrures supérieures et inférieures un retrait différentiel. En pareille situation, la membrure inférieure s'incurve vers le haut, arrachant dans son mouvement les plaques de plâtre du plafond et parfois les cloisons intérieures (voir figure 24).

SOLUTIONS

Réduire l'humidité au vide sous toit, faire usage de bois séché au four pour les fermes, recourir à la pose flottante des plaques de plâtre aux angles, employer des fermes en M plutôt que des fermes à pleine portée, ou encore poser des profilés souples perpendiculaires aux fermes avant de poser les plaques de plâtre (voir figure 25).

- Plus il y a d'humidité au vide sous toit, plus il y a de risque que les fermes l'absorbent. Mettre en œuvre un pare-air efficace dans le but de réduire la quantité d'humidité présente au vide sous toit. Assurer la ventilation du vide sous toit permet également d'éliminer le surcroît d'humidité.
- Les fermes doivent être fabriquées de bois séché au four. Ranger les fermes correctement et les couvrir dès leur mise en place de façon qu'elles n'absorbent pas l'humidité.

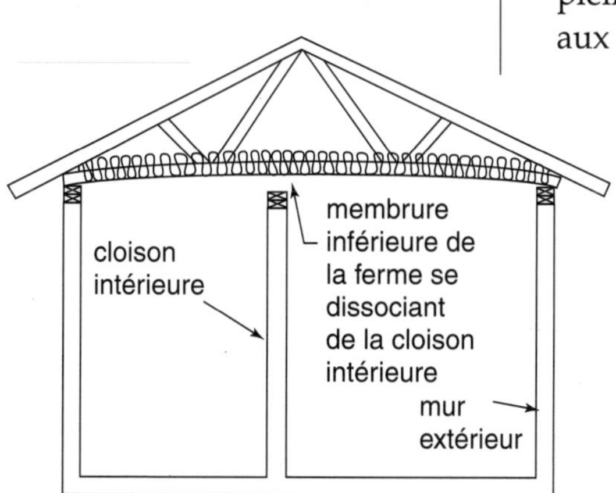

FIGURE 24
RUPTURE À LA JONCTION MUR-PLAFOND CAUSÉE PAR LE SOULÈVEMENT DE LA FERME

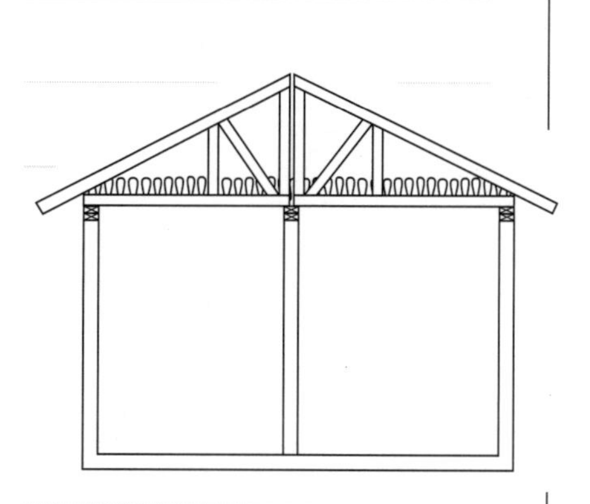

FIGURE 25
UTILISER DES FERMES EN M

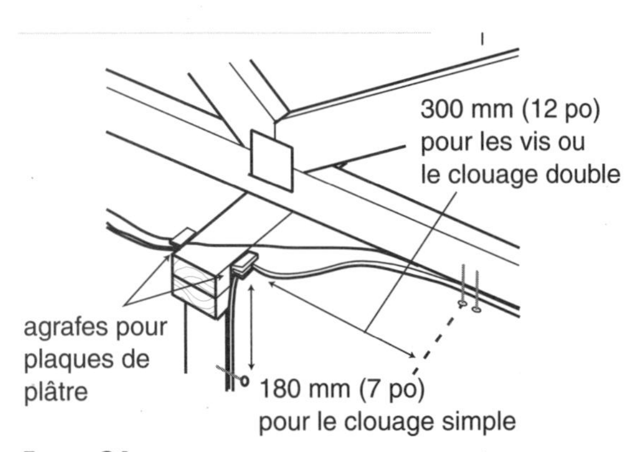

Figure 26
Pose flottante des plaques de plâtre à l'angle du plafond et d'une cloison

◆ Procéder par pose flottante aux angles permet de dissimuler les effets du soulèvement des fermes (voir figure 26). Il s'agit de fixer les plaques de plâtre du plafond et des murs intérieurs à une certaine distance de la jonction. Cette technique fait appel à la flexibilité inhérente des plaques pour autoriser un soulèvement de 50 à 75 mm (2 à 3 po) sans que fissure la jonction cornière. Les distances à respecter correspondent à 300 mm (12 po) pour les plafonds en plaques de 12 mm (1/2 po), à 400 mm (16 po) pour les plafonds en plaques de 16 mm (5/8 po) et à 200 mm (8 po) pour les cloisons. En cas de pose flottante aux angles, doubler la première rangée de dispositifs de fixation pour prévenir l'arrachement. Les contraintes qui s'exercent sur les jonctions cornières peuvent être atténuées en fixant les plaques de plâtre du plafond à la sablière au moyen d'agrafes spéciales, de cales de bois ou encore en ayant recours à des sablières de dimensions supérieures et à des fourrures.

PROBLÈME

ONDULATION DU PLAFOND

CAUSE

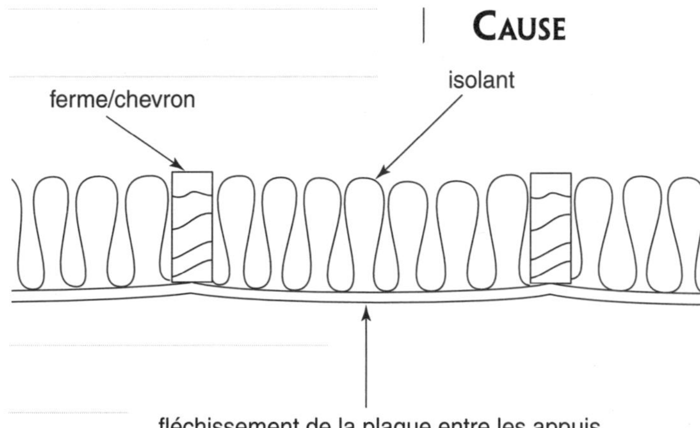

FIGURE 27
FLÉCHISSEMENT DE PLAQUES DE PLÂTRE HUMIDES ENTRE LES APPUIS

Absorption d'une forte quantité d'humidité et d'eau par les plaques de plâtre du plafond

Les revêtements de finition à base d'eau sont souvent appliqués au plafond. Les plaques de plâtre qui absorbent une quantité importante d'eau peuvent fléchir (voir figure 27). Les plafonds texturés en sont des exemples courants.

SOLUTIONS

Utiliser des plaques de plâtre d'épaisseur supérieure.

- Les plaques de plâtre plus épaisses sont plus susceptibles de se supporter elles-mêmes en plus de porter l'isolant au-dessus dans des conditions d'humidité élevée. Le CNB requiert d'employer des plaques de plâtre de 16 mm (5/8 po) pour les plafonds à revêtement texturé à base d'eau lorsque les appuis sont espacés de 600 mm (24 po) entre axes. Poser les plaques perpendiculairement aux appuis.
- Préférer les plaques à densité contrôlée ou résistant au fléchissement aux plaques ordinaires.

PROBLÈME
ONDULATION DU PLAFOND

CAUSE

Excès d'humidité dans la maison pendant la construction

La forte humidité produite au cours des travaux de construction fait augmenter la teneur en eau des plaques de plâtre. L'humidité de la construction provient de l'assèchement du bois, des revêtements intérieurs de finition, du chauffage temporaire (propane) et du plancher en béton coulé.

SOLUTIONS

Bien dresser le calendrier des activités de manière à réduire la quantité d'humidité présente après la pose des plaques de plâtre et assurer la ventilation pour conserver un taux d'humidité bas.

- Isoler le plafond immédiatement après la pose des plaques de plâtre. De la condensation peut se produire du côté supérieur des plaques du plafond par temps froid ou frais si le vide sous toit n'est pas isolé dans de brefs délais après la pose des plaques de plâtre du plafond. L'humidité provenant de l'intérieur de la maison peut givrer ou se condenser sur le pare-vapeur au-dessus des plaques du plafond. Cette humidité sera ensuite absorbée par les plaques de plâtre du plafond et les fera fléchir.
- Ordonnancer les travaux de façon à réduire la quantité d'humidité après la pose des plaques de plâtre. Le coulage du plancher de béton ou d'autres activités semblables introduisent de fortes quantités d'humidité que les plaques absorbent et qui causent leur fléchissement. Se livrer à toutes ces activités avant la pose des plaques de plâtre.
- Ventiler amplement pendant les travaux permet de conserver un taux d'humidité assez bas. Les matériaux de construction et les appareils de chauffage temporaire non ventilés peuvent littéralement introduire des milliers de litres d'eau dans la maison. Les plaques de plâtre absorberont une partie de cette humidité, à moins que la maison soit continuellement ventilée pour abaisser le taux d'humidité.

4.3.2 INFILTRATION D'EAU

PROBLÈME

PLAFOND HUMIDE CAUSÉ PAR LA CONDENSATION AU VIDE SOUS TOIT

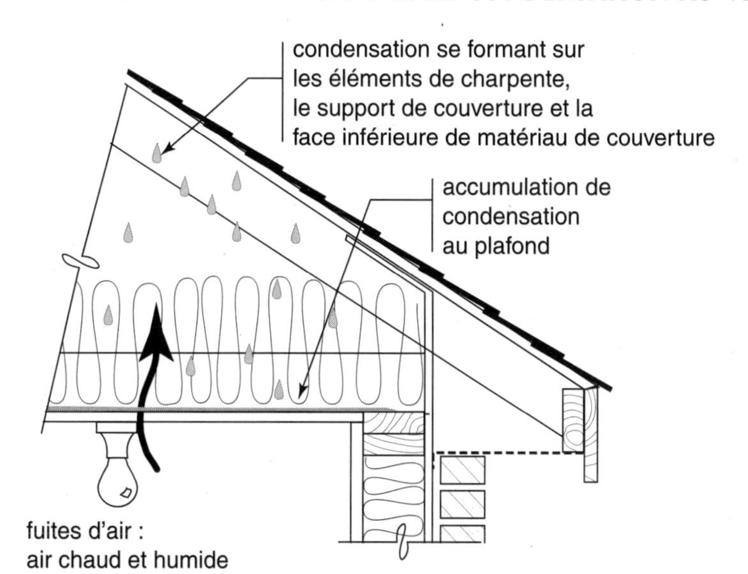

condensation se formant sur les éléments de charpente, le support de couverture et la face inférieure de matériau de couverture
accumulation de condensation au plafond
fuites d'air : air chaud et humide s'échappant par les trous

FIGURE 28
PLAFOND HUMIDE CAUSÉ PAR LA CONDENSATION AU VIDE SOUS TOIT

CAUSE

Fuites d'air

L'air chaud et humide provenant de l'intérieur de la maison fuit au vide sous toit par les interstices du pare-air. En parvenant au vide sous toit froid, cet air humide gèle au contact de surfaces froides comme le support de couverture et les éléments de charpente. Lorsque le vide sous toit se réchauffe, la glace fond et revient jusqu'aux plaques de plâtre du plafond pour les mouiller et les endommager (voir figure 28).

SOLUTIONS

Mettre en œuvre un pare-air et ventiler le vide sous toit.

- Le pare-air doit être continu, sans présenter le moindre trou. Il réduit la quantité d'humidité pouvant parvenir jusqu'au vide sous toit. Une surpression au niveau du plafond pousse l'air chargé d'humidité jusqu'au vide sous toit. Réduire le nombre des points de pénétration du pare-air du plafond permet d'améliorer l'intégrité du pare-air. Loger les prises électriques dans des coffrets de polyéthylène et employer des joints d'étanchéité autour des colonnes de renvoi et de ventilation, éliminer ou garnir de coupe-froid la trappe d'accès intérieure et faire usage de mastic acoustique à tous les joints contribueront à améliorer le pare-air et à réduire les problèmes d'humidité.
- La ventilation du vide sous toit minimise les effets de l'humidité qui réintègre le vide sous toit. La ventilation permet au vide sous toit de s'assécher après les épisodes de condensation et de fonte de glace. Assurer la ventilation conformément au CNB et bien poser des déflecteurs pour isolant aideront à réduire les problèmes d'humidité.

PROBLÈME
MOISISSURE

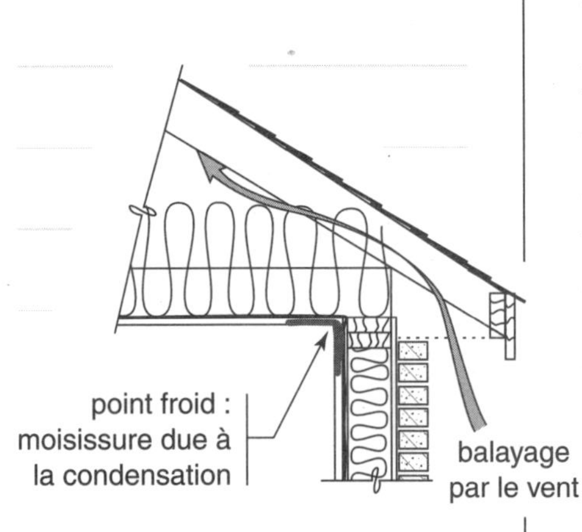

FIGURE 29
MOISISSURE CAUSÉE PAR UN ANGLE FROID

CAUSE

Humidité excessive et points froids

Le fort taux d'humidité qui se combine à des points froids sur le mur et le plafond peut produire de la moisissure. Les gens estiment souvent qu'un degré élevé d'humidité assure un meilleur confort, si bien qu'ils humidifient souvent leur maison. Des points froids peuvent se produire aux angles à l'intersection du plafond et des murs, en raison d'une isolation insuffisante ou du balayage du vent. Ceci constitue un milieu idéal pour la moisissure (voir figure 29).

SOLUTIONS

Augmenter la ventilation pour éliminer le surcroît l'humidité. Bien isoler et réduire le balayage du vent.

- Maintenir le taux d'humidité assez bas pour empêcher la formation de condensation sur les fenêtres en hiver. Conserver un taux d'humidité plus élevé en améliorant la construction des murs et du plafond et en posant des fenêtres à haute efficacité.
- Augmenter la quantité d'isolant thermique par-dessus les murs extérieurs et s'assurer que l'isolant se rend jusqu'à l'extérieur des murs extérieurs. L'utilisation de fermes à chevrons relevés permet de mettre en œuvre davantage d'isolant vis-à-vis des murs extérieurs.
- Utiliser des déflecteurs pour isolant. Ils empêchent l'air froid de déplacer l'isolant et d'en annihiler l'effet. Si l'air se déplace à travers l'isolant, il en réduit l'efficacité et crée un point froid (voir figure 30).

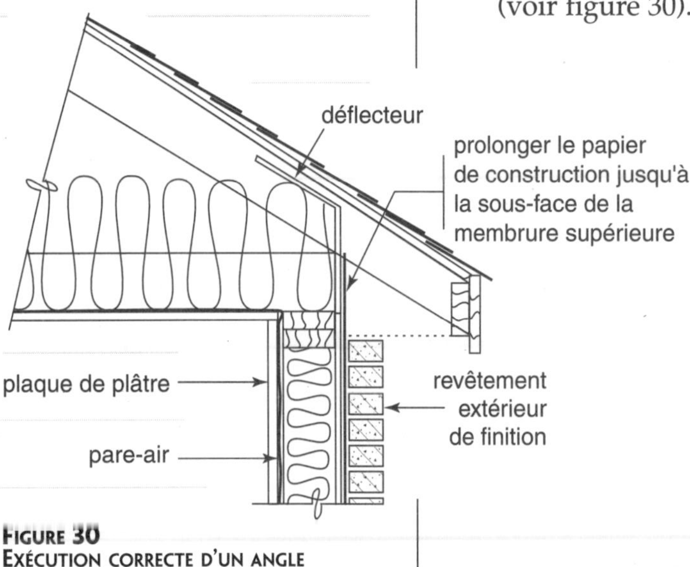

FIGURE 30
EXÉCUTION CORRECTE D'UN ANGLE

Section 4.4 Autres lectures

Source	Publication
Société canadienne d'hypothèques et de logement 700, chemin de Montréal Ottawa ON K1A 0P7 613 748-2367	*Construction de maison à ossature de bois — Canada*, 97 LNH 5031
Council of Forest Industries of B.C. 1200-1055 Burrard Street Vancouver CB V7X 1S7 604 684-0211	Western Red Cedar Shingles and Shakes — Handbook of Good Practice, 1987 The Western Red Cedar Handbook, 1987 Roof and Wall Shingling Made Easy, 1987
Conseil national de recherches du Canada Institut de recherche en construction Section des publications Ottawa ON K1A 0R6 À Ottawa : 613 993-2463 Ailleurs : 1 800 672-7990	*La différence entre un pare-vapeur et un pare-air*, 1985 BPN 54F *Humidité, condensation et ventilation dans les maisons*, 1984 NRCC 23293F *Les pare-vapeur : que sont-ils? Sont-ils efficaces?* 1976 CBD 176F *Problèmes d'humidité dans les maisons*, 1984 CBD 231F
Association canadienne des constructeurs d'habitations 150, avenue Laurier ouest, bureau 200 Ottawa ON K1P 5J4 613 230-3060	*Guide du constructeur de l'ACCH*, 1994
The Canadian Wood Truss Association 1400, Blair Place, bureau 210 Ottawa ON K1J 9B8	

CHAPITRE 5 QUALITÉ DE L'AIR INTÉRIEUR ET VENTILATION

Introduction

Le présent chapitre vise à signaler aux constructeurs les défis et les problèmes que la qualité de l'air intérieur et la ventilation inadéquate peuvent présenter. Il livre des conseils pratiques sur :

- comment exécuter les travaux de façon à assurer la qualité de l'air intérieur;
- comment assurer l'approvisionnement en air de compensation et des systèmes d'extraction appropriés;
- comment exploiter une maison pour obtenir de l'air de qualité;
- comment résoudre les problèmes de qualité d'air intérieur qui se présentent.

La qualité de l'air intérieur évoque l'absence de substances préjudiciables à la santé, de causes d'inconfort pour les occupants ou de menace pour la charpente du bâtiment. Les risques pour la santé et les causes d'inconfort varient, bien sûr, d'une personne à l'autre. Le présent chapitre fournit des renseignements qui s'adressent au grand public.

Les personnes hypersensibles, éprouvant une sensibilité exceptionnelle aux substances allergènes ou chimiques, peuvent requérir des habitations spéciales dont ne traite pas le présent guide. Vous devez vous attendre à ce que vos clients puissent être sensibles et même l'ignorer tant qu'ils n'auront pas emménagé dans leur maison. Pour obtenir de plus amples renseignements sur les besoins des personnes hypersensibles, reportez-vous aux publications indiquées à la fin du guide et consultez la SCHL, des allergologues et des spécialistes de la qualité de l'air intérieur.

Chaque constructeur peut bénéficier de renseignements actualisés sur la qualité de l'air intérieur. Les raisons sont nombreuses :

- ◆ Les Canadiens passent, en moyenne, 90 p. 100 de leur temps à l'intérieur d'un bâtiment (moins de deux heures et demie par jour à l'extérieur), la plupart du temps chez eux, mais également à l'école, au bureau, à l'usine, au centre commercial.
- ◆ De nos jours, les gens sont plus conscients qu'autrefois de la nécessité d'adopter un mode de vie sain. Un environnement intérieur sain fait partie intégrante de ce mode de vie.
- ◆ Les matériaux de construction synthétiques libèrent d'importantes quantités de produits chimiques dans les maisons, en particulier au cours des deux premières années. Les matériaux à découvert rejettent des quantités variables de composés organiques volatils (COV) et de formaldéhyde. Les mastics de calfeutrage et les produits d'étanchéité peuvent libérer des composés toxiques.

- L'utilisation de matériaux de construction en panneaux ou en feuilles, le relèvement des pare-air, la qualité améliorée des produits de scellement et l'étanchéité accrue des portes et fenêtres aboutit à la construction de maisons plus étanches. Sans une attention appropriée à la ventilation et à l'élimination de la pollution, la qualité de l'air intérieur peut constituer un problème significatif.
- L'utilisation de puissants ventilateurs d'extraction peut compromettre la qualité de l'air intérieur en causant le refoulement des gaz d'appareils à combustion ou en aspirant le radon et d'autres gaz souterrains dans la maison.

Pour le constructeur averti, la qualité de l'air intérieur ouvre de vastes possibilités.

- Plusieurs avantages
  - air pur : maison saine
  - moins de poussière : moins de nettoyage
  - régulation de l'humidité : amélioration du confort
  - risque de condensation réduit : plus grande durabilité
  - meilleure ventilation : contrôle accru
- Confiance du propriétaire
  - réponses factuelles aux questions relatives à la qualité de l'air intérieur
  - solutions du constructeur aux problèmes de qualité de l'air intérieur
- Moins de problèmes
  - construction plus durable parce que les problèmes d'humidité sont réduits
  - davantage de confort
  - milieu intérieur plus sûr

En appliquant les principes énoncés ici, vous pouvez construire une maison plus durable, moins sujette aux problèmes d'humidité et réduire ainsi les rappels.

Section 5.1 Élimination à la source

INTRODUCTION

FIGURE 1
QUELQUES SOURCES DE POLLUANTS

L'élimination à la source constitue le fondement même d'une judicieuse stratégie en matière de qualité de l'air intérieur. Grâce à une conception attentive et à une sélection soignée des matériaux, vous pouvez grandement réduire le nombre et le niveau de contaminants auxquels seront exposés les occupants de la maison. La section suivante du guide donne un aperçu des stratégies d'élimination à la source qui s'offrent au constructeur. La section porte sur les contaminants suivants :

- gaz souterrains : radon, méthane et vapeur d'eau;
- polluants extérieurs;
- formaldéhyde et composés organiques volatils (COV);
- particules;
- fumée de bois;
- gaz provenant d'un foyer ou d'une cuisinière;
- gaz provenant d'un générateur de chaleur, d'une chaudière, ou d'un chauffe-eau;
- humidité et moisissure.

5.1.1 GAZ SOUTERRAINS — RADON ET VAPEUR D'EAU

Différents gaz peuvent s'introduire à l'intérieur d'une maison par les fondations (voir figure 2). Ils vont de la vapeur d'eau, le plus courant, jusqu'au radon (gaz radioactif), sans oublier le méthane et les pesticides. La moisissure provenant du sol, bien qu'elle ne soit pas un gaz, peut pénétrer par les fondations et aggraver les allergies et, dans certains cas, causer des ennuis de santé plus graves que les gaz souterrains.

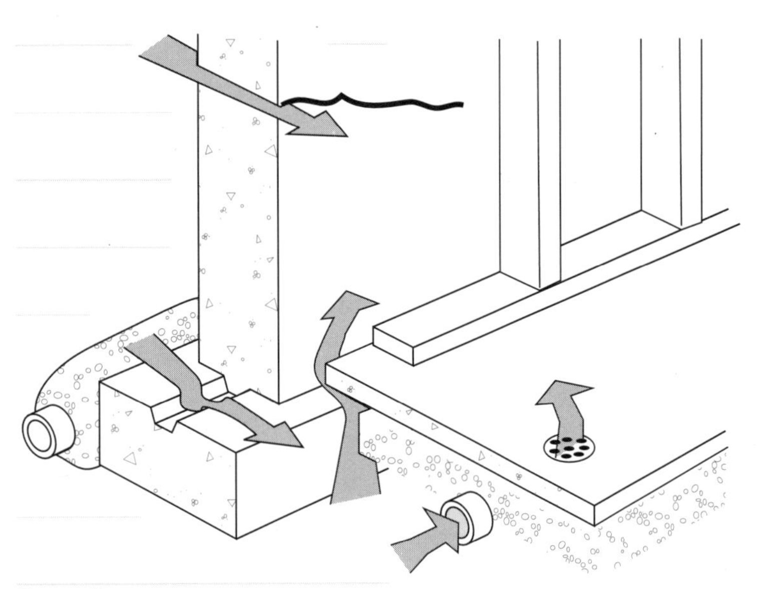

FIGURE 2
POINTS D'INFILTRATION DES GAZ SOUTERRAINS PAR LES FONDATIONS

De nombreux problèmes peuvent être évités avant la construction en refusant de bâtir en terrain marécageux ou sur l'emplacement même ou à proximité de décharges sanitaires. Le radon varie beaucoup d'un endroit à l'autre, sans compter que sa présence ne peut pas être détectée de façon fiable avant la construction. Même dans les régions du pays où le radon n'est pas reconnu pour poser un problème, les constructeurs auraient intérêt à adopter les techniques destinées à empêcher l'infiltration de radon. Le Code national du bâtiment du Canada de 1995 (CNB) incorpore des dispositions en ce sens.

PROBLÈME

FORTE HUMIDITÉ DANS LE SOUS-SOL ET LE VIDE SANITAIRE ACCOMPAGNÉE D'ODEURS ET DE MOISISSURE

CAUSE

Mouvement de vapeur d'eau par les fissures et points de pénétration de la dalle et des murs de fondation, par la dalle de béton et les murs de fondation par capillarité

SOLUTIONS

- Éloigner l'eau du sol des murs de fondation en mettant en œuvre une membrane de drainage, des matériaux isolants s'égouttant bien ou une couche de drainage granulaire.
- Réduire les risques de fissuration de la dalle de béton en utilisant un mélange gâché sec et des plastifiants.
- Étendre une couche continue de 0,15 mm (0,006 po) de polyéthylène ordinaire ou de polyéthylène stratifié croisé sous la dalle pour réduire le mouvement d'humidité du sol.
- Sceller toutes les fissures et les interstices du plancher, des murs et les ouvertures de passage des canalisations de plomberie, d'électricité et des poteaux d'acier traversant le béton. Utiliser des produits d'étanchéité appropriés tels que l'uréthane à un composant, après la cure du béton.
- Avant d'installer un plancher en bois, sceller la dalle de béton en disposant une feuille de polyéthylène de 0,15 mm (0,006 po) sous les lambourdes.
- Poser une membrane hydrofuge sur la face intérieure des murs de béton à partir de la dalle jusqu'au niveau du sol. Utiliser du polyéthylène, sans toutefois le prolonger au-dessus du niveau du sol.

CAUSE

Nappe phréatique peu profonde sous la dalle et à proximité des murs

SOLUTIONS

- S'abstenir de construire sous la nappe phréatique élevée.
- Placer la dalle de plancher sur une assise de drainage constituée de pierre concassée (ne contenant pas plus de 10 % de granulats pouvant traverser un tamis de 4 mm [1/8 po]) sur un sol en pente drainé vers un puisard central.
- La couche de drainage doit avoir au moins 125 mm (5 po) d'épaisseur. Elle devra être supérieure si le sol mouillé se mêle au matériau de drainage granulaire.
- Prévoir un tuyau de drainage autour des semelles et le raccorder au réseau d'égouts pluviaux ou évacuer l'eau vers un puits perdu ou le puisard.
- Utiliser comme remblai un matériau poreux ou un matelas de drainage ou un autre type d'isolant de fibre de verre rigide pour le drainage jusqu'au tuyau de drainage.

PROBLÈME

Concentration élevée de radon dans la maison

Cause

Infiltration de gaz souterrains par les fissures des murs de fondation et la dalle

Solutions

- Conformément au CNB, obturer les fissures, les interstices et les points de pénétration des murs de fondation et de la dalle. Étendre une couche continue de 0,15 mm (0,006 po) de polyéthylène sous la dalle, en la faisant chevaucher d'au moins 300 mm (12 po) (voir figure 3).
- Mettre en œuvre un pare-air continu à l'endroit du revêtement intérieur de finition. Voir chapitre 1, «Fondations».
- Lorsque la concentration de radon est connue ou qu'on s'attend à ce qu'elle soit élevée, pressuriser légèrement le sous-sol ou installer un système de dépressurisation sous la dalle.

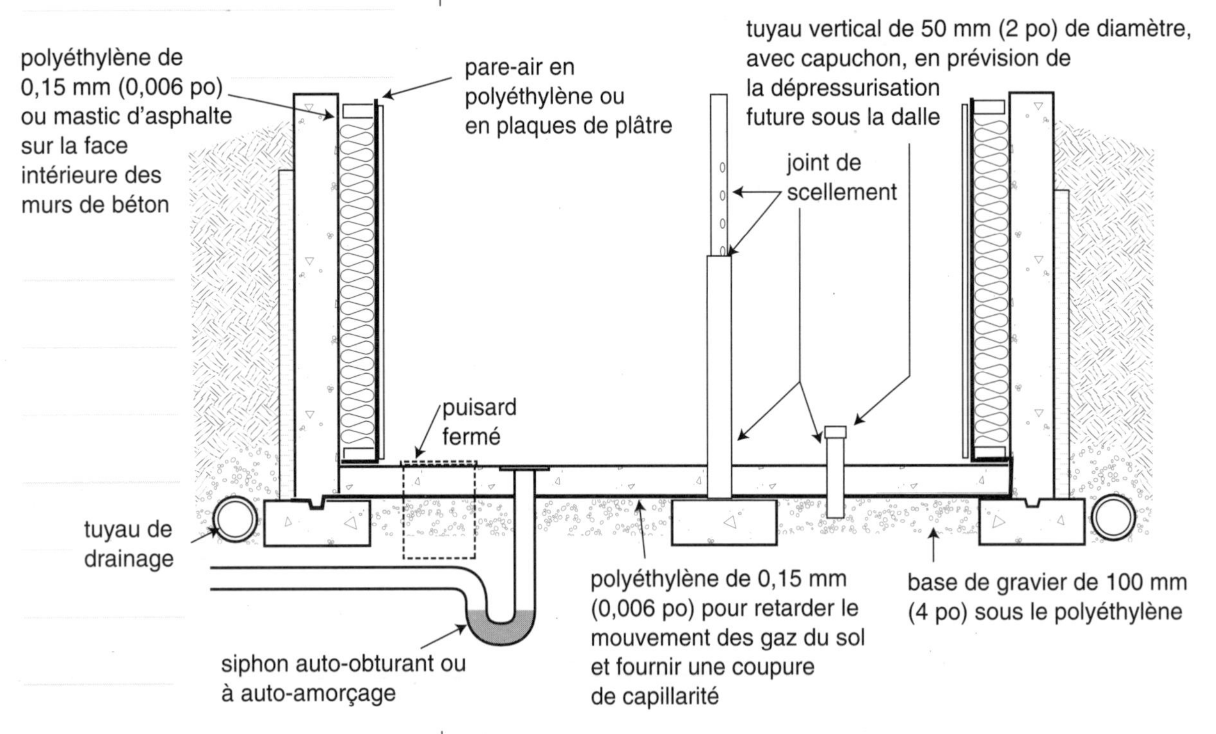

Figure 3
Mesures visant à empêcher l'infiltration des gaz du sol par les fondations

Cause

Infiltration de gaz du sol par l'avaloir de sol, le puisard ou le tuyau de drainage

Solutions

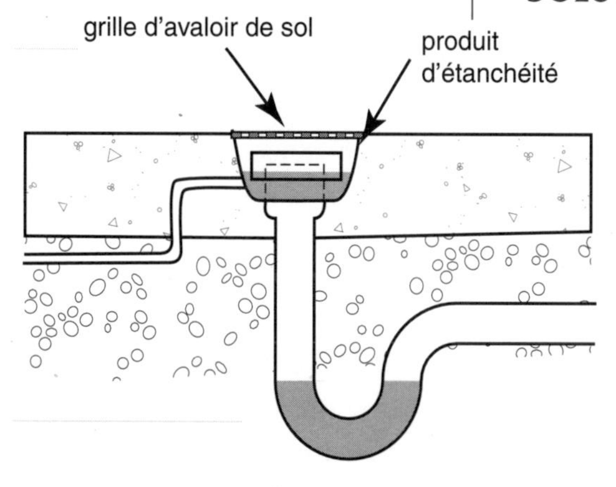

- Utiliser un siphon de sol à auto-amorçage.
- Utiliser un siphon de sol auto-obturant (voir figure 4), surtout si le tuyau de drainage est raccordé à l'avaloir de sol au-dessus du siphon.
- Sceller le couvercle de puisard pour réduire l'infiltration de vapeur d'eau et de radon. Installer une pompe submersible pouvant fonctionner en milieu clos.

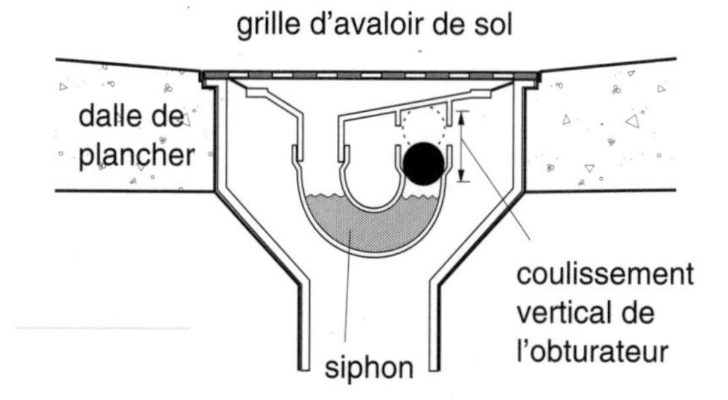

Figure 4
Avaloir de sol avec siphon-obturateur

5.1.2 POLLUANTS EXTÉRIEURS

Dans certains endroits, l'air extérieur transporte des polluants préjudiciables aussi bien à la maison qu'à ses occupants. Les polluants imputables à l'activité humaine comme les gaz d'échappement des automobiles, la pollution de l'air par des établissements industriels et la fumée de bois risquent de causer des maux de tête et des empoisonnements, en plus d'accentuer la sensibilité aux substances chimiques. Pour leur part, les polluants naturels tels le pollen, la poussière et la moisissure peuvent causer des réactions allergiques.

L'emplacement de la maison exerce une importante incidence sur l'introduction de polluants de l'air extérieur. L'air extérieur autour des sites voisins de rues achalandées contient une teneur beaucoup plus forte en gaz d'échappement de voiture, en particulier lorsque l'emplacement se trouve à proximité de panneaux d'arrêt, de feux de signalisation ou d'arrêts d'autobus. Les sites proches des installations industrielles sont plus susceptibles de subir les polluants industriels. La fumée de bois peut flotter autour de la maison selon les courants du vent et s'infiltrer par l'enveloppe du bâtiment ou être aspirée dans la maison par les prises d'air de compensation. Les endroits sujets à des inversions de température risquent plus d'enregistrer des niveaux élevés de polluants.

PROBLÈME

Infiltration de polluants et de contaminants de l'air extérieur

Cause

Emplacement et filtration contre-indiqués de l'admission d'air de ventilation

Solutions

Placer les prises d'air extérieur de façon à aspirer le moins de contaminants possible dans la maison.

- Éviter de les placer aux endroits où l'air évacué du système de ventilation ou les émanations du compteur à gaz ou d'appareils à combustion risqueraient d'être aspirés dans le bâtiment.
- Éviter de les situer à proximité de la voie d'accès privée pour automobile ou des endroits où des véhicules peuvent fonctionner au ralenti.
- Éviter les endroits où de la matière organique (gazon, feuilles, etc.) ou des pesticides et des engrais peuvent être aspirés par la prise d'air.
- La prise d'admission d'air doit se trouver à au moins 450 mm (18 po) au-dessus du sol et tout au moins, au-dessus du niveau de neige le plus élevé, en hiver (en général, le plus élevé sera le mieux). Elle doit être pourvue d'un grillage destiné à interdire l'accès aux rongeurs et aux insectes.

Filtrer l'admission d'air extérieur pour la débarrasser de la poussière et du pollen. La poussière, le pollen et les odeurs peuvent s'introduire par les prises d'air. Pour minimiser leur teneur, incorporer un filtre dans le plénum d'air de reprise du système à air pulsé. À noter que la plupart des filtres ne retirent que les particules et non les gaz ou les odeurs. Différentes sortes de filtres ou combinaisons de filtres peuvent être requises :

- filtres grossiers en fibre de verre à faible efficacité interdisant l'accès notamment aux insectes;
- filtres plissés à efficacité moyenne (cotés à 40 à 60 %);
- filtres à haute efficacité (HEPA) captant poussière et pollen;
- filtres électrostatiques retirant de l'air la fumée et les petites particules;
- filtres à charbon activé éliminant les odeurs et de nombreux gaz (inefficaces contre le monoxyde de carbone). Ces filtres au charbon ne sont pas fiables puisqu'ils se saturent facilement si le lit n'est pas suffisamment profond.

Incorporer un purificateur à haute efficacité au générateur à air pulsé.

- Les filtres HEPA et les filtres à charbon activé représentent des options haut de gamme, qui requièrent la fabrication d'un logement à filtre de dimensions particulières dans le réseau de conduit de l'installation de chauffage. Ils s'installent le plus facilement dans le réseau de conduits. Le ventilateur doit être dimensionné pour tenir compte de la forte chute de pression qu'entraînent les filtres HEPA.
- Envisager d'utiliser tout au moins des filtres d'efficacité moyenne (60 %), de 50 mm (2 po) d'épaisseur. Plus le filtre est épais plus la surface de filtration est grande et moins il sera nécessaire pour le propriétaire de remplacer le filtre. Conseiller au propriétaire de vérifier et de remplacer les filtres selon les besoins.

Cause

Infiltration non contrôlée d'air extérieur par les fissures et les ouvertures des murs extérieurs, le plancher et le plafond

Solutions

- Doter la maison d'un pare-air continu (voir figure 5). Le pare-air fait l'objet d'une description détaillée dans la publication *Construction de maison à ossature de bois — Canada* de la SCHL.

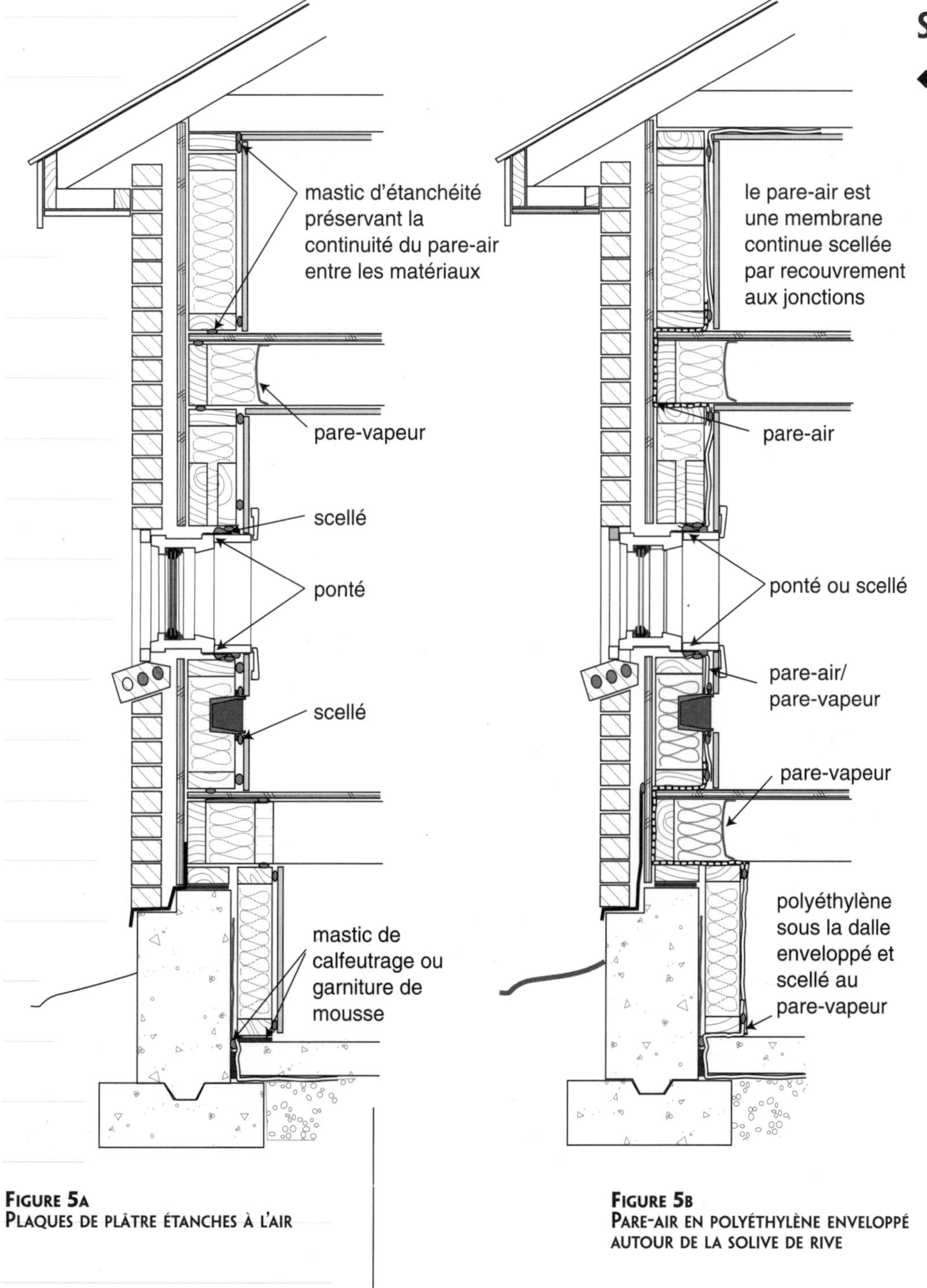

Figure 5A
Plaques de plâtre étanches à l'air

Figure 5B
Pare-air en polyéthylène enveloppé autour de la solive de rive

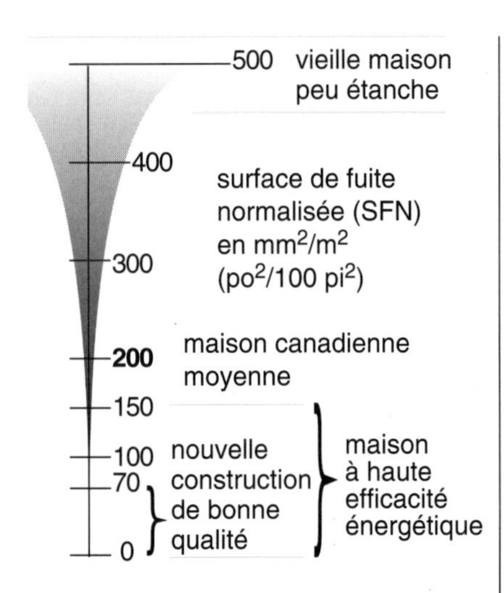

FIGURE 6
INTERPRÉTATION DES RÉSULTATS D'UN ESSAI DE VENTILATEUR DE PORTE

Un essai de dépressurisation de la maison peut servir à vérifier l'étanchéité de l'enveloppe. Cet essai permet de mesurer la somme des trous et fissures dans l'enveloppe du bâtiment, soit la surface de fuite équivalente (SFE). La SFE peut être divisée par la surface extérieure du bâtiment pour donner la surface de fuite moyenne (appelée surface de fuite normalisée [SFN] par mètre carré. Le pare-air se révèle efficace lorsque la maison enregistre une SFN de 155 mm^2/m^2 (2 $po^2/100\ pi^2$) ou moins lorsque le test est effectué à une différence de pression de 50 Pa (voir figure 6).

- Poser des portes et des fenêtres ouvrantes étanches.

5.1.3 FORMALDÉHYDE ET COMPOSÉS ORGANIQUES VOLATILS

Le formaldéhyde se dégage des colles à base de formol. Les colles d'urée-formol s'utilisent largement dans la fabrication de produits de construction comme les panneaux de particules, certains types d'isolant, les panneaux intérieurs, les meubles, les tapis ou moquettes et les tentures. Les adhésifs d'urée-formol se révèlent moins stables que le formol à base de phénol. Le formaldéhyde est un gaz incolore, qui, en forte concentration, dégage une odeur très irritante. Il est susceptible de causer des maux de tête, d'irriter les yeux et de susciter de fortes réactions allergiques chez certaines personnes. Les émanations de formaldéhyde se dissipent au cours des premières années d'occupation.

Les tapis ou moquettes et autres tissus synthétiques utilisés notamment pour l'ameublement libèrent du formaldéhyde et les tissus à pressage permanent en rejettent pendant un certain temps. Le formaldéhyde est un élément constituant de la colle d'urée-formol entrant dans la fabrication des panneaux de bois non structuraux utilisés en ébénisterie, en ameublement, et des panneaux décoratifs.

PROBLÈME
ÉMANATIONS DE FORMALDÉHYDE

CAUSE

Certains matériaux dégagent du formaldéhyde et des COV.

SOLUTIONS

- Faire usage de panneaux contenant de la colle phénol-formol (plus stable) ou de l'isocyanate ou de l'acétate de polyvinyle.
- Appliquer un produit de scellement sur les chants ou aux rives des matériaux non revêtus de stratifié ou d'un fini mélamine.
- Ventiler la maison avant l'emménagement.
- Installer un système de ventilation mécanique commandé par déshumidistat de façon à permettre aux occupants de régler le taux d'humidité dans la maison. Recourir à un déshumidificateur si le niveau d'humidité est supérieur à 60 p. 100.
- Choisir des articles d'ameublement et de décoration rejetant peu d'émanations de formaldéhyde.
- Opter pour des tapis ou moquettes contenant peu de formaldéhyde.
- Faire l'achat de panneaux portant une étiquette ou une estampille attestant de la conformité aux normes spécifiant de faibles émanations de formaldéhyde. Consulter votre fabricant ou le Code national du bâtiment pour obtenir les qualités correspondantes.

De nombreux matériaux de construction tels la peinture, le calfeutrage et les colles dégagent des solvants organiques en séchant. Ce processus peut s'échelonner sur de nombreux mois durant lesquels les vapeurs organiques peuvent susciter des maux de tête, des réactions allergiques et l'irritation des bronches. Certains de ces solvants sont reconnus pour causer des troubles de santé à long terme.

PROBLÈME

SOLVANTS ORGANIQUES DÉGAGÉS PAR LES MATÉRIAUX DE CONSTRUCTION

CAUSE

Matériaux neufs

SOLUTIONS

- Choisir des mastics d'étanchéité et des matériaux de finition peu toxiques. Consulter à cet égard la publication *Matériaux de construction pour les personnes hypersensibles à l'environnement* de la SCHL.
- Éviter d'utiliser à l'intérieur des produits d'étanchéité pour usage extérieur.
- Assurer un fort taux de ventilation continue avant l'occupation.
- Le chauffage et beaucoup de ventilation accéléreront le dégagement des vapeurs organiques au début. Éviter de trop élever la température pour ne pas détériorer les matériaux.
- Les tapis ou moquettes neufs libèrent des contaminants chimiques volatils. Utiliser moins de ce revêtement de sol contribuera à améliorer la qualité de l'air de la maison.

PROBLÈME

VAPEURS ORGANIQUES LIBÉRÉES PAR LES AGENTS DE NETTOYAGE, LES PEINTURES ET LES SOLVANTS

CAUSE

Entreposage et utilisation à l'intérieur de la maison

SOLUTIONS

- Ne jamais utiliser de décapants à peinture à l'intérieur.
- Sensibiliser les occupants à la nécessité de ventiler lorsqu'ils font usage d'agents de nettoyage, de peintures et de solvants.
- Entreposer les produits chimiques volatils dans des placards avec portes étanches ventilés à l'extérieur. Doter les portes de placard de dispositifs de fermeture automatique. Vérifier que le conduit d'évacuation n'agit pas comme une prise d'air.

5.1.4 PARTICULES

Le terme «particule» désigne une très petite partie de matière en suspension dans l'air, qui peut être inhalée. Des niveaux élevés de particules peuvent causer des troubles respiratoires. La poussière, le pollen, les spores fongiques et les acariens aggravent les allergies. Les bactéries et les virus se développent dans des milieux soit peu humides soit fort humides. Les fibres minérales irritent la peau, les yeux et les poumons. Les particules de fumée sont surtout nocives parce qu'étant très infimes, elles peuvent se loger profondément dans les poumons.

PROBLÈME

Teneur excessive de particules dans l'air intérieur

Cause

Fragments de matériaux de construction et poussière circulant dans la maison

Circulation de charpie et de poussière dans l'habitation

Solutions

- Couvrir les bouches de conduit et les registres de sol pendant les travaux et nettoyer le réseau de conduits avant l'emménagement.
- Installer un système de purification d'air à haute efficacité (voir section 5.1.2).
- Raccorder la sécheuse à un conduit évacuant la charpie à l'extérieur.
- Installer un aspirateur central raccordé à un conduit d'évacuation qui débouche à l'extérieur.

PROBLÈME

Les aspirateurs traditionnels rejettent généralement de fines particules dans l'air de la maison

Cause

Style de vie des occupants (par exemple, fumée de cigarette, types d'articles d'ameublement et de décoration, animaux domestiques, passe-temps [poterie, travail du bois, etc.]).

Solutions

- Installer un système de purification d'air à haute efficacité (voir section 5.1.2).
- Prévoir une ventilation continue à faible débit.

Accroître la circulation d'air favorise le dépôt des particules en suspension sur le plancher et les articles d'ameublement et de décoration, et facilite leur enlèvement par nettoyage ou avec l'aspirateur.

- Améliorer le réglage du degré d'humidité à l'aide d'un humidistat, d'un humidificateur de générateur de chaleur, d'un déshumidificateur, de ventilateurs d'extraction, et ainsi de suite. Sensibiliser les occupants à la plage d'humidité optimale (de 30 à 45 %) pour enrayer les bactéries, les virus et les acariens.

5.1.5 FUMÉE D'UN FOYER OU D'UN POÊLE À BOIS

La fumée de bois contient de nombreux polluants. Voici ceux qui soulèvent le plus d'inquiétude : le monoxyde de carbone qui peut causer l'empoisonnement et la mort, les particules de combustion, comme la suie, qui causent l'irritation des bronches; et les hydrocarbures complexes ou les hydrocarbures aromatiques qui s'avèrent cancérigènes. Les risques d'empoisonnement au monoxyde de carbone augmentent lorsqu'on laisse couver le feu dans un appareil à combustibles solides. À mesure que le bois se tranforme en braises, la cheminée se refroidit, admet davantage d'air frais, d'où le risque de rejet d'émanations dans la maison.

PROBLÈME

CIRCULATION DANS TOUTE LA MAISON DE PRODUITS DÉRIVÉS DE LA COMBUSTION DU BOIS (FUMÉE ET PARTICULES)

CAUSE

Appareil de chauffage au bois non certifié, mal construit ou mal installé

SOLUTIONS

- ◆ La cheminée aménagée à l'intérieur de l'enveloppe de la maison (contrairement à la cheminée longeant un mur extérieur) ne se refroidit pas autant quand le feu s'éteint.
- ◆ Il est fortement recommandé d'installer dans les maisons neuves des appareils de combustion au bois conformes à la norme CSA B415.1-M92 ou aux normes américaines de l'*Environmental Protection Agency (EPA) (1990), CFR Part 60.*

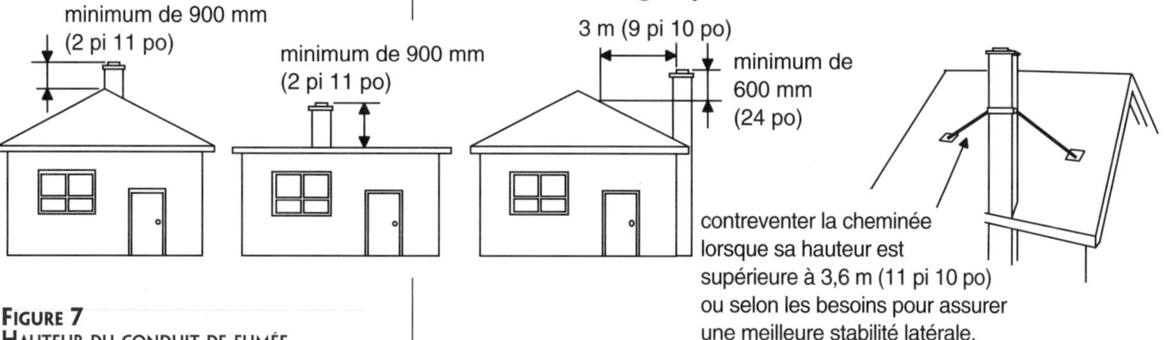

minimum de 900 mm
(2 pi 11 po)
minimum de 900 mm
(2 pi 11 po)
3 m (9 pi 10 po)
minimum de
600 mm
(24 po)
contreventer la cheminée lorsque sa hauteur est supérieure à 3,6 m (11 pi 10 po) ou selon les besoins pour assurer une meilleure stabilité latérale.

FIGURE 7
HAUTEUR DU CONDUIT DE FUMÉE DE LA CHEMINÉE

Le matériel certifié conforme aux normes de la CSA ou de l'EPA assure une combustion complète du bois, produit davantage de chaleur et dégage peu de polluants. À condition d'être bien installé, il présente moins de risques de refoulement de gaz de combustion et d'émanations que le matériel non certifié.

- ◆ Les appareils de chauffage au bois de confection récente n'ont pas besoin d'une prise directe d'air comburant. Par contre, dans les maisons équipées de ventilateurs d'extraction de forte puissance, peut-être faudra-t-il prévoir une prise d'air de compensation si les gaz du sol posent un problème.
- ◆ Des études commandées par la SCHL révèlent que les portes de verre, même si elles sont plus ou moins étanches, contribuent à réduire les risques de rejet de monoxyde de carbone dans la maison.
- ◆ Veiller à ce que le prolongement de la cheminée au-dessus de la ligne du toit respecte le minimum prévu par le CNB (voir figure 7).
- ◆ Installer un capuchon antirefoulement (voir figure 8).

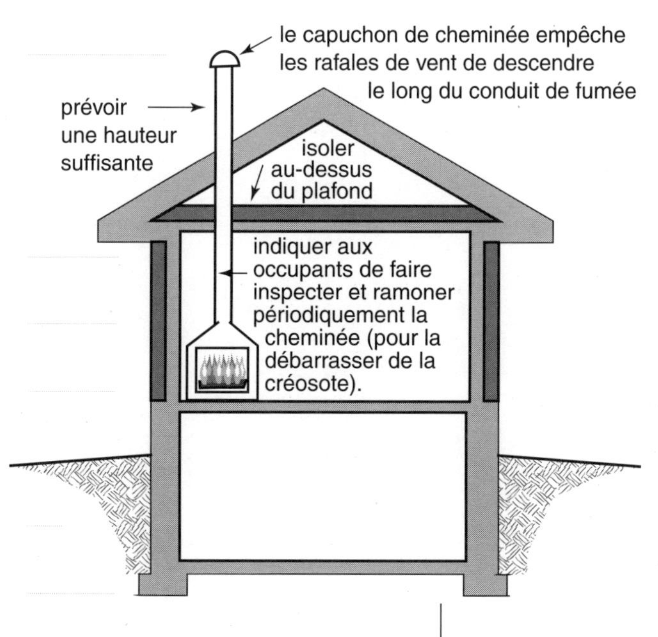

le capuchon de cheminée empêche les rafales de vent de descendre le long du conduit de fumée
prévoir une hauteur suffisante
isoler au-dessus du plafond
indiquer aux occupants de faire inspecter et ramoner périodiquement la cheminée (pour la débarrasser de la créosote).

FIGURE 8
CAPUCHON DE CHEMINÉE ANTIREFOULEMENT

5.1.6 GAZ DE COMBUSTION D'UN FOYER OU D'UNE CUISINIÈRE À GAZ

Les cuisinières à gaz produisent de fortes quantités de produits de combustion qui, faute d'être bien évacués, risquent d'être préjudiciables aux occupants. En effet, elles produisent du dioxyde d'azote et du monoxyde de carbone. Ces gaz peuvent occasionner des maux de tête et susciter des réactions allergiques chez certaines personnes.

Les foyers à gaz et les foyers à gaz encastrables dans des ouvrages en maçonnerie gagnent en popularité au Canada. Malgré les mesures de sécurité prises par les fabricants et les organismes d'essai, le risque de refoulement de gaz de combustion reste présent. Les maisons deviennent de plus en plus étanches à l'air et l'installation de puissants ventilateurs d'extraction sans prise d'air de compensation suffisante crée une dépression favorisant le rejet d'émanations des foyers à gaz.

Les émanations de gaz de combustion contiennent en général de fortes concentrations de dioxyde d'azote susceptibles de porter atteinte aux poumons et d'augmenter la susceptibilité au rhume et à des troubles respiratoires. La présence possible de monoxyde de carbone peut se traduire par des maux de tête, des nausées ou même entraîner la mort. Les émanations libèrent de fortes quantités de vapeur d'eau dans la maison.

PROBLÈME

REJET PERSISTANT DE PRODUITS DÉRIVÉS DE LA COMBUSTION PAR UNE CUISINIÈRE À GAZ

CAUSE

Émanations de produits dérivés de la combustion dans la maison

SOLUTIONS

- Installer une cuisinière à gaz dotée d'un dispositif d'allumage électronique relié à un témoin dans le but de réduire les émanations de gaz.
- Construire autour de la cuisinière des surfaces verticales en vue d'acheminer les gaz vers la hotte d'extraction.
- S'assurer que la hotte de la cuisinière évacue les produits de combustion à l'extérieur, sinon faire l'acquisition d'une cuisinière avec système d'extraction intégré.

PROBLÈME

ÉMANATIONS DE GAZ DE COMBUSTION PAR UN FOYER À GAZ

CAUSE

Processus de combustion non étanche

SOLUTIONS

- Installer un foyer à gaz avec chambre à combustion étanche puisant l'air comburant directement à l'extérieur par un conduit concentrique, de manière à isoler complètement le processus de combustion de la maison. Un appareil du genre doit se trouver sur un mur extérieur (voir figure 9).

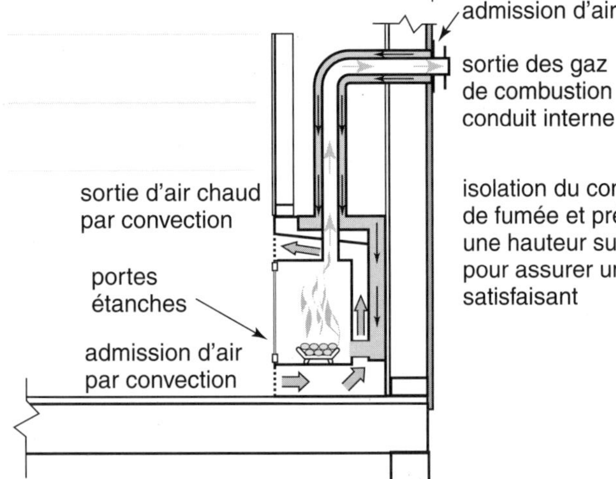

FIGURE 9
FOYER À DÉGAGEMENT NUL AVEC PRISE EXTÉRIEURE D'AIR COMBURANT

- Alimenter un foyer à gaz en air comburant contribuera à réduire les risques d'émanations de gaz de combustion, sans toutefois les éliminer complètement.

Pour parer au risque d'émanations de gaz de combustion dans les maisons équipées de dispositifs d'extraction d'une puissance dépassant 75 L/s (150 pi^3/min), le système de ventilation doit assurer un approvisionnement suffisant en air de compensation lors du fonctionnement des dispositifs d'extraction.

5.1.7 MOISISSURE

En plus de dégager des odeurs et de causer des taches, la moisissure apparaissant à la surface des revêtements intérieurs de finition peut aussi susciter des réactions allergiques chez certaines personnes. De plus en plus de preuves tendent à démontrer que certains types de moisissures produisent des mycotoxines susceptibles d'entraîner de graves ennuis de santé. Ces ennuis de santé découlent principalement des spores aéroportées que produit la moisissure établie. Étant donné que la moisissure a besoin d'humidité pour se développer, on parvient à contrer la moisissure en éliminant les surfaces humides.

PROBLÈME

DÉVELOPPEMENT DE LA MOISISSURE

CAUSE

Piètre isolation thermique des angles des murs extérieurs, de la jonction des murs et du plafond, ainsi que des sous-sols aménagés.

La moisissure se condense sur ces surfaces froides qui lui fournissent un milieu propice à son développement.

SOLUTIONS

- Élever la température superficielle des plaques de plâtre en assurant une meilleure isolation thermique aux angles et à l'endroit où les éléments de charpente du plafond ou les fermes reposent sur les murs extérieurs. Pour ce faire, isoler l'espace entre les poteaux des angles extérieurs au cours des travaux de charpente ou recourir à deux poteaux d'ossature et à des agrafes pour plaques de plâtre, dont l'espace pourra être comblé d'isolant au même moment que le reste du mur (voir figure 10). L'utilisation de revêtement intermédiaire isolant réduit également les ponts thermiques aux angles.
- Isoler la jonction avec le plafond ou le mur, tout en ventilant suffisamment le vide sous toit soit en optant pour des fermes à chevrons relevés et en faisant usage de déflecteurs (voir figure 11).

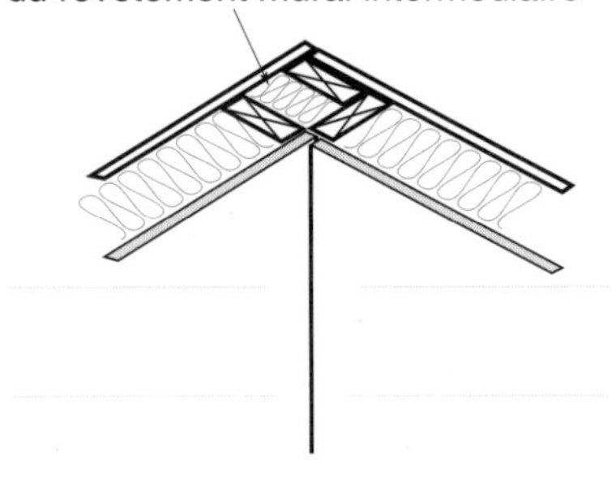

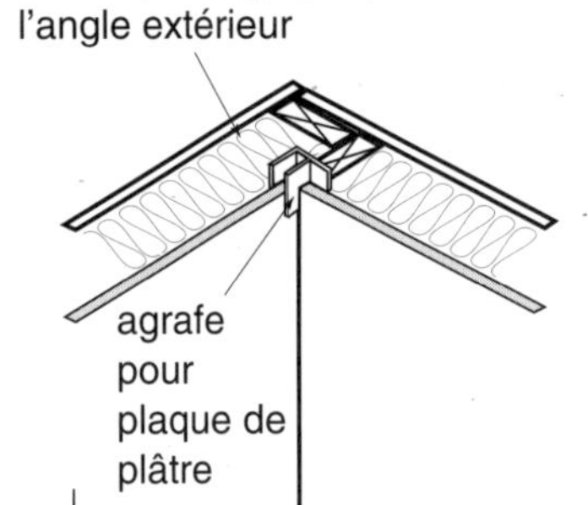

FIGURE 10
ISOLATION D'ANGLES EXTÉRIEURS

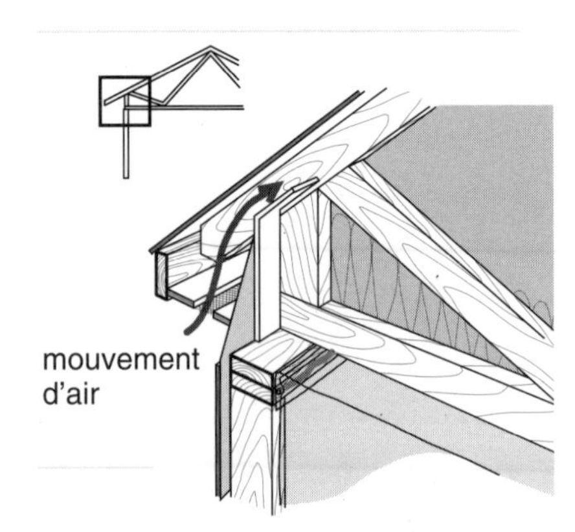

FIGURE 11
FERME À CHEVRONS RELEVÉS

PROBLÈME
DÉVELOPPEMENT DE LA MOISISSURE

CAUSE

Taux d'humidité élevé à l'intérieur

Cette situation peut être attribuable aux causes suivantes : assèchement des matériaux de construction, humidité du sous-sol, infiltration d'air humide provenant sous le niveau du sol, emprisonnement saisonnier d'humidité dans le bâtiment et son contenu, activités des occupants. La première année, l'assèchement de la maison peut libérer jusqu'à 2 250 litres (500 gallons) d'eau.

SOLUTIONS

◆ Réduire les sources d'humidité.
  – Appliquer les principes de l'élimination de l'humidité lors de l'exécution des fondations de manière à réduire l'infiltration d'humidité provenant du sol environnant (voir figure 12). Voir le chapitre 1, «Fondations».

◆ Déshumidifier l'air en assurant une meilleure ventilation et en commandant par déhumidistat réglé à 45 p. 100 HR ou moins le fonctionnement du ventilateur de salle de bains. Vérifier que le ventilateur mécanique est capable de fonctionner continuellement et qu'il produit peu de bruit. Prendre des dispositions pour tempérer l'air de compensation.

◆ Indiquer aux occupants les activités produisant de l'humidité et comment utiliser les humidificateurs et les ventilateurs d'extraction. Régler le déshumidistat au-dessous de 45 p. 100 HR.

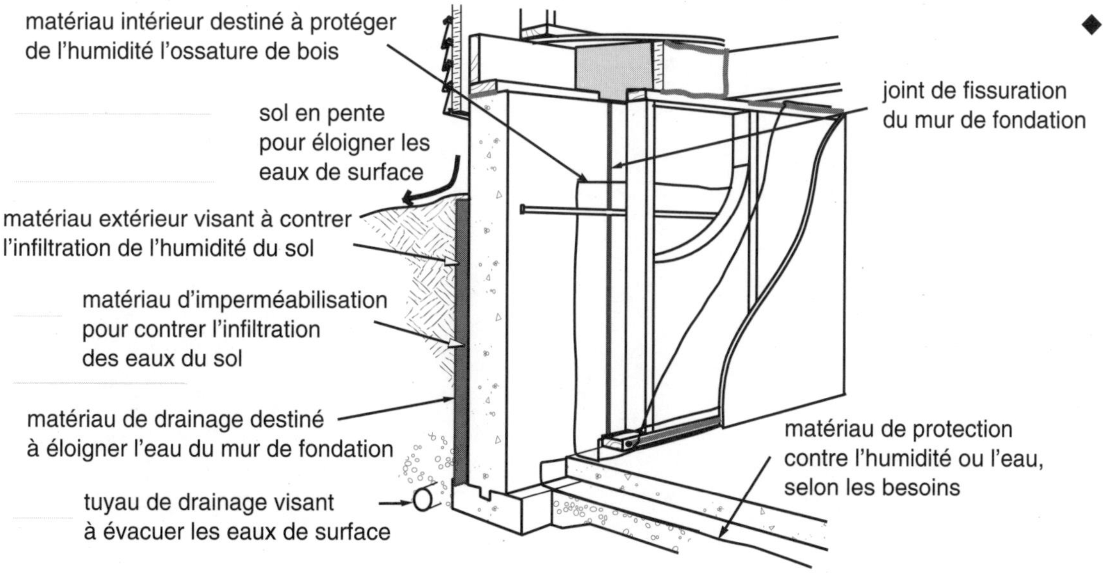

FIGURE 12
ÉLIMINATION DE L'HUMIDITÉ

Cause

Équipement mécanique mal entretenu

Les humidificateurs, déshumidificateurs, climatiseurs et ventilateurs récupérateurs de chaleur peuvent être propices au développement de moisissure.

Solutions

- Sensibiliser les occupants à la nécessité de bien nettoyer et d'entretenir périodiquement tout appareil contenant de l'eau.

PROBLÈME
CONDENSATION EXCESSIVE SUR LES FENÊTRES

L'humidité se condense lorsque l'air chaud de la maison vient en contact avec des surfaces froides. La surface de verre intérieure froide combinée à un taux d'humidité élevé donne lieu à de la condensation. La température de la face intérieure du verre est fonction des propriétés thermiques de la fenêtre et du mouvement d'air chaud qui circule sur le verre. La condensation risque d'endommager les revêtements intérieurs de finition et de favoriser l'apparition de moisissure.

CAUSE

Surfaces froides et taux d'humidité élevé

SOLUTIONS

- ◆ Poser des fenêtres à performance thermique améliorée (vitrage à faible émissivité, rempli de gaz, ou avec intercalaire isolant).
- ◆ Poser des fenêtres aussi étanches que possible.
- ◆ Isoler et étanchéifier les espaces entre les cales.

CAUSE

Circulation insuffisante d'air sec chaud vis-à-vis des fenêtres et aux angles

SOLUTIONS

- ◆ Assurer un approvisionnement en air à un volume et une vélocité appropriés.
- ◆ Diriger les registres d'air chaud vers les zones présentant des risques de condensation.
- ◆ Laisser au moins 10 mm (3/8 po) entre la porte et le revêtement de sol de façon à favoriser la circulation de l'air ou prévoir un conduit d'air de reprise.
- ◆ Monter les fenêtres plus près de la face intérieure des murs.
- ◆ Indiquer aux propriétaires d'éviter de régler les thermostats programmables à des écarts excessifs.
- ◆ Enlever les stores ajustés à l'intérieur des dormants des fenêtres.
- ◆ Pendre les tentures de manière à favoriser la circulation d'air entre le mur et la fenêtre.

Section 5.2 Installation de ventilation d'extraction et air de compensation

INTRODUCTION

Retirer les contaminants de l'intérieur du bâtiment est la meilleure stratégie à adopter après l'élimination à la source dans le souci d'améliorer la qualité de l'air. La ventilation d'extraction vise à acheminer l'air ambiant de la maison directement à l'extérieur. Elle fait appel à un ventilateur, à un réseau de conduits reliés entre eux et à une bouche d'évacuation.

L'installation de ventilation d'extraction a pour but :

- d'éliminer à la source les contaminants de l'air; et
- de contrôler l'humidité.

Les ventilateurs d'extraction d'une maison se trouvent généralement dans la salle de bains et la cuisine. Même s'ils sont conçus pour retirer avec efficacité humidité et odeurs, bien trop souvent des défauts d'installation ou de fonctionnement les empêchent de donner la performance attendue. Des études sur le terrain indiquent qu'une seule hotte de cuisinière sur 20 installations vérifiées extrayait une quantité d'air conforme à sa capacité nominale. La plupart fonctionnaient à 15 à 50 p. 100 de leur capacité nominale. Aucun des 26 appareils d'extraction de salle de bains testés n'enregistrait un débit d'air correspondant à la capacité nominale établie par le fabricant, alors que la majorité fonctionnaient à entre 20 et 60 p. 100 de leur capacité nominale.

Voici les problèmes les plus courants des installations résidentielles de ventilation d'extraction :

- insuffisance du mouvement d'air et de la capacité d'extraction suscités par les ventilateurs et le réseau de conduits;
- manque de commandes suffisantes pour autoriser le fonctionnement efficace de l'installation de ventilation d'extraction;
- les occupants ne sont pas disposés à faire fonctionner le ventilateur d'extraction en raison du bruit ou de l'inconfort dû à la sensation de courants d'air;
- refoulements et courants d'air résultant d'une pression négative suscitée par la capacité trop puissante des ventilateurs d'extraction.

5.2.1 DÉBIT D'AIR INSUFFISANT

PROBLÈME

DÉBIT D'AIR INSUFFISANT

CAUSE

Capacité insuffisante du ventilateur d'extraction

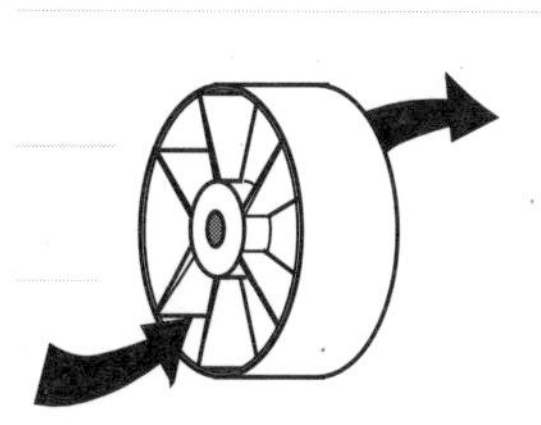

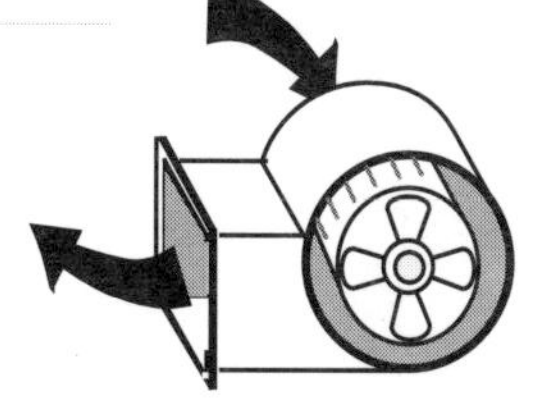

FIGURE 13
TYPES DE VENTILATEURS

De nombreux ventilateurs d'extraction pour bâtiments résidentiels n'ont pas la puissance suffisante pour aspirer à l'extérieur la quantité d'air voulue. Deux types de ventilateurs s'utilisent couramment pour les hottes de cuisinière et les salles de bains : le ventilateur axial (ou hélicoïdal) et le ventilateur centrifuge (cage à écureuil) (voir figure 13).

Le ventilateur centrifuge coûte certes plus cher à cause de la complexité de sa roue à aubes, mais affiche une efficacité supérieure, c'est-à-dire qu'il suscite un plus grand mouvement d'air à une pression élevée.

SOLUTIONS

- Établir la capacité totale de ventilation de la maison en fonction des exigences minimales indiquées au tableau 1.
- Installer un ventilateur d'extraction principal (ou un groupe de ventilateurs commandés simultanément) d'une capacité nominale tout au moins égale à 50 p. 100 de la capacité de ventilation totale prévue au tableau 1.
- Lorsque la salle de bains et la cuisine ne sont pas desservies par le ventilateur d'extraction principal, le ventilateur de la salle de bains doit avoir un débit d'extraction minimal de 25 L/s (50 pi³/min) et la hotte de cuisinière une capacité nominale minimale de 50 L/s (100 pi³/min).
- Choisir les ventilateurs d'extraction en fonction de leur capacité et de leur niveau de bruit établis conformément à la norme CSA C260, «Rating the Performance of Residential Mechanical Ventilating Equipment».
- Les figures 14 et 15 de la page suivante reproduisent des exemples de configurations d'installations de ventilation.

Pièce	Capacité L/s (pi³/min)
Chambre principale	10 (20)
Autres chambres	5 (10)
Séjour	5 (10)
Salle à manger	5 (10)
Salle familiale	5 (10)
Salle de jeux	5 (10)
Sous-sol	10 (20)
Autres pièces aménagées	5 (10)
Cuisine	5 (10)
Salle de bains ou de toilettes	5 (10)
Buanderie	5 (10)
Pièce de service	5 (10)

Tableau 1
Capacité de ventilation minimale

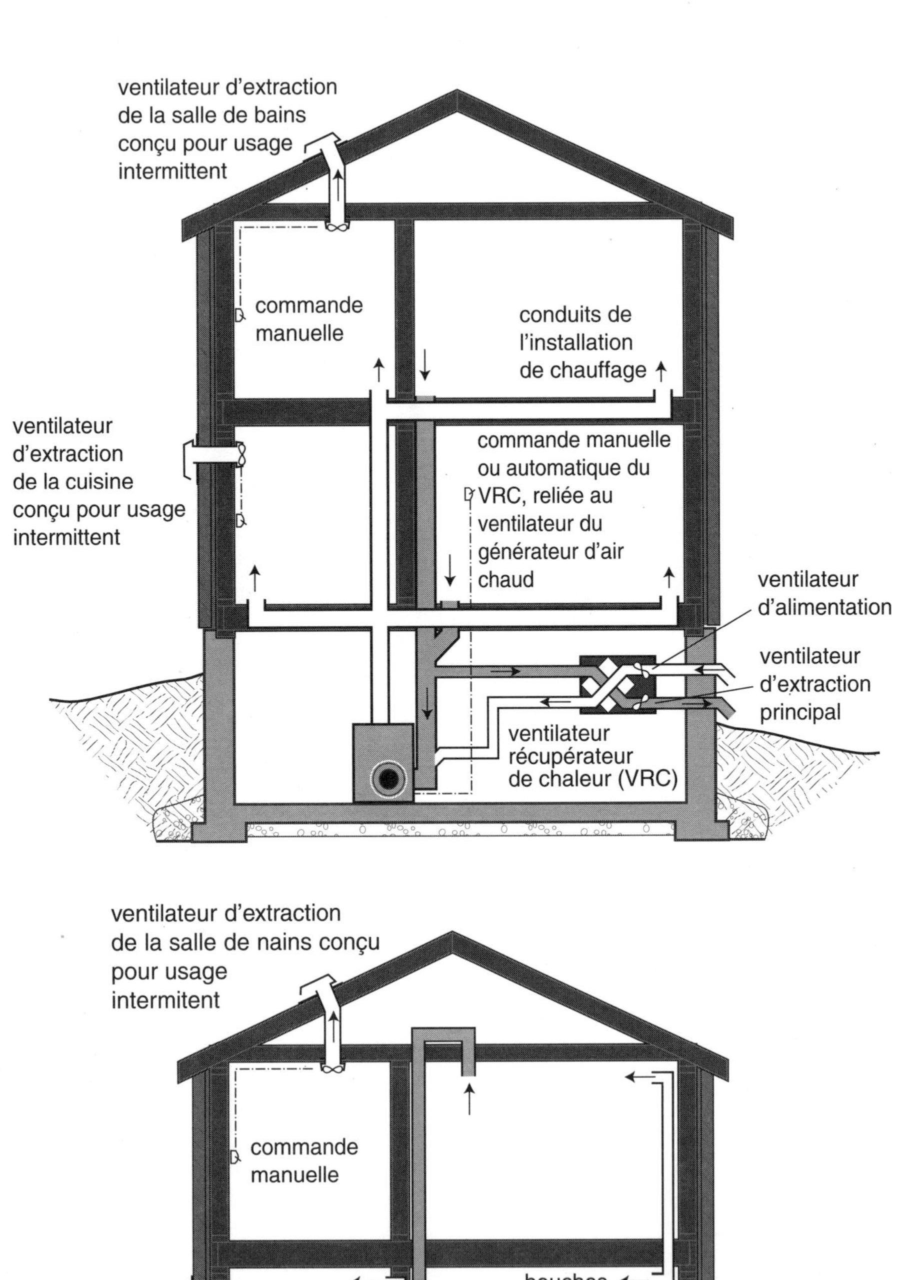

Figure 14
Installation de ventilation jumelée à une installation de chauffage à air pulsé

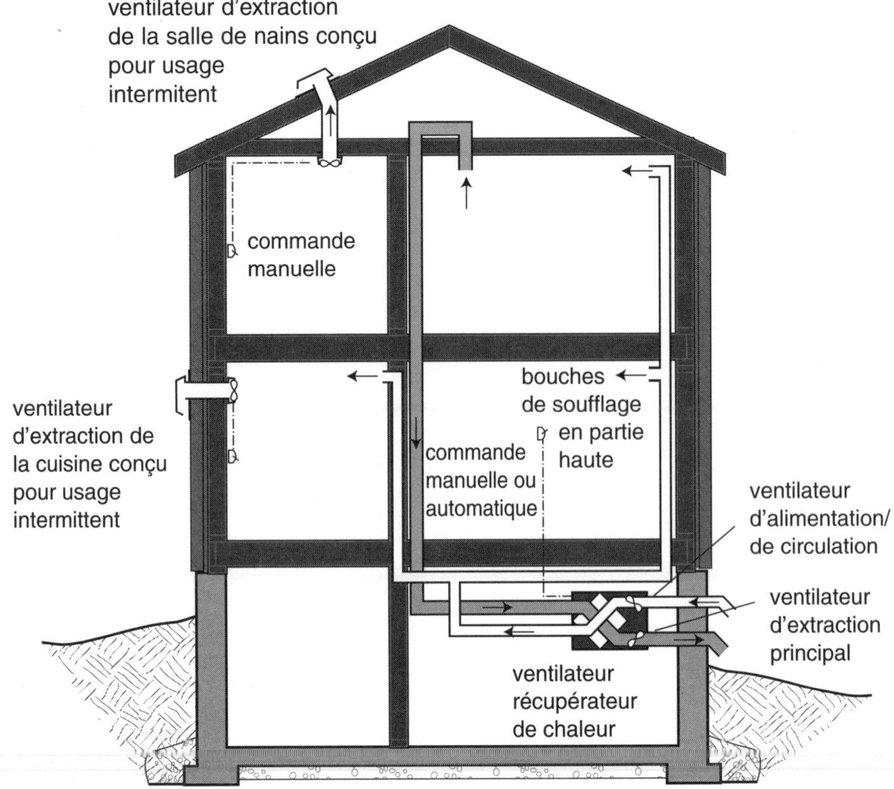

Figure 15
Installation de ventilation non jumelée à une installation de chauffage à air pulsé

PROBLÈME
DÉBIT D'AIR INSUFFISANT

CAUSE

Résistance excessive au débit d'air dans les conduits du ventilateur d'extraction

La résistance au débit d'air dans un réseau de conduits mal installé réduit la capacité du ventilateur d'extraction.

SOLUTIONS

- Utiliser des conduits en tôle lisse de fort diamètre. Éviter le plus possible les conduits flexibles.
- Réduire le plus possible le nombre de coudes dans le réseau de conduits. Plus le parcours des conduits est droit, plus le débit d'air est élevé.
- Bien dimensionner la bouche d'évacuation de la hotte.

CAUSE

Ventilateur d'extraction et prise d'air d'extraction mal situés

Le ventilateur d'extraction et la prise d'air d'extraction qui ne sont pas situés dans des zones à forte production de contaminants ou de polluants risquent de ne pas assurer une élimination à la source suffisante.

SOLUTIONS

- Le ventilateur d'extraction et la prise d'air de la cuisine (à l'exception de la hotte de cuisinière ou de la cuisinière à gril) doivent se trouver à moins de 300 mm (12 po) du plafond.

Éviter de placer la hotte à plus de 750 mm (30 po) au-dessus de la cuisinière. Une étude récente indique que la hotte située à 450 mm (18 po) capte le mieux les vapeurs de cuisson sans compromettre l'accès au dessus de la cuisinière (voir figure 16).

- Le ventilateur d'extraction et la bouche d'évacuation de la salle de bains doivent se trouver près du plafond de façon à éliminer les fortes concentrations d'humidité.
- Les bouches d'extraction qui ne sont pas situées dans des chambres doivent être en mesure d'assurer un débit d'air depuis les chambres. Laisser du jeu au bas des portes ou poser un panneau à ailettes pour favoriser une circulation d'air suffisante.

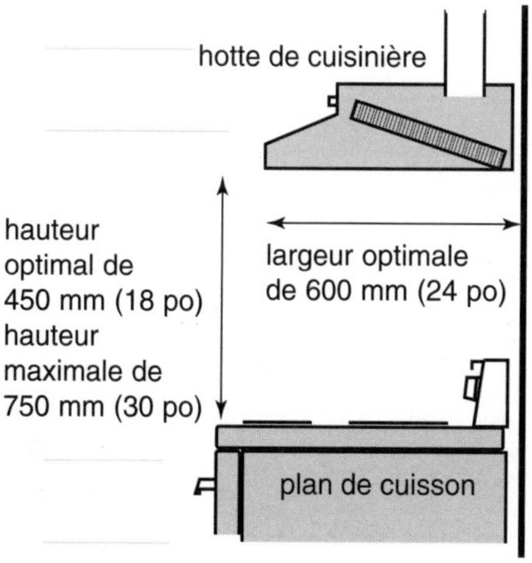

FIGURE 16
DISPOSITION OPTIMALE D'UNE HOTTE DE CUISINIÈRE

PROBLÈME
Débit d'air insuffisant

Cause

Manque d'entretien de l'installation de ventilation d'extraction

Les filtres colmatés ou les conduits obstrués réduisent l'efficacité des ventilateurs d'extraction.

Solutions

- Sensibiliser les occupants à l'importance de bien entretenir les filtres et les grilles des ventilateurs d'extraction.
- S'assurer de rendre accessibles les filtres à graisse des ventilateurs d'extraction de la cuisine ou les bouches d'extraction et d'indiquer aux occupants la nécessité de les nettoyer périodiquement.
- Dans une cuisine, les conduits d'extraction dont la bouche d'extraction n'est pas munie d'un filtre doivent être conçus et installés de manière que toutes leurs parties puissent être nettoyées.
- Faire en sorte que les occupants saisissent l'importance de nettoyer périodiquement les filtres des ventilateurs récupérateurs de chaleur (VRC) et les filtres à charpie des sécheuses.

PROBLÈME
DÉBIT D'AIR INSUFFISANT AUX PÉRIODES DE POINTE

CAUSE

Commande mal conçue ou mal installée

SOLUTIONS

- Installer un système automatique commandé selon le degré d'humidité intérieure. En fonctionnement continu, le ventilateur d'extraction principal doit être capable d'assurer au moins 50 p. 100 de la capacité de ventilation totale. Les ventilateurs d'extraction doivent pouvoir fonctionner automatiquement à des débits supérieurs.
- Sensibiliser les occupants à l'importance de bien régler les déshumidistats de façon à éviter de forts taux d'humidité et de contaminants dans la maison.

5.2.2 FONCTIONNEMENT DES VENTILATEURS D'EXTRACTION

PROBLÈME

RÉTICENCE DES PROPRIÉTAIRES À FAIRE FONCTIONNER LES VENTILATEURS D'EXTRACTION

CAUSE

Les occupants n'utilisent pas la hotte de cuisinière et les ventilateurs de salles de bains en raison de leur fonctionnement trop bruyant.

SOLUTIONS

- Le CNB requiert de choisir les ventilateurs et les hottes de cuisinière en fonction de leur capacité nominale et de leur indice de bruit déterminés conformément à la norme CSA C260, «Rating the Performance of Residential Mechanical Ventilating Equipment». Les ventilateurs d'extraction principaux et les ventilateurs de salle de bains ne doivent pas avoir un indice de bruit supérieur à 2,0 sones. Par ailleurs, l'indice de bruit des ventilateurs de cuisine ne doit pas être supérieur à 3,5 sones.
- Vérifier l'installation du ventilateur de circulation du générateur d'air chaud de manière à réduire la transmission des vibrations.
- Installer le ventilateur principal sur des supports antivibratiles dans un endroit éloigné au sous-sol. Envisager d'utiliser des ventilateurs en série.
- Les ventilateurs doivent être fixés par des raccords antivibratiles pour éviter que les vibrations se transmettent par les conduits.

CAUSE

Les propriétaires ont l'impression que le fonctionnement des ventilateurs d'extraction fait augmenter les coûts d'énergie

SOLUTIONS

- Installer un ventilateur récupérateur de chaleur (VRC). Cet appareil permet de récupérer de 60 à 90 p. 100 de la chaleur de l'air évacué pour réchauffer l'air frais admis.
- Informer les occupants des avantages salutaires découlant du fonctionnement approprié des appareils d'extraction d'air.

Cause

L'installation de ventilation déplace un volume d'air trop important, occasionnant la sécheresse excessive de l'air et un faible taux d'humidité.

Solutions

- ◆ S'assurer de ne pas régler le déhumidistat trop bas, ce qui signifie que le fonctionnement à haute vitesse du ventilateur d'extraction principal est rarement nécessaire. Régler le taux d'humidité relative entre 30 et 45 p. 100.
- ◆ En cas d'utilisation d'un ventilateur récupérateur de chaleur, s'assurer que le taux de ventilation continue est conforme aux indications du fabricant. Réduire le débit d'air continu, selon les besoins.
- ◆ Assurer l'équilibre de l'admission et de l'évacuation de l'air à une différence d'au plus 10 p. 100.

Cause

L'humidificateur ne fonctionne pas

Il peut arriver que l'air ambiant devienne trop sec, même lorsque la ventilation de la maison est assurée aux taux proposés.

Solutions

- ◆ S'assurer que l'humidificateur du générateur d'air chaud fonctionne bien et uniquement lorsque l'humidité relative atteint un degré trop bas. Envisager d'autres mesures pour augmenter le taux d'humidité.

PROBLÈME

Refoulement des gaz d'appareils à combustible

Cause

La maison est soumise à une importante pression négative (par exemple, à une dépressurisation de plus de 5 Pa [0,000725 lb/po^2] de dépressurisation).

Solutions

- Dans les maisons équipées d'appareils à combustible reliés à une cheminée, le CNB requiert que, lorsque tout dispositif d'extraction (ou ensemble de dispositifs d'extraction à commande commune) a une capacité de ventilation nette de plus de 75 L/s (150 pi^3/min), il faut admettre de l'air de compensation en vue de parer à tout risque de dépressurisation. Le ventilateur d'alimentation en air de compensation doit être câblé de manière à se déclencher dès la mise en marche des dispositifs d'extraction.
- L'air de compensation doit être introduit dans une aire normalement inoccupée de la maison ou être réchauffé jusqu'à au moins 12 °C (50 °F) avant d'être introduit dans les aires occupées ou dans le réseau de conduits de distribution.
- Vérifier d'alimenter en air comburant de l'extérieur, en conformité avec le CNB, chacun des appareils à combustion.

PROBLÈME

SENSATION D'INCONFORT CAUSÉE PAR LES COURANTS D'AIR ET L'ADMISSION D'AIR FROID

CAUSE

La maison est soumise à une pression négative, si bien que des courants d'air s'introduisent par les conduits et les interstices de l'enveloppe du bâtiment.

SOLUTIONS

- Réchauffer l'air de compensation admis dans la maison. Le ventilateur récupérateur de chaleur constitue, à l'heure actuelle, un moyen de réchauffer l'air de ventilation. Une autre technique fait appel à un ventilateur approuvé par la CSA et à un réchauffeur de conduit relié au ventilateur d'extraction le plus puissant de la maison. La capacité de sortie minimale du réchauffeur de conduit ou du serpentin de chauffage requis par le CNB se détermine en fonction des indications du tableau 2.

Capacité minimale du ventilateur d'extraction principal, L/s (pi³/min) selon le paragraphe 9.32.3.4. 1)	Capacité de sortie minimale, kW				
	Température extérieure de calcul hivernale, selon l'article 2.2.1.1., °C (°F)				
	-15 (5) ou supérieure	-16 à -20 (3 à -4)	-21 à -25 (-6 à -13)	-26 à -30 (-15 à -22)	-31 (-24) ou inférieure
20 (40)	0,6	0,8	0,9	1	1,1
25 (50)	0,8	1	1,1	1,3	1,4
30 (60)	1,0	1,2	1,3	1,5	1,7
35 (70)	1,1	1,3	1,6	1,8	2
40 (80)	1,3	1,5	1,8	2	2,3
>40 (80)	Le calcul doit être conforme à la sous-section 9.33.4. (CNB)				

Tableau 2
Capacité minimale de sortie d'un réchauffeur de conduit

- Placer les diffuseurs d'air d'alimentation à au plus 300 mm (12 po) du plafond de façon à mieux répartir l'air plus frais au niveau du plafond.

Section 5.3 Sensibilisation des occupants à la qualité de l'air intérieur

Les propriétaires profiteront des efforts que vous avez déployés en vue d'améliorer la qualité de l'air seulement s'ils savent comment faire fonctionner et entretenir leur installation de ventilation et les appareils à combustion. Le rôle du constructeur est de leur indiquer la raison d'être de chaque appareil et la meilleure façon de s'en servir et de l'entretenir. En s'acquittant bien de cette tâche, le constructeur y gagne en crédibilité tout en en transférant la responsabilité aux propriétaires. Remettre aux occupants un guide d'entretien. Un niveau élevé de satisfaction et de confiance de la part du client contribue à mousser les ventes par voie de bouche à oreille. La sensibilisation a également comme avantage accru de réduire les problèmes. Traiter les points suivants :

Installation de ventilation

- Décrire le système de ventilation et son fonctionnement :
  - ventilation ponctuelle
  - débit de ventilation continu
  - emplacement des prises et bouches d'alimentation et d'extraction
  - emplacement et fonctionnement des commandes des appareils de ventilation.
- Conscientiser le propriétaire de la nécessité de :
  - faire fonctionner le système de ventilation pour régulariser le niveau d'humidité dans la maison, réduire la condensation sur les fenêtres et les risques de problèmes d'humidité;
  - nettoyer et remplacer les filtres régulièrement (fournir des filtres supplémentaires et une liste des fournisseurs); et
  - inspecter les ventilateurs du générateur d'air chaud et du VRC et s'en tenir à l'entretien annuel recommandé par le fabricant.
- Montrer au propriétaire le système d'admission et de réchauffage de l'air de compensation, en plus de lui expliquer que l'air de compensation vise à empêcher que la maison soit soumise à une pression négative et au refoulement des gaz des appareils à combustion.
- Indiquer au propriétaire où se trouvent les filtres du VRC, en plus de lui montrer comment les enlever et les nettoyer, de l'informer de la nécessité de nettoyer les filtres du VRC pour maintenir les taux de mouvement d'air et préserver l'équilibre des débits.
- Expliquer que la surventilation risque d'assécher l'air de la maison et d'élever la consommation de combustible. Recommander de régler le déshumidistat à entre 30 et 45 p. 100 HR. Par temps très froid en hiver, régler le déshumidistat en deçà de 30 p. 100 pour éviter la formation de condensation et de givre sur les fenêtres.

- Conseiller au propriétaire de ne pas toucher au registre d'équilibrage.
- Décrire les avantages particuliers que procure l'installation de ventilation dans la maison.

Installation de chauffage

- Décrire le type d'installation de chauffage utilisé dans la maison et motiver ce choix.
- En cas de recours à un appareil au gaz naturel à chambre de combustion étanche ou à tirage induit, décrire les avantages du fonctionnement à haute efficacité et de la sécurité de la combustion.
- Expliquer les besoins d'entretien annuel.

Appareils au bois

- Démontrer le fonctionnement sécuritaire des appareils de chauffage au bois et expliquer les avantages de s'en servir de façon appropriée (bois sec, combustion contrôlée, etc.).
- Expliquer l'importance de tenir les portes de verre fermées lorsque le foyer est laissé sans surveillance, ou la nuit.
- Selon le cas, expliquer la raison d'être et le fonctionnement des détecteurs de monoxyde de carbone.

Foyers au gaz

- Expliquer le fonctionnement général d'un foyer au gaz.
- Décrire les avantages d'un foyer à chambre à combustion étanche :
  - efficacité supérieure;
  - élimination des émanations de gaz de combustion.
- Décrire les avantages d'un foyer équipé d'une prise extérieure d'air comburant :
  - efficacité supérieure en raison de la combustion d'air extérieur;
  - commutateur d'émanations (montrer aux propriétaires comment le réenclencher).

Certains constructeurs font signer aux propriétaires un document indiquant qu'ils ont été informés de l'importance de faire fonctionner en toute sécurité et de bien entretenir les installations de chauffage et de ventilation et qu'ils en saisissent toute la portée.

Section 5.4 Vérification des polluants de l'air intérieur

Les essais peuvent être très compliqués et coûteux. L'observation, le bon sens et l'expérience sont souvent meilleurs guides. Les essais ont des limites et, à moins d'être étendus, ils n'indiquent pas généralement la provenance des polluants. Cependant, les essais peuvent être utiles pour les raisons suivantes :

- évaluer si la concentration de certains des polluants les plus répandus est inquiétante;
- déterminer l'ampleur du problème et la justification d'engager des dépenses importantes pour améliorer la qualité de l'air intérieur;
- rassurer les propriétaires quant à la qualité de l'air de leur maison;
- vérifier la véritable efficacité des mesures en matière de qualité de l'air intérieur prises par le constructeur.

Un large éventail de méthodes sont adoptées pour les besoins des essais de qualité de l'air intérieur. La plupart se rangent en trois catégories fondamentales :

Essai fondé sur la moyenne temporelle. Cette méthode consiste à prendre une série de mesures continues et à établir la moyenne des résultats. On obtient ainsi la concentration moyenne d'un polluant. L'essai type fondé sur la moyenne temporelle suppose l'utilisation de détecteurs de trace pour le radon et de détecteurs de formaldéhyde.

Essai ponctuel. Cet essai est valable pour établir le niveau de crête des polluants. Il s'effectue normalement lorsque la maison produit le maximum de polluants, c'est-à-dire lorsque le système de ventilation ne fonctionne pas et que l'humidité et la température de l'air sont élevées.

Contrôle continu. Selon cette méthode, un dispositif d'enregistrement simple à bande, comme un hygrothermographe (appareil servant à mesurer la température et l'humidité) peut s'utiliser pour contrôler les niveaux pendant une certaine période.

En cas de rappels touchant la qualité de l'air intérieur, des personnes ayant suivi un cours reconnu (p. ex. : cours d'investigateur de la qualité de l'air intérieur de la SCHL) peuvent être appelées à cerner les problèmes. Pour obtenir la liste de ces personnes, s'adresser aux bureaux de la SCHL.

Section 5.5 Autres lectures

SOURCE	PUBLICATION
Société canadienne d'hypothèques et de logement Centre canadien de documentation sur l'habitation 700, chemin de Montréal Ottawa ON K1A 0P7 613 748-2367	*Une maison plus saine (vidéo)*, 1995 *Comment se conformer aux exigences de ventilation des bâtiments résidentiels du Code national du bâtiment de 1995*, 1995 *Matériaux de construction pour les personnes hypersensibles à l'environnement*, 1994 *Guide d'assainissement de l'air*, 1993 *Élimination de la moisissure dans les maisons*, 1991 *Le logement des personnes hypersensibles à l'environnement*, 1990
Régime de garanties des logements neufs de l'Ontario 5160, rue Yonge, 6e étage North York ON M2N 6L9 416 229-9200	Complying with Ventilation Requirements of the 1993 OBC, 1993 Your New Home's Ventilation System, 1994

ANNEXE A SOURCES D'INFORMATION

- Santé Canada
- Recherchistes au Bureau national de la SCHL à Ottawa
- Centre canadien d'hygiène et de sécurité au travail
- Association pulmonaire du Canada

Lignes directrices de Santé Canada

Santé Canada a mis au point, en collaboration avec les provinces, des directives d'exposition concernant la qualité de l'air des résidences. Ces directives visent à la fois les plages d'exposition acceptable à court terme (ASTER) et les plages d'exposition acceptable à long terme (ALTER). Les directives ASTER concernent une période prescrite, s'échelonnant généralement de une à 24 heures, alors que les directives ALTER jugent sécuritaire une exposition continue tout au long de la vie. Se reporter au tableau 3 pour prendre connaissance des directives ALTER et ASTER touchant les polluants courants de l'air intérieur.

Polluant	Exposition acceptable à long terme (ALTER)	Exposition acceptable à court terme (ASTER)
Formaldéhyde*	0,05 ppm (partie par million)	Moins de 0,1 ppm (partie par million)
Dioxyde de carbone	3 500 ppm	Moins de 7 000 ppm
Monoxyde de carbone	Aucune	Moins de 11 ppm sur une moyenne de huit heures Moins de 25 ppm sur une moyenne d'une heure
Dioxyde d'azote	Moins de 0,052 ppm	Moins de 0,25 ppm sur une moyenne d'une heure
Humidité (vapeur d'eau)	30 à 80 % d'humidité relative en été 30 à 45 % d'humidité relative en hiver	100 %
Dioxyde de soufre	Moins de 0,019 ppm	Moins de 0,38 ppm sur une période de cinq minutes

* Pour le formaldéhyde, les directives prescrivent un niveau cible à long terme plutôt qu'un niveau ALTER et un niveau d'intervention à court terme plutôt qu'un niveau ASTER.

Tableau 3
Directives de Santé et Bien-être concernant l'exposition aux polluants de l'air des résidences

ANNEXE B POLLUANTS

Polluant	Provenance dans la maison	Effets sur la santé	Méthodes d'élimination
Formaldéhyde Gaz incolore dégageant une forte odeur	Divers matériaux de construction, dont les panneaux de particules, les panneaux intérieurs et les tentures	Irritation des yeux, du nez et de la gorge	Remplacer les panneaux de particules par des panneaux à copeaux orientés (OSB) et des panneaux de contreplaqué pour usage extérieur. Revêtir les panneaux de particules d'un bouche-pores peu toxique, et peindre ou vernir les armoires et garde-robes ou placards ainsi que le support de revêtement de sol. Augmenter la ventilation.
Radon Gaz inodore, incolore, mais radioactif	Sol au-dessous et autour des fondations de la maison	Soupçonné d'être la cause de 5 à 10 % de tous les cas de cancer des poumons	Obturer l'avaloir de sol, le puisard, de même que les fissures, les joints et les points de pénétration des murs et de la dalle du sous-sol. Ventiler le vide sanitaire et sceller les joints et points de pénétration du support de revêtement de sol. Dépressuriser le lit de gravier sous la dalle ou isoler le sous-sol du reste de la maison et le pressuriser en acheminant de l'air en provenance des étages supérieurs.
Monoxyde de carbone Gaz incolore, inodore	Appareils de chauffage au kérosène, appareils de chauffage au bois, appareils au gaz non ventilés, garages attenants, cheminées obstruées et générateur d'air chaud fonctionnant mal	Nausées, maux de tête et ongles bleus. Un empoisonnement grave peut causer des dommages au cerveau et au fœtus et peut même s'avérer mortel	Alimenter en air comburant extérieur le foyer et tous les appareils au bois. Pourvoir le foyer ou le poêle à bois de portes étanches. Ventiler la cuisinière à gaz directement à l'extérieur. Prévoir une prise d'air de compensation réchauffé d'un diamètre suffisant pour les ventilateurs d'extraction. Utiliser un chauffe-eau et un générateur d'air chaud à chambre de combustion étanche ou à tirage induit.

Polluant	Provenance dans la maison	Effets sur la santé	Méthodes d'élimination
Dioxyde d'azote Odorant quand il est présent en grande quantité	Appareils de chauffage au kérosène et appareils à gaz non ventilés	Dommage aux poumons et risque supérieur de maladie pulmonaire après une longue exposition	Comme ci-dessus.
Particules en suspension inhalables Particules en suspension dans l'air pouvant être inhalées	Fumée de tabac, fumée de bois, appareils à gaz non ventilés, appareils de chauffage au kérosène, matériaux de construction en amiante, poussière	Irritation des yeux, du nez et de la gorge, cancer des poumons, emphysème, maladies cardiaques, bronchites, infections respiratoires	Éviter de fumer à l'intérieur. S'assurer de l'étanchéité de l'appareil au bois et de la cheminée. Ventiler les appareils à combustion vers l'extérieur. Alimenter en air comburant extérieur tout appareil de chauffage au bois. Pourvoir le foyer ou le poêle à bois de portes étanches. Augmenter la ventilation. Utiliser des filtres en tissu plissé d'efficacité moyenne ou des filtres HEPA pour le générateur d'air chaud et les remplacer régulièrement.
Humidité Humidité élevée	Infiltration d'eau du sol par les fondations. Nettoyage, bain, lavage et respiration	Cause la croissance de micro-organismes et augmente le dégagement de formaldéhyde.	Étendre un lit de drainage en pierre concassée sous les fondations et assurer le drainage au pourtour des fondations. Assurer l'étanchéité sous les fondations en mettant en place une membrane hydrofuge en polyéthylène. Assurer une ventilation suffisante. Ventiler la sécheuse directement à l'extérieur.
Solvants organiques	Produits de nettoyage ménagers, solvants des peintures et produits de calfeutrage	Irritation des yeux, du nez et de la gorge. Peut affecter le système nerveux central	Utiliser des matériaux à base de solvants dans les endroits bien ventilés. Remplacer les produits à base de solvants par des peintures et mastics de calfeutrage à base d'eau.

Tableau 4
Résumé des polluants courants de l'air intérieur, de leurs effets sur la santé, de leurs sources et de certaines méthodes d'élimination.

CHAPITRE 6 ISOLEMENT ACOUSTIQUE

Introduction

Le bruit, qu'il provienne de l'intérieur ou de l'extérieur, est une nuisance dans toute maison. Il perturbe la vie privée et fait perdre de la valeur au bâtiment lui-même. Les sons indésirables peuvent avoir différentes provenances, notamment la plomberie ou la chaîne stéréophonique des voisins.

Les matériaux utilisés dans la construction contribuent à atténuer le bruit de deux façons distinctes : ils absorbent les ondes sonores ou les réfléchissent en s'opposant à leur transmission. Des matériaux insonorisants, comme les tapis ou la moquette et les carreaux de plafond acoustiques, atténuent efficacement le bruit produit dans une pièce. Pour réduire la transmission du son entre des pièces ou des étages, rien de mieux que de combler de matériaux insonorisants les cavités des murs ou des planchers. Les isolants thermiques d'usage courant (fibre de cellulose, fibre minérale et certaines mousses à cellules ouvertes) constituent d'excellents matériaux insonorisants pour les cavités, contrairement aux mousses à cellules fermées comme le polystyrène et le polyuréthane.

Les plaques de plâtre, le contreplaqué, le béton et le verre constituent d'excellents écrans antibruit.

Le décibel est l'unité de mesure normalisée du son. L'indice de transmission du son (ITS) indique, en décibels, l'atténuation moyenne des sons traversant un mur ou un plancher. Plus l'ITS est élevé, plus l'atténuation est importante. Par exemple, le mur assorti d'un ITS de 60 laisse passer 10 fois moins de sons que le mur ayant un ITS de 50. L'oreille percevrait que le mur ne laisse passer que la moitié du son; c'est donc dire que le mur ayant un ITS de 60 est perçu comme deux fois meilleur que le mur avec un ITS de 50.

Les planchers reçoivent un indice semblable qualifié d'indice d'isolement aux bruits d'impact (IIC).

Le *Code national du bâtiment* requiert que les murs et planchers courants aient un ITS d'au moins 50. Les constructeurs doivent viser un ITS de 55 par souci d'isolement acoustique. Lorsqu'il est nécessaire d'assurer un isolement acoustique exceptionnell, l'ITS de 60 ou plus constitue un objectif valable. Le tableau 1 indique les ITS et IIC requis, de même que des valeurs minimales proposées.

Élément structural	ITS requis par le CNB	ITS minimale proposé	IIC minimal proposé
Planchers et murs mitoyens	50	55	—
Planchers mitoyens sans revêtement de sol	50	55	55
Planchers mitoyens avec tapis	50	55	65
Cages d'ascenseurs	55	60	—

Tableau 1
ITS et IIC requis et valeurs minimales proposées des éléments structuraux par souci de satisfaction des occupants

Le présent guide constitue une introduction à l'isolement acoustique. Il porte principalement sur les ensembles de construction courants légers ou poreux — ossature de bois ou d'acier ou blocs de béton — puisque ces derniers peuvent facilement assurer un excellent isolement acoustique que peuvent cependant compromettre de légères omissions ou erreurs. Le lecteur intéressé trouvera des renseignements supplémentaires dans les autres publications de la SCHL présentées à la fin du présent chapitre.

6.1 Murs, planchers et plafonds

PROBLÈME

BRUIT PROVENANT D'UN APPARTEMENT VOISIN

CAUSE

Construction fautive du mur mitoyen

SOLUTIONS

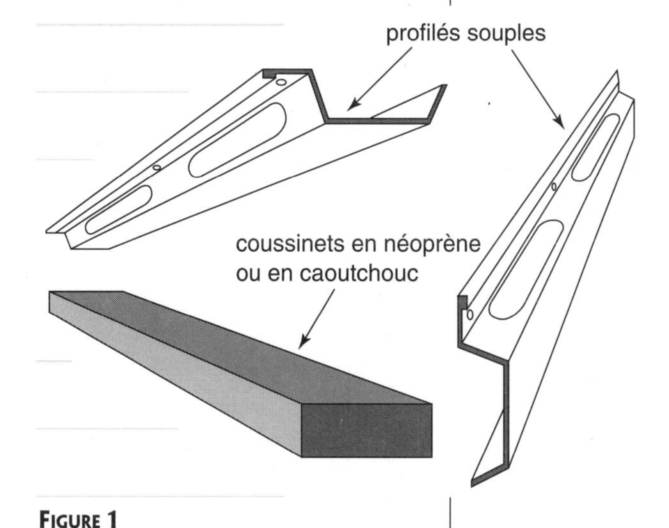

FIGURE 1
RACCORDS SOUPLES

- Construire le mur comme en deux couches ou plus distinctes. Plus les couches seront lourdes, plus l'atténuation du bruit sera importante. Des matériaux très denses, comme l'acier ou le plomb, s'avèrent lourds tout en ayant une épaisseur minimale. N'employer ces matériaux inhabituels dans un mur que lorsque la barrière acoustique doit demeurer mince.
- Réduire la transmission entre les épaisseurs en évitant de les fixer rigidement ou en procédant à des raccords souples. Recourir aux lames d'air, aux profilés métalliques souples, au caoutchouc, aux ressorts en acier ou aux matelas amortisseurs pour atténuer la transmission des vibrations d'un côté ou d'une couche du mur ou du plancher à l'autre (voir figure 1).
- Construire la cavité aussi profonde que possible, car une mince lame d'air risque de transmettre trop de vibrations d'une couche à l'autre.
- Réduire les infiltrations par les prises électriques disposées dos à dos en les décalant d'au moins 400 mm (16 po) et veiller à combler l'espace derrière d'isolant fibreux de façon que les infiltrations n'atteignent pas la lame d'air. Les boîtes électriques scellées avec pare-vapeur étanche à l'air conçues pour les murs extérieurs sont idéales pour les murs antibruit.
- Faire appel à un consultant en acoustique pour vérifier l'ITS et obtenir son avis.

PROBLÈME

BRUIT DE LA CUISINE, DE LA SALLE DE BAINS ET D'APPAREILS DE DIVERTISSEMENT CLAIREMENT AUDIBLE DANS LES PIÈCES DE DÉTENTE D'UN APPARTEMENT MITOYEN

CAUSE

Agencement laissant à désirer : les pièces bruyantes d'un appartement sont situées près des pièces de repos de l'appartement voisin.

SOLUTIONS

- Mettre en place des coussins de caoutchouc ou de feutre pour atténuer le bruit d'impact des portes et tiroirs des armoires de cuisine.
- Vérifier la présence d'infiltrations ou de voies de transmission indirecte évidentes. La «transmission indirecte» désigne la transmission du bruit autour d'un écran antibruit : le son se propage par des matériaux structuraux ou des cavités qui contournent l'écran destiné à séparer les pièces ou les aires. Ces autres voies indirectes ont pour effet d'accentuer la transmission du son dans les bâtiments, même s'ils ont été bien conçus et bien réalisés. Par exemple, prolonger le support de revêtement de sol en contreplaqué sous un coûteux mur mitoyen à double ossature peut faire passer la cote de l'écran de remarquable à inacceptable.
- Demander au concepteur d'agencer les appartements de sorte que les pièces avec des niveaux de bruit semblables se trouvent de part et d'autre du mur mitoyen.

PROBLÈME

ATTÉNUATION INSUFFISANTE DU BRUIT MÊME SI LE MUR À OSSATURE DE BOIS CONTIENT UN MATÉRIAU INSONORISANT

CAUSE

Les plaques de plâtre sont fixées directement à l'ossature de bois de part et d'autre.

SOLUTIONS

- Enlever les plaques d'un côté du mur, mettre en place une rangée de poteaux indépendants, intercaler davantage de matériau insonorisant dans la nouvelle cavité aménagée plus profondément, puis fixer les plaques de plâtre à la nouvelle ossature.
- Enlever les plaques de plâtre d'un côté. Remplir de matériau insonorisant la cavité aux trois quarts de son épaisseur. À cet égard, les matériaux idéaux s'entendent des isolants fibreux procurant une résistance thermique de R 12 ou un ITS de 50. Fixer des profilés métalliques souples aux poteaux, les plaques de plâtre aux profilés et obturer le bas des plaques de plâtre au moyen de mastic acoustique.

CAUSE

Erreur de conception et de construction inconnue. Impossibilité de déplacer le mur existant.

SOLUTIONS

- Construire une autre rangée de poteaux, ajouter un matériau insonorisant dans la nouvelle cavité, et fixer deux couches de plaques de plâtre à la nouvelle ossature (voir figure 2a). Plus les couches de plaques de plâtre seront éloignées du mur existant, meilleure sera l'atténuation du bruit transmis à basse fréquence. Une mince lame d'air risque de transmettre beaucoup de vibrations d'une couche à l'autre.
- Fixer des fourrures au mur existant. (Combiner les fourrures de bois et de métal souple, ou n'employer que des poteaux d'acier). Combler la cavité de matériau insonorisant et fixer deux couches de plaques de plâtre aux fourrures (voir figure 2b).

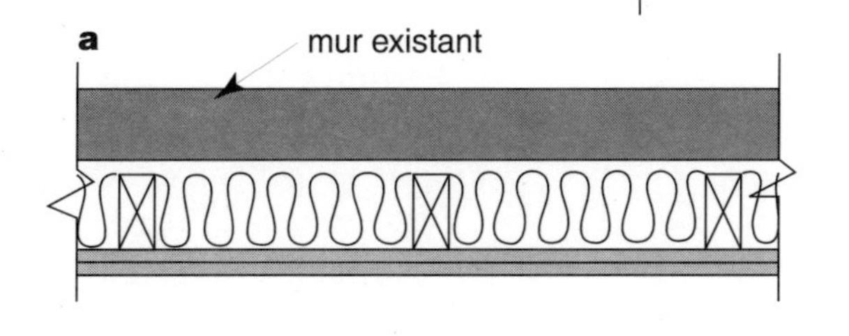

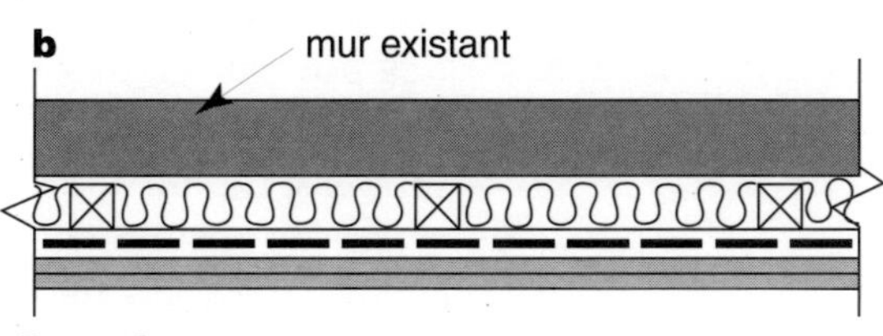

FIGURE 2
APPUIS SUPPLÉMENTAIRES AUX PLAQUES DE PLÂTRE

PROBLÈME

POSER LES PLAQUES DE PLÂTRE SUR DES PROFILÉS MÉTALLIQUES SOUPLES N'ATTÉNUE PAS SUFFISAMMENT LA TRANSMISSION DU BRUIT

CAUSE

Étant trop longues, les vis des plaques de plâtre annihilent l'efficacité des profilés métalliques souples.

SOLUTIONS

- Remplacer toutes les vis trop longues par des plus courtes. Réparer le mur. Plus les vis en contact avec les poteaux ou les solives seront nombreuses, moins l'atténuation du bruit sera importante.

CAUSE

Disposition des profilés métalliques souples entre les deux couches de plaques de plâtre (formant une mince lame d'air) et fixation rigide de la couche interne aux poteaux.

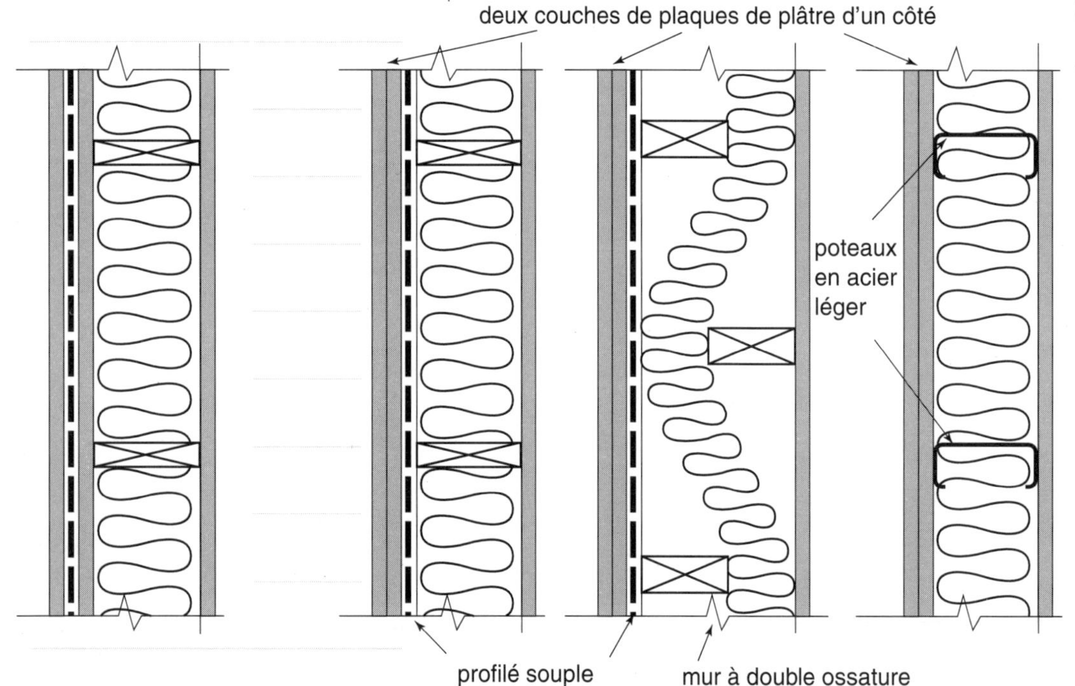

FIGURE 3
DISPOSITION DES PROFILÉS MÉTALLIQUES SOUPLES ET DES PLAQUES DE PLÂTRE

SOLUTIONS

- Éviter de fixer deux couches de plaques de plâtre ou de tout autre matériau en feuille pour qu'il y ait une mince lame d'air entre elles, car cette façon de procéder ne produit pas une séparation complètement souple. Placer les profilés métalliques souples directement sur les poteaux ou les solives, afin de prévenir les vibrations sonores, puis fixer les plaques de plâtre (voir figure 3). Les poteaux en acier d'épaisseur 24 ou moins sont suffisamment souples pour éviter de devoir isoler les couches du mur l'une de l'autre.

PROBLÈME

PROPAGATION DU BRUIT PRÈS DE LA JONCTION DU PLANCHER ET DU MUR

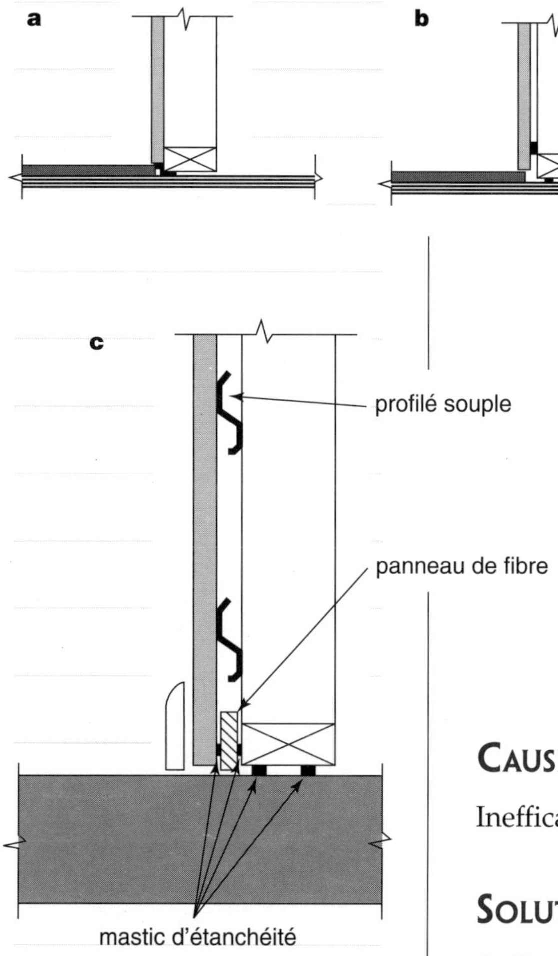

a

b

c

profilé souple

panneau de fibre

mastic d'étanchéité

FIGURE 4
SCELLEMENT DE LA LISSE

CAUSE

Absence de mastic d'étanchéité sous la lisse

SOLUTIONS

Veiller à appliquer un cordon de mastic d'étanchéité selon l'une des méthodes indiquées à la figure 4.

- La méthode décrite à la figure 4a permet de vérifier facilement si le mastic est en place; malheureusement, elle peut rendre la pose de la moquette malpropre. Par contre, la méthode préconisée à la figure 4b est propre, mais ne permet pas de vérification facile.
- Lorsque le mur comporte des profilés métalliques souples, coller la moulure ou placer une bande de panneau de fibre ou de bois au bas (voir figure 4c) qui tiendra lieu de surface de clouage des plinthes et réduira le risque d'endommager les plaques de plâtre sous l'effet des chocs.

CAUSE

Inefficacité du mastic d'étanchéité à cause de débris sous la lisse

SOLUTIONS

- S'assurer de la propreté du sol avant de poser les lisses. Bien sceller l'espace sous les lisses (voir figure 5).

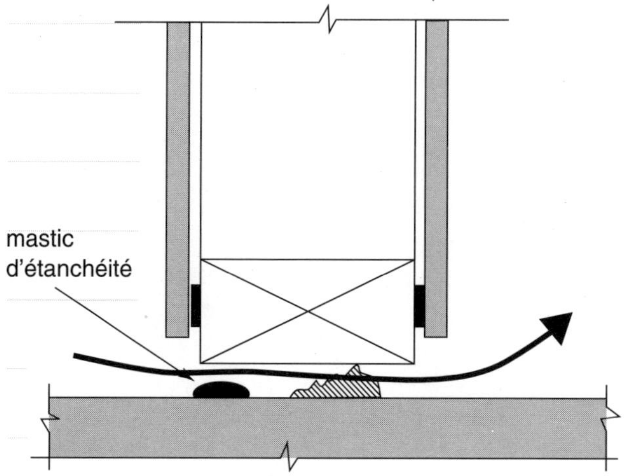

mastic d'étanchéité

FIGURE 5
SCELLEMENT APPROPRIÉ

CAUSE

Scellement inadéquat entre les plaques de plâtre et la lisse ou le rail inférieur

SOLUTIONS

- S'assurer de sceller tout espace entre les plaques de plâtre et la lisse avant de fixer les plinthes.

PROBLÈME

PROPAGATION DU SON PAR LES PRISES ÉLECTRIQUES

CAUSE

Prises électriques dos à dos, non scellées

SOLUTIONS

- ◆ Décaler les prises électriques l'une de l'autre le long du mur d'au moins 400 mm (16 po) comme à la figure 16. Pratiquer les trous les plus petits possible. Sceller les ouvertures avec du mastic acoustique. Isoler la cavité, y compris derrière les prises.
- ◆ Dans les habitations déjà construites, sceller au maximum les prises si elles sont déjà posées, ou employer des garnitures d'étanchéité en mousse. Au besoin, ouvrir et obturer d'isolant dense et de mastic d'étanchéité.
- ◆ Prolonger la cale interne de façon à éviter la propagation du son autour des prises électriques et au bas du mur à double ossature.
- ◆ Faire usage de matériaux insonorisants à l'intérieur des murs et des planchers. L'ossature peut être conçue de façon que le son doive traverser une grande quantité de matériaux insonorisants.

prises dos à dos non scellées

prises décalées

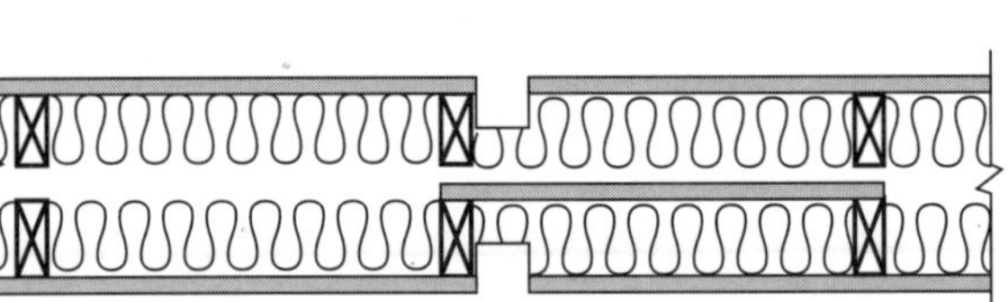

utiliser des matériaux insonorisants

FIGURE 6
PRISES ÉLECTRIQUES

PROBLÈME

MUR EN BLOCS DE BÉTON N'ASSURANT PAS UNE ATTÉNUATION SUFFISANTE DU BRUIT

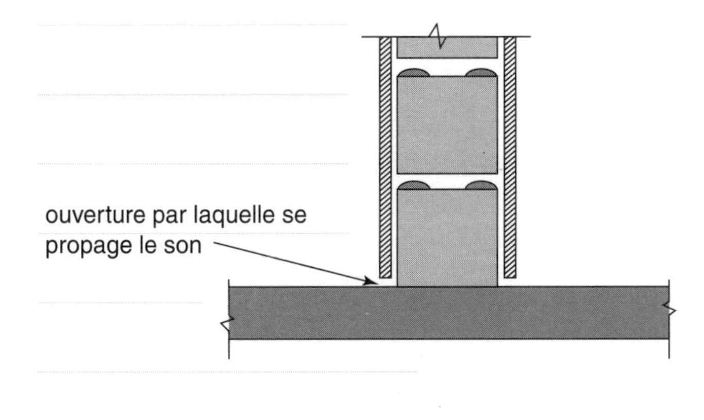

CAUSE

En raison de leur porosité, les blocs de béton laissent passer une partie du son.

SOLUTIONS

- Bien revêtir la surface du mur d'un bouche-pores, de plâtre ou de crépi.

CAUSE

Aucun joint de scellement au bas du mur en blocs revêtus de plaques de plâtre

SOLUTIONS

- Appliquer des cordons de scellement selon les indications de la figure 7. Ce problème peut être particulièrement ennuyeux en l'absence de joints de mortier pleins.

le cordon de scellement empêche la propagation du son

FIGURE 7
SCELLEMENT À LA BASE D'UN MUR EN BLOCS DE BÉTON

CAUSE

Les plaques de plâtre se trouvent trop près des blocs de béton

SOLUTIONS

- Ajouter des plaques de plâtre pour satisfaire aux recommandations formulées à l'Annexe A, ou retirer les plaques de plâtre et les poser de nouveau sur des fourrures de bois (voir figure 8).

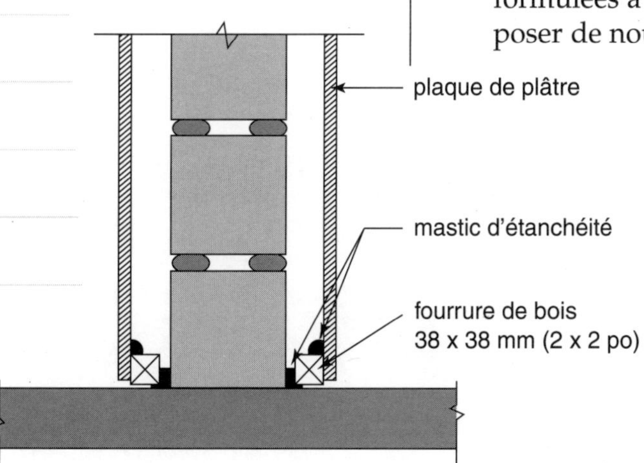

FIGURE 8
REVÊTEMENT EN PLAQUES DE PLÂTRE SUR MUR EN BLOCS DE BÉTON

Éviter de peindre, plâtrer ou recouvrir de crépi les blocs derrière les panneaux secs. Les blocs poreux non traités contribuent à accroître l'efficacité de la lame d'air de la cavité.

Ménager les lames d'air minimales suivantes entre les plaques de plâtre et les blocs.

Épaisseur des plaques	**1 feuille**	**2 feuilles (même côté)**
12,7 mm (1/2 po)	60 mm (2 3/8 po)	30 mm (1 3/16 po)
15,9 mm (5/8 po)	47 mm (1 7/8 po)	25 mm (1 po)

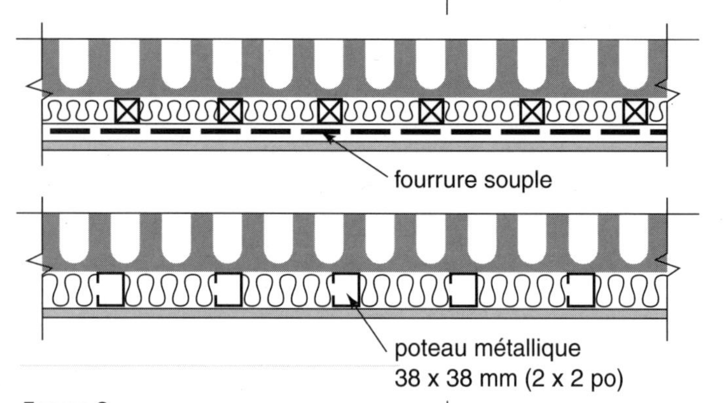

FIGURE 9
REVÊTEMENT EN PLAQUES DE PLÂTRE FIXÉ SUR DES PROFILÉS SOUPLES ASSUJETTIS AUX BLOCS DE BÉTON

Choisir une des méthodes de fixation à des profilés souples illustrées à la figure 9.

PROBLÈME

MUR EN BÉTON COULÉ SUR PLACE N'ATTÉNUANT PAS SUFFISAMMENT LE BRUIT

CAUSE

Trous ou alvéoles dans le béton

SOLUTIONS

- ◆ Sceller les fissures et trous évidents avec du coulis ou un enduit au plâtre avant de finir le mur.

CAUSE

Trous ou alvéoles dans le béton et aucun scellement à la base des plaques de plâtre

SOLUTIONS

- ◆ Sceller les fissures et trous évidents avec du coulis ou un enduit au plâtre avant de finir le mur. Sceller l'espace à la base des plaques de plâtre par précaution (voir figure 10).

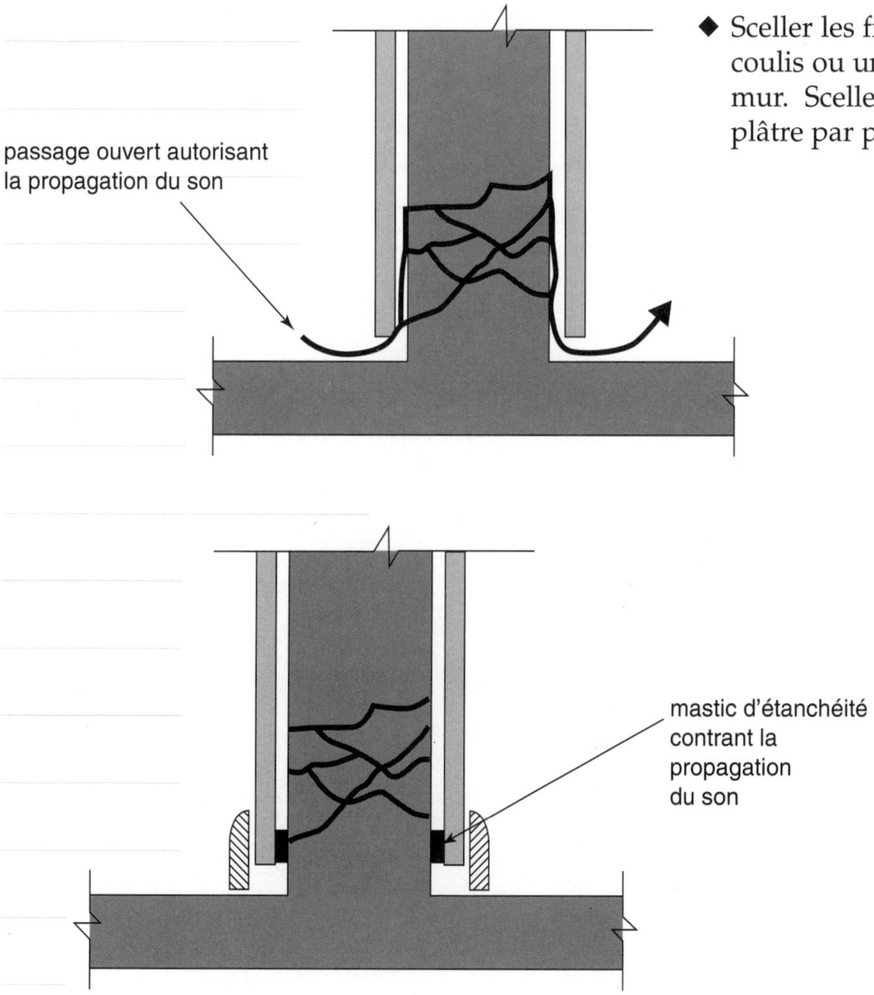

FIGURE 10
SCELLEMENT À LA BASE D'UN MUR EN BÉTON COULÉ

PROBLÈME

Ossature de plancher légère atténuant mal le bruit (sons aériens)

Cause

Plafond fixé directement aux solives de plancher

Solutions

Fixer le plafond à des profilés métalliques souples (voir Annexe B).

- Éviter de clouer des fourrures en bois, puisque la rigidité de leur fixation entre le plafond et le plancher transmet les vibrations sonores.
- Doubler la masse du plafond en plaques de plâtre fixées à des profilés souples réduira la transmission du bruit. Éviter de faire de même avec des fourrures de bois clouées car cela n'atténuera pas le bruit.

Cause

Mauvais scellement aux rives du plafond

Solutions

Sceller la jonction du mur et du plafond avec du ruban et du composé à joints.

PROBLÈME

PLAFOND EN CARREAUX ACOUSTIQUES N'ATTÉNUANT PAS SUFFISAMMENT LE BRUIT EN PROVENANCE DE L'ÉTAGE SUPÉRIEUR

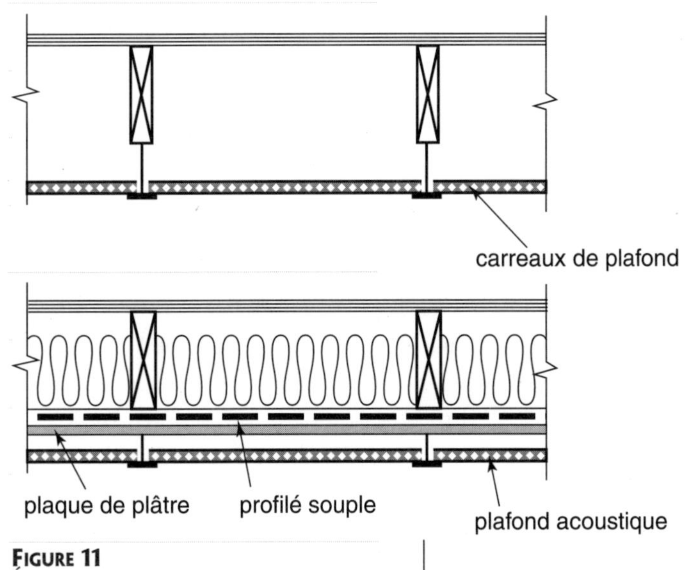

FIGURE 11
ÉCRAN ANTIBRUIT DU PLAFOND

CAUSE

Absence d'écran antibruit efficace dans le plafond

SOLUTIONS

- Enlever les carreaux de plafond acoustiques. Mettre en œuvre de l'isolant fibreux insonorisant sur les trois quarts de la hauteur de la cavité et mettre en place des plaques de plâtre fixées à des profilés métalliques souples. Au choix, poser de nouveau les carreaux acoustiques pour réduire l'écho dans la pièce (voir figure 11).

PROBLÈME

PLANCHER N'ASSURANT PAS UN ISOLEMENT SUFFISANT AUX BRUITS D'IMPACT

CAUSE

Couche supérieure trop mince, ou aucune absorption des bruits d'impact

SOLUTIONS

- Poser de la moquette et une thibaude en dessous.
- Porter le poids de la couche supérieure du plancher à au moins 50 kg/m² (10 lb/pi²) en ajoutant une chape de béton ou l'équivalent. Poser ensuite une thibaude et de la moquette.
- Procéder à la mise en œuvre d'un plancher flottant, selon les indications de la figure 12. Revêtir le plancher flottant de moquette procurera une meilleure insonorisation, sans pour autant être vraiment nécessaire.
- Rapporter un autre plafond. Un plafond en plaques de plâtre de 12 mm (1/2 po) fixées à des poteaux métalliques standards de 64 mm (3 po) (tenant lieu de profilés souples) dont les espaces sont comblés de matelas isolants, donne d'excellents résultats.
- Utiliser des couches épaisses, en béton, en béton léger, en béton au plâtre par exemple, ou encore poser des plaques de plâtre par-dessus le revêtement de sol en contreplaqué.

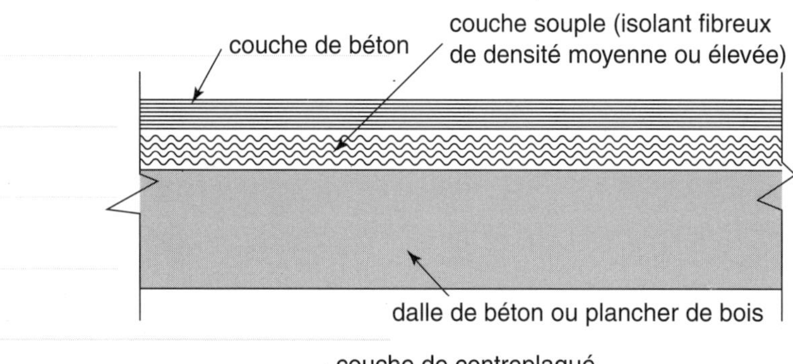

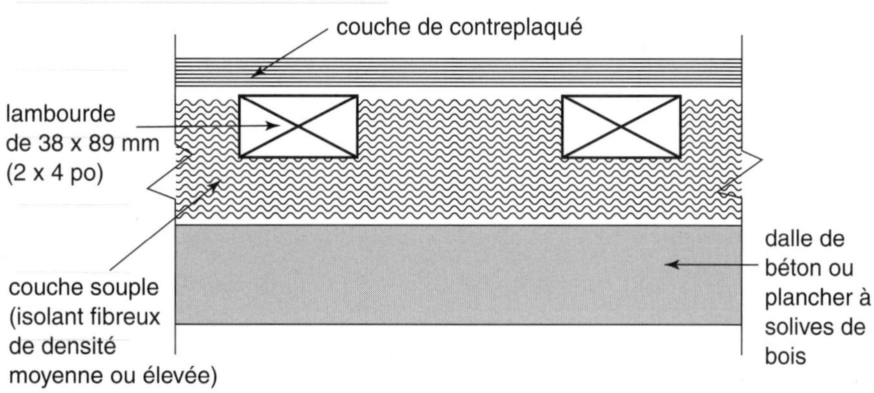

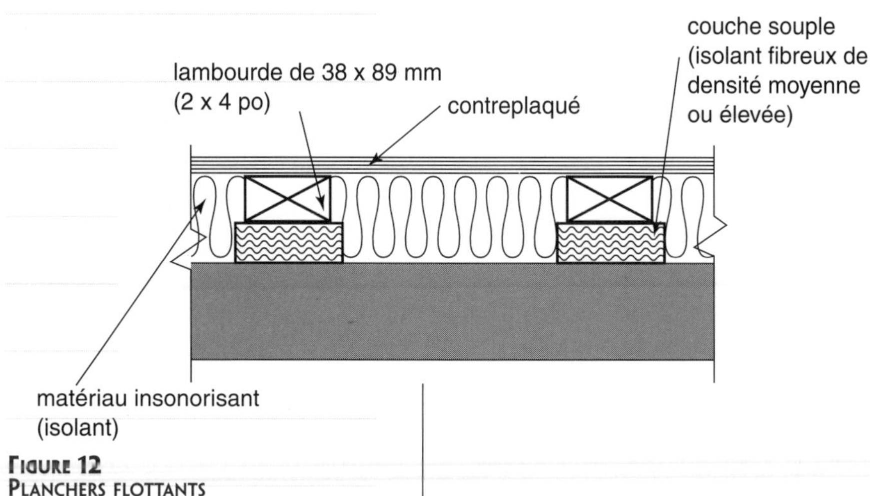

FIGURE 12
PLANCHERS FLOTTANTS

PROBLÈME

Plancher flottant n'assurant pas l'insonorisation attendue

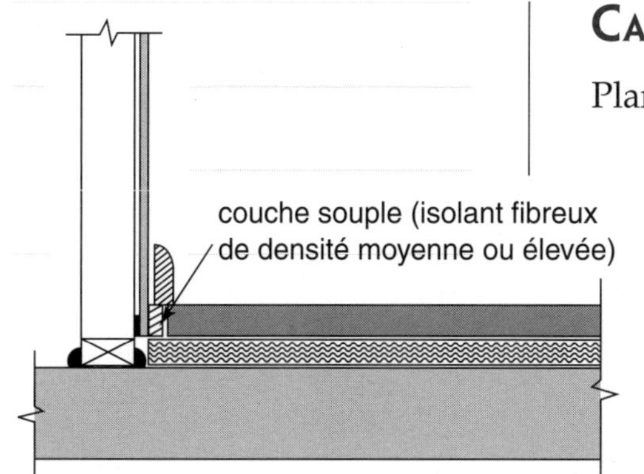

Figure 13
Distance du plancher flottant par rapport aux rives

Cause

Plancher en contact avec les murs

Solutions

- ◆ Désolidariser le plancher flottant du mur, selon les indications de la figure 13.

Cause

Les clous ou les vis qui traversent la couche souple entrent en contact avec le support de revêtement de sol ou les solives.

Solutions

- ◆ Enlever tous les dispositifs de fixation (clous ou vis) trop longs. Concevoir le plancher de sorte que la couche supérieure soit vraiment «flottante», sans devoir être clouée au support de revêtement de sol.

Cause

Morceaux de béton ou débris sous la dalle flottante comprimant tellement la couche souple qu'elle devient rigide et transmet le son.

Solutions

- ◆ S'assurer que le support de revêtement de sol est de niveau et exempt de débris avant de poser la couche souple.

Section 6.2 Transmission indirecte du son

PROBLÈME

MUR BIEN CONÇU MAIS ATTÉNUANT MAL LE BRUIT

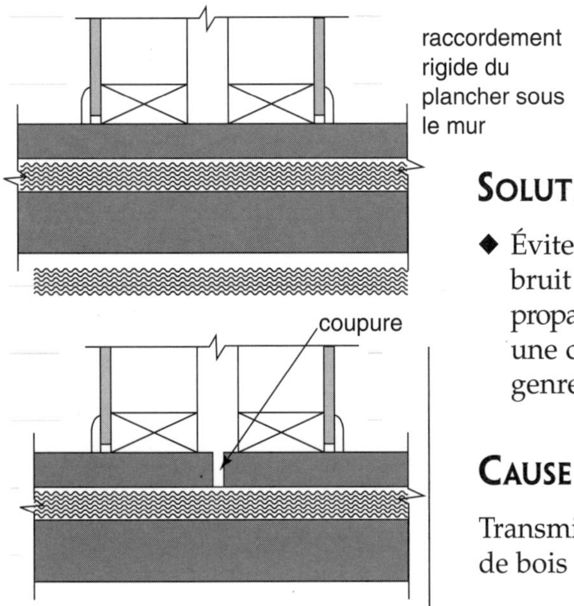

raccordement rigide du plancher sous le mur

coupure

FIGURE 14
PLANCHER DE BÉTON

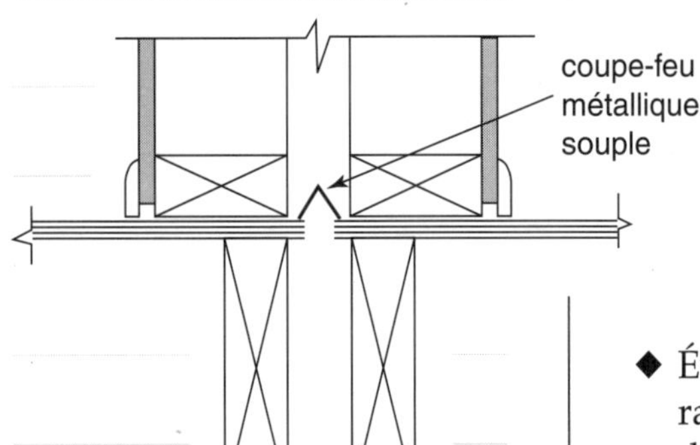

FIGURE 15
PLANCHER DE BOIS

CAUSE

Transmission indirecte le long de la couche supérieure d'un plancher de béton

SOLUTIONS

- ◆ Éviter de fixer trop rigidement le plancher sous un mur léger. Le bruit peut se transmettre par la couche supérieure ou les solives et se propager dans la pièce située de l'autre côté. Y remédier en pratiquant une coupure dans la structure (voir figure 14). Ne recourir à ce genre de construction de plancher qu'avec des murs lourds.

CAUSE

Transmission indirecte le long de la couche supérieure d'un plancher de bois

SOLUTIONS

- ◆ Éviter de faire passer les éléments de bois continus sous le mur. Pratiquer une coupure à la scie, selon les indications de la figure 15, pour parer à une telle situation dans les murs à double ossature. S'abstenir de recourir à des solives continues sous le mur mitoyen. Faire usage d'un coupe-feu en métal souple, plutôt qu'en plaque de plâtre, dans le but de garantir une séparation efficace.
- ◆ Éviter d'assurer la continuité du support de revêtement de sol en raison du coupe-feu en plaques de plâtre : un mur mitoyen assorti d'un excellent ITS de 62 se comporterait comme un mur présentant un ITS insuffisant de 45. Le support de revêtement de sol peut jouer le rôle d'une membrane structurale, si bien qu'il faille recourir aux services d'un ingénieur pour en faire l'évaluation avant de pouvoir y pratiquer une coupure. Poser un véritable plancher flottant de part et d'autre du mur pourrait constituer le seul moyen de remédier à la situation.

Cause

Transmission par le plancher jusque dans la cavité commune en dessous

Solutions

- ◆ Bloquer toutes les ouvertures au-dessus et au-dessous du mur mitoyen.

Cause

Transmission indirecte par le vide sous toit

Solutions

- ◆ Prolonger le mur mitoyen jusqu'au toit (voir figure 16).

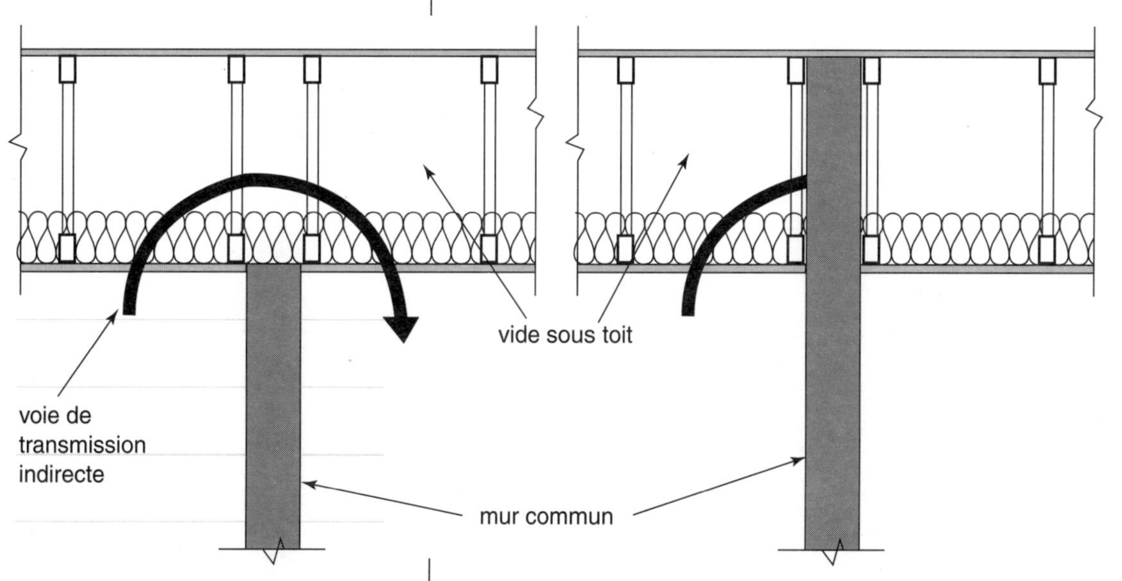

Figure 16
Vide sous toit

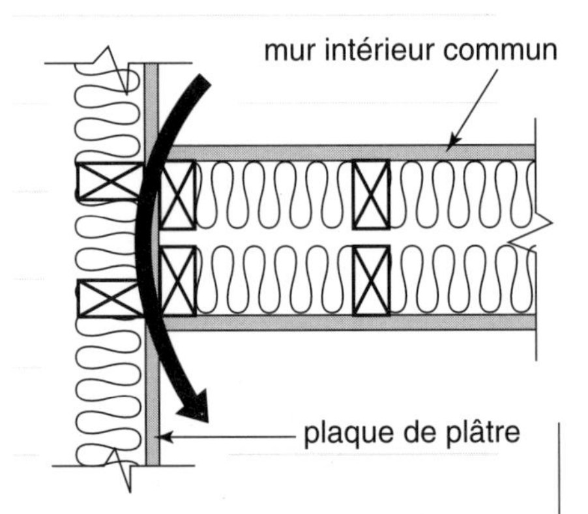

FIGURE 17
PLAQUES DE PLÂTRE À LA JONCTION DE PLANCHERS ET MURS MITOYENS

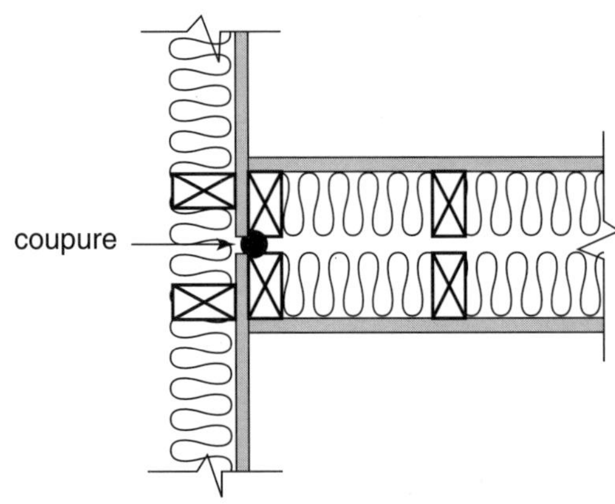

CAUSE

Transmission indirecte le long du revêtement mural formé d'une seule couche continue de plaques de plâtre posées à angle droit par rapport au mur ou au plancher mitoyen

SOLUTIONS

- Pratiquer une coupure dans les plaques de plâtre mettra un terme à la transmission indirecte. Dans le cas d'un mur extérieur, remplir la coupure de mastic acoustique pour assurer l'étanchéité à l'air (voir figure 17).

PROBLÈME

TRANSMISSION EXCESSIVE DU BRUIT PAR LE PLANCHER, EN PARTICULIER DES PAS ET DE CHOCS

CAUSE

Transmission indirecte par les murs

SOLUTIONS

Mettre en œuvre un plancher flottant.

- Fixer, à l'aide de profilés métalliques souples, des plaques de plâtre au plafond et de part et d'autre des murs permet d'atténuer la transmission indirecte du bruit par les murs jusque vers la pièce en dessous (voir figure 18).

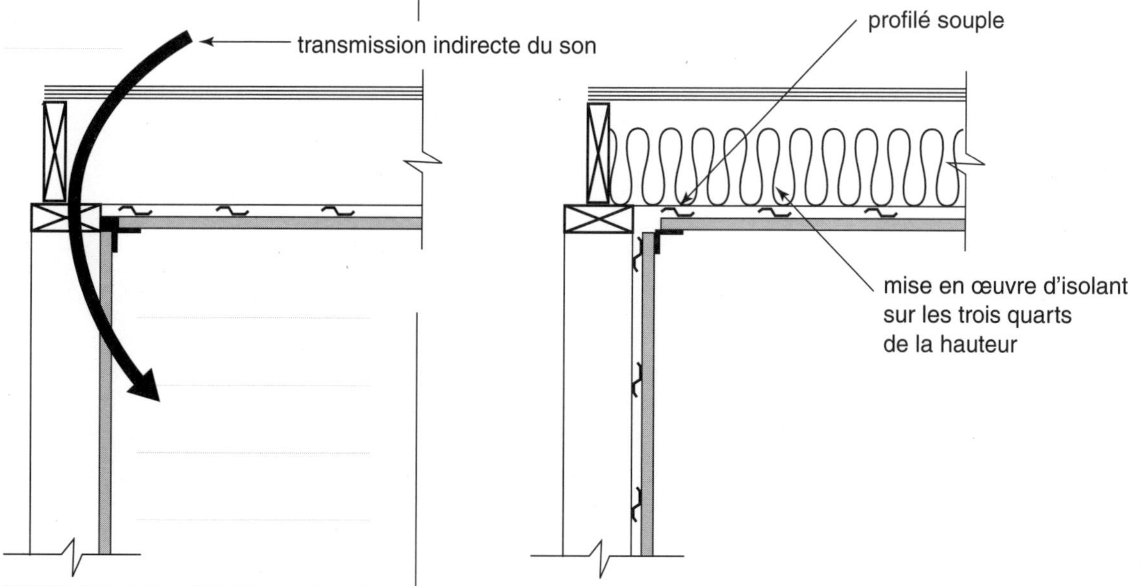

FIGURE 18
TRANSMISSION INDIRECTE DU SON PAR LES MURS

PROBLÈME

Transmission du son par les dalles de béton creuses préfabriquées

Cause

Joint entre les dalles mal scellé

Solutions

- Remplir le joint de coulis en cas d'écart important entre les dalles préfabriquées. Autrement, obturer le joint à l'aide d'une garniture en polypropylène et de mastic acoustique.

Cause

Transmission du son par les dalles de corridor ou les autres appartements

Solutions

- Isoler l'appartement de la dalle en mettant en œuvre un plancher flottant.

PROBLÈME

TRANSMISSION EXCESSIVE DU BRUIT ENTRE LES SALLES DE BAINS

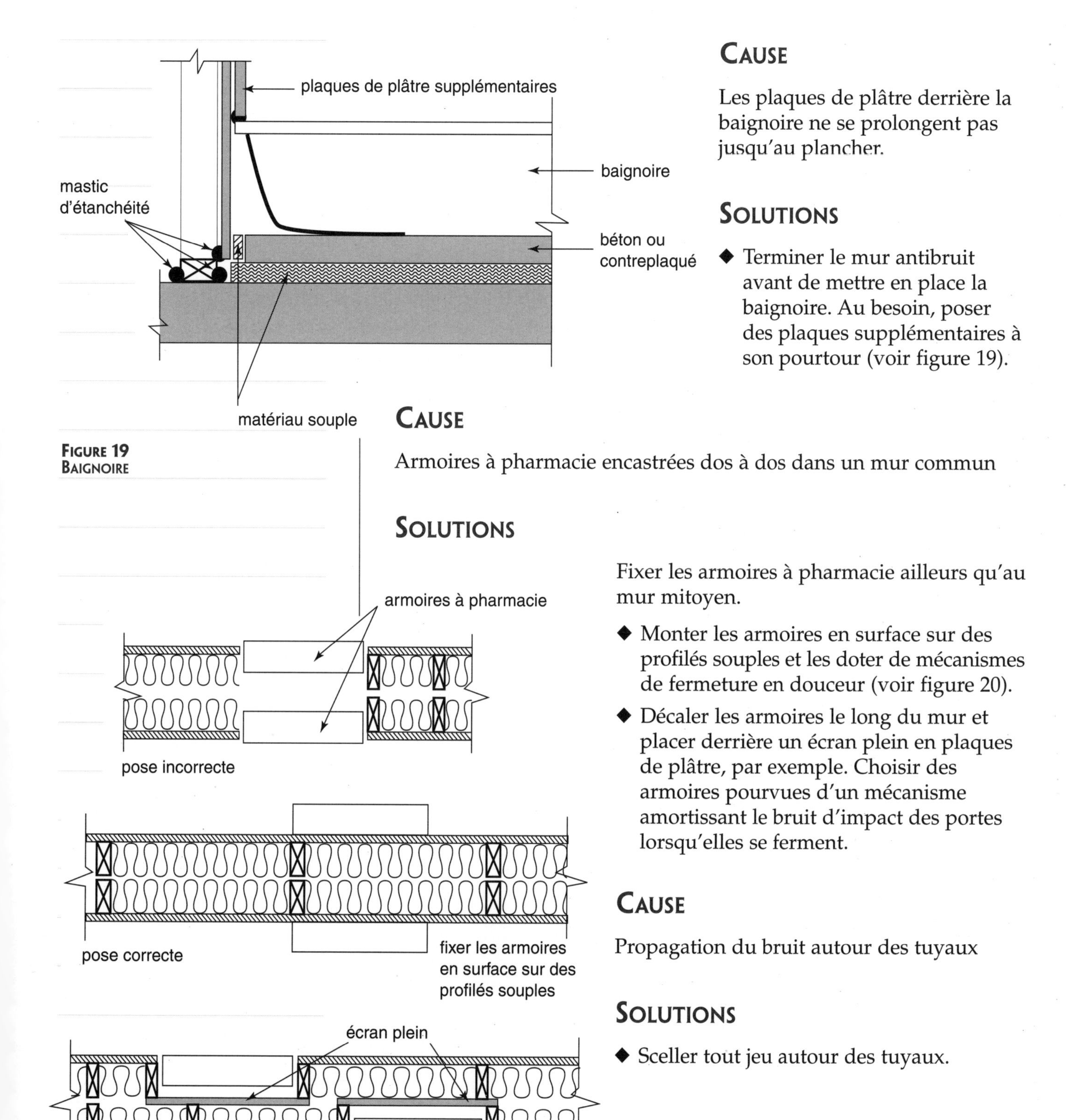

FIGURE 19
BAIGNOIRE

FIGURE 20
ARMOIRES À PHARMACIE

CAUSE

Les plaques de plâtre derrière la baignoire ne se prolongent pas jusqu'au plancher.

SOLUTIONS

- ◆ Terminer le mur antibruit avant de mettre en place la baignoire. Au besoin, poser des plaques supplémentaires à son pourtour (voir figure 19).

CAUSE

Armoires à pharmacie encastrées dos à dos dans un mur commun

SOLUTIONS

Fixer les armoires à pharmacie ailleurs qu'au mur mitoyen.

- ◆ Monter les armoires en surface sur des profilés souples et les doter de mécanismes de fermeture en douceur (voir figure 20).
- ◆ Décaler les armoires le long du mur et placer derrière un écran plein en plaques de plâtre, par exemple. Choisir des armoires pourvues d'un mécanisme amortissant le bruit d'impact des portes lorsqu'elles se ferment.

CAUSE

Propagation du bruit autour des tuyaux

SOLUTIONS

- ◆ Sceller tout jeu autour des tuyaux.

PROBLÈME

BRUITS DE PAS DANS L'ESCALIER NETTEMENT PERCEPTIBLES DANS LES APPARTEMENTS VOISINS

CAUSE

Escalier fixé au mur mitoyen

SOLUTIONS

- ◆ Fixer l'escalier ailleurs qu'à un mur mitoyen.
- ◆ Agencer les appartements de façon que les escaliers ne se trouvent pas à proximité du mur mitoyen.
- ◆ Revêtir l'escalier d'une thibaude et d'une moquette de qualité.
- ◆ Dans les cages d'escalier, appuyer l'escalier sur des éléments structuraux distincts de la charpente du bâtiment.

Section 6.3 Bruits de tuyauterie

PROBLÈME

BRUITS DE TUYAUTERIE SE PROPAGEANT DANS TOUT L'APPARTEMENT ET DANS L'APPARTEMENT VOISIN

CAUSE

Tuyauterie fixée rigidement aux murs

SOLUTIONS

- Pour éviter les vibrations, recouvrir la tuyauterie de manchons résilients et la fixer avec des attaches souples. Éviter tout contact rigide avec la charpente du bâtiment (voir figure 21).

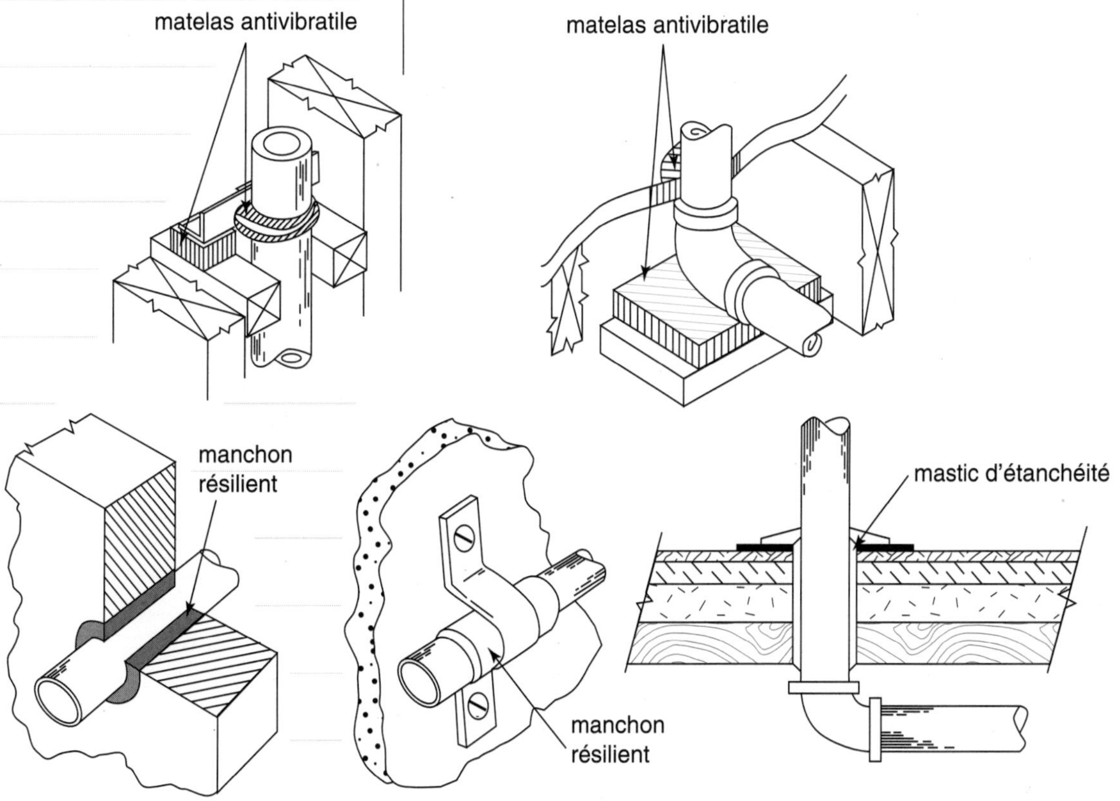

matelas antivibratile

matelas antivibratile

manchon résilient

mastic d'étanchéité

manchon résilient

FIGURE 21
TUYAUX

Cause

Turbulence due à la forte pression d'eau et à un trop grand nombre de coudes et de raccords

Solutions

- ◆ Réduire le plus possible le nombre de raccords et de coudes.
- ◆ Installer des canalisations d'alimentation principales de fort diamètre. Limiter la vitesse de l'eau à moins de 2 m (6 1/2 pi) par seconde à l'aide d'un robinet réducteur de pression.

Cause

Turbulence due à des robinets ou à des appareils sanitaires bruyants

Solutions

- ◆ Installer des robinets et des appareils silencieux. Certains robinets sont assez silencieux pleinement ouverts, mais bruyants à moitié ouverts. Se renseigner auprès du fabricant.

PROBLÈME

BRUITS DE BAIGNOIRE, DE DOUCHE ET DE TOILETTE PERCEPTIBLES DANS LES APPARTEMENTS VOISINS

CAUSE

Canalisations d'évacuation des eaux usées proches des aires de repos

SOLUTIONS

- ◆ Installer les canalisations d'évacuation loin des aires de repos et éviter de les mettre en contact direct avec la charpente du bâtiment. Disposer les canalisations dans des saignées d'encastrement distinctes en ajoutant au besoin davantage de matériau insonorisant.

CAUSE

Baignoire, douche ou toilette fixés rigidement au bâtiment

SOLUTIONS

- ◆ Faire usage de matelas de caoutchouc, de néoprène ou de tout autre matériau antivibratile ou résilient en vue de réduire la transmission de vibrations au bâtiment (voir figure 22).

CAUSE

Toilette bruyante fixée solidement au plancher

SOLUTIONS

- ◆ Installer des toilettes à action siphonique à jet d'amorçage. Elles sont beaucoup plus silencieuses que les appareils traditionnels.
- ◆ Installer des toilettes sur une base résiliente.

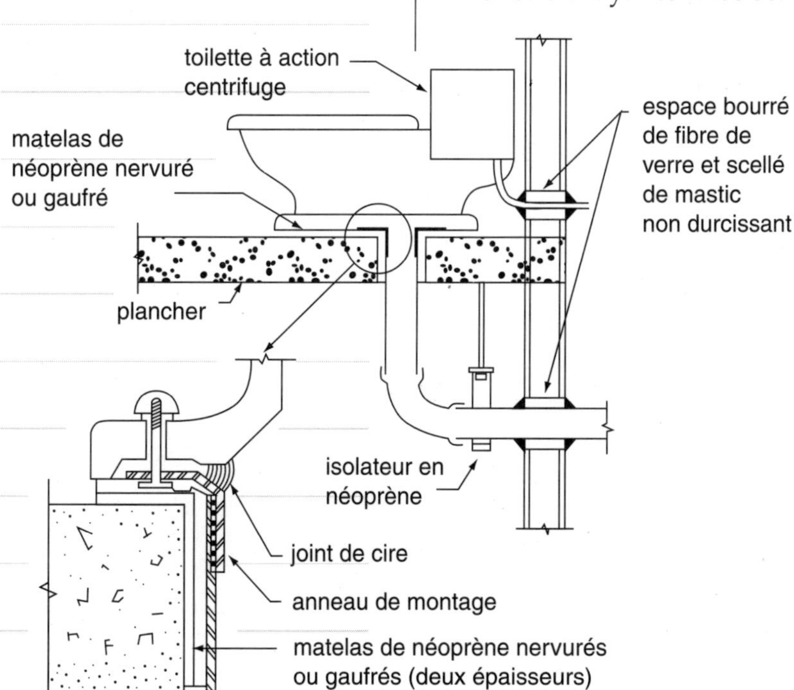

FIGURE 22
BAIGNOIRE, TOILETTE ET DOUCHE

PROBLÈME

Coups de bélier lors de la fermeture des robinets du lave-vaisselle et du lave-linge

Cause

Secousse provoquée par la fermeture trop brusque des robinets

Solutions

◆ Installer des antibéliers pneumatiques ou des amortisseurs mécaniques tout juste à côté des appareils comme les lave-vaisselle ou les lave-linge équipés de robinets à fermeture rapide (voir figure 23).

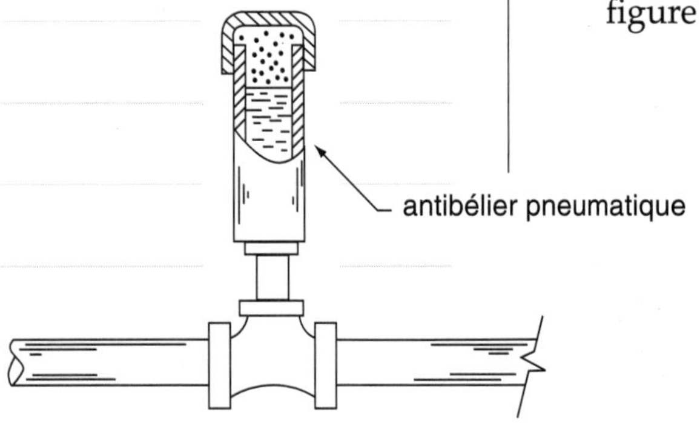

antibélier pneumatique

Figure 23
Robinet

Section 6.4 Bruit de l'extérieur

PROBLÈME

Propagation du bruit de l'extérieur jusque dans la maison

Cause

Fenêtres laissées ouvertes pour l'aération. Dans les quartiers bruyants, fermer les fenêtres pour atténuer suffisamment le bruit.

Solutions

Installer un système de ventilation qui permette en temps normal de laisser les fenêtres fermées.

- ◆ Utiliser un système de ventilation à air pulsé insonorisé.
- ◆ Placer les prises d'air et les bouches d'évacuation à l'air libre aux endroits les moins bruyants possible.
- ◆ Atténuer le bruit se propageant par les conduits d'admission et d'évacuation en les garnissant d'un revêtement intérieur insonorisant. Ce revêtement acoustique comporte de la fibre de verre rigide doublée de tissu, qui se colle à l'intérieur des conduits.

Par souci de confort en été, la climatisation s'intègre facilement à une telle installation.

Cause

Propagation du bruit autour des fenêtres et des portes

Solutions

- ◆ Ajuster ou remplacer les coupe-froid. Vérifier les coupe-froid en scellant temporairement le pourtour au moyen de ruban pour tuyauterie. En cas de changement perceptible, procéder aux réparations nécessaires. Même les coupe-froid neufs peuvent être mal posés ou être impropres à l'atténuation du bruit.
- ◆ Prévoir pour tout groupe de fenêtres un seul vantail ou ouvrant. L'insonorisation s'en trouvera améliorée d'autant.
- ◆ Vérifier l'étanchéité à l'air de la jonction du vitrage et du châssis. Intercaler de l'isolant étanche à l'air ou de la mousse d'uréthane entre le dormant de la fenêtre et le bâti d'attente influe également sur l'insonorisation, tout comme appliquer un cordon de calfeutrage intérieur à la jonction du mur et de la fenêtre.

Cause

Transmission du bruit par une fenêtre inadéquate

Solutions

En général, pour bien atténuer le bruit, éviter de poser de grandes fenêtres donnant sur des zones bruyantes et :

- utiliser du verre épais (6 mm [1/4 po]) ou du verre laminé s'il est plus épais;
- ménager la lame d'air la plus importante possible entre les vitres qu'autorisent les dormants en place. Dans les quartiers très bruyants, une lame d'air de 50 à 100 mm (2 à 4 po) est souhaitable; les vitrages scellés à l'usine n'offrent cependant pas cette possibilité; ou
- recourir au triple vitrage si le bruit dérange vraiment.

Ajouter une contre-fenêtre :

- Ajouter une contre-fenêtre en ménageant la lame d'air la plus importante possible que permet le dormant entre la fenêtre et la contre-fenêtre.
- Installer un excellent coupe-froid sur la fenêtre. Pour éviter la formation de condensation sur la contre-fenêtre, s'abstenir de la rendre parfaitement étanche.

Cause

Transmission du bruit par une porte inadéquate

Solutions

Modifier le plan d'agencement en aménageant un vestibule.

- Devant la nécessité d'atténuer le bruit au maximum, opter pour un vestibule insonorisant de préférence à une contre-porte. Se rappeler qu'une fenêtre dans le vestibule accentuera généralement la transmission du son.
- Poser la porte intérieure en laissant le moins de jeu possible au pourtour.

Une porte de bois à âme creuse convient dans la plupart des cas. Une porte coulissante escamotable pourrait mieux convenir à certains plans d'agencement.

Ajouter une contre-porte.

- Laisser le plus d'espace possible entre la contre-porte et la porte.

- ◆ Poser des coupe-froid de qualité sur les deux portes. L'épaisseur et l'isolation thermique de la contre-porte importent peu sur le plan de l'insonorisation.

Utiliser une porte de bonne qualité.

- ◆ Éviter de remplacer une porte de bois massif par une porte métallique parce que l'amélioration serait minime.
- ◆ Les vitrages d'une porte n'influent pas beaucoup sur l'insonorisation.

Cause

Transmission du bruit par les murs extérieurs

Solutions

Choisir un parement extérieur lourd. En effet, le placage de brique ou les blocs de béton atténuent davantage la transmission du son que les bardages de vinyle, de métal léger ou de bois.

- ◆ Réduire le nombre de raccords rigides entre les faces intérieures et extérieures des murs en fixant le revêtement intérieur en plaques de plâtre à des profilés métalliques entre les surfaces intérieures et extérieures du mur ou en construisant une double ossature. C'est précisément la raison d'être de la lame d'air ménagée entre le placage de brique et le mur d'appui.
- ◆ Revêtir la face intérieure des murs d'une double épaisseur de plaques de plâtre.
- ◆ Remplir la cavité des murs extérieurs d'isolant fibreux acoustique plutôt que de mousse à alvéoles fermés.
- ◆ Préférer des poteaux de 38 x 140 mm (2 x 6 po) à ceux de 38 x 89 mm (2 x 4 po) n'améliore que légèrement l'insonorisation.

Réduire le nombre de fenêtres murales.

Fixer le revêtement intérieur en plaques de plâtre à des profilés métalliques souples; pour obtenir une meilleure insonorisation, poser une double épaisseur.

Cause

Transmission du bruit par le toit ou le plafond

Solutions

Pratiquer les ouvertures de ventilation les plus petites possible, sinon elle risquent de nuire aux propriétés insonorisantes du toit.

- Disposer, dans la mesure du possible, les ouvertures de ventilation du côté le moins bruyant.
- Pour améliorer l'insonorisation, mettre en œuvre dans le vide sous toit de l'isolant fibreux de préférence à de l'isolant de mousse à alvéoles fermés car il absorbe mal les sons.
- Revêtir le plafond d'une double épaisseur de plaques de plâtre.
- Fixer les plaques de plâtre du plafond sur des profilés métalliques souples.

PROBLÈME

TROP DE BRUIT DANS LES AIRES EXTÉRIEURES (PATIO, BALCON)

CAUSE

Absence d'écran antibruit efficace

SOLUTIONS

Placer un écran antibruit entre la source du bruit et l'aire touchée.

- Éviter d'utiliser les haies ou les arbres comme écrans, car ils n'atténuent pas le bruit suffisamment.
- Éviter d'utiliser à cette fin des clôtures à panneaux espacés. L'écran antibruit doit être plein ou bien jointif. Les levées de terrain, les bâtiments et les murs de béton sont certes acceptables mais des clôtures légères (en panneaux de tôle ou en bois de 12 mm [1/2 po] d'épaisseur) feront l'affaire dans la plupart des cas.
- Placer l'écran le plus haut possible afin de réduire le bruit franchissant son sommet.
- Construire un écran très long ou entourer le secteur à protéger en vue d'empêcher le bruit de se propager par les extrémités.

CAUSE

Balcon exposé à du bruit intense

SOLUTIONS

Modifier le balcon.

- Si le bruit à l'extérieur est un peu trop élevé, opter pour un garde-corps plein revêtu sur sa face intérieure d'un matériau insonorisant. Mettre en œuvre un revêtement insonorisant sur la face inférieure du balcon au-dessus et sur les autres faces du balcon, si possible (voir figure 24).
  - Les revêtements absorbants désignent la tôle perforée doublée de fibres insonorisantes à l'arrière et les panneaux spéciaux de ciment ou de fibres de bois utilisés comme murs antibruit le long des autoroutes.
  - Si le bruit extérieur est beaucoup trop élevé, encloisonner complètement le balcon pour le transformer en solarium.

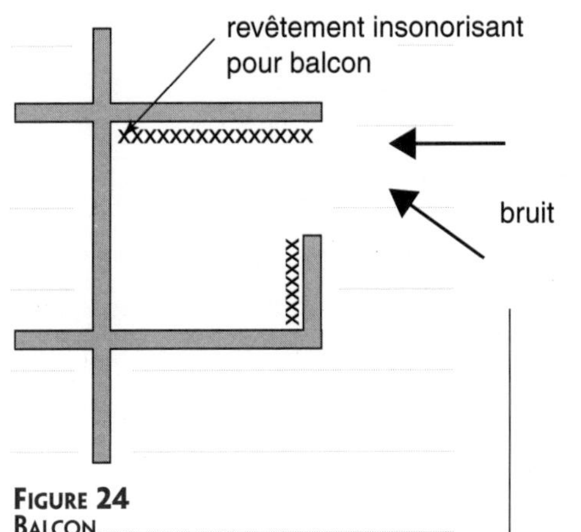

FIGURE 24
BALCON

Section 6.5 Appareils extérieurs
(Pompes à chaleur, climatiseurs, filtres de piscine)

PROBLÈME

BRUIT DÉRANGEANT LES VOISINS

CAUSE

Appareil bruyant dans un quartier calme

SOLUTIONS

Choisir un appareil silencieux.

- Consulter les arrêtés municipaux concernant le bruit. En général, ils prescrivent le niveau de bruit acceptable à la limite d'un lot, c'est-à-dire le niveau de bruit maximal ou de bruit ambiant dû à la circulation et à d'autres sources éloignées.
- Arrêter son choix sur des appareils silencieux en consultant la documentation des fabricants établissant le niveau de bruit des appareils.
- Les pompes à chaleur et les climatiseurs sont normalement cotés selon la norme 270-1984 de l'*Air-Conditioning and Refrigeration Institute* (ARI). Les valeurs types varient entre 6 et 9 bels. Pour fins de comparaison rapide en fonction des exigences municipales exprimées en décibels, multiplier la valeur de l'ARI par 10 et soustraire 20 pour obtenir le bruit à 4 m (13 pi) de l'appareil.
- Ne pas essayer d'atténuer le niveau de bruit d'un appareil bruyant à moins qu'il s'agisse d'un défaut évident comme un panneau qui vibre. Les modifications apportées par des amateurs n'atténueront vraisemblablement que peu le bruit, sans compter qu'elles risquent d'annuler la garantie.

CAUSE

Appareil mal situé

SOLUTIONS

Placer l'appareil à un meilleur endroit.

- Placer l'appareil le plus loin possible des limites de la propriété ou ériger un écran qui atténuera le bruit qui parviendra à la limite.
- Éviter de placer un appareil bruyant entre deux bâtiments rapprochés, dans un abri d'auto ou sous un large débord de toit. La réflexion sur les surfaces voisines amplifie le bruit et nuit à l'efficacité de l'écran.
- Placer l'appareil à l'angle de la maison. Au besoin, relier l'écran à l'angle se révèle efficace.

- Suivre la méthode préconisée dans la norme ARI 275-1984 pour évaluer les emplacements possibles des appareils cotés selon leur niveau de bruit comme les pompes à chaleur, car elle tient compte de la distance, des surfaces voisines et des écrans. La norme CSA Z107.71 énonce une méthode semblable, quoique plus compliquée.

Cause

Emplacement mal choisi ou appareil bruyant

Solutions

Placer un écran ou une enceinte.

- Avant de recourir à une enceinte, obtenir d'un expert l'assurance qu'elle ne nuira pas au fonctionnement normal de l'appareil, ce qui risquerait d'en annuler la garantie et d'en réduire l'efficacité.
- Éviter de placer une enceinte autour d'une pompe à chaleur ou d'un climatiseur si le problème est attribuable au bourdonnement à basse fréquence perceptible dans un bâtiment voisin, car elle l'amplifierait probablement.
- Suivre la méthode préconisée dans la norme ARI 275-1984 pour concevoir un écran approprié. La réflexion sur les murs voisins peut réduire l'efficacité de l'écran.

Section 6.6 Appareils intérieurs
(générateur d'air chaud, lave-vaisselle, lave-linge, ventilateur)

PROBLÈME

BRUIT PROVENANT D'UN GÉNÉRATEUR-PULSEUR D'AIR CHAUD

CAUSE

Ventilateur et système de combustion assez bruyants de certains générateurs d'air chaud modernes à haute efficacité

SOLUTIONS

Modifier les conduits de distribution et de reprise.

- ◆ Intercaler un raccord antivibratile entre le générateur et les principaux conduits pour empêcher les vibrations de se propager par les parois des conduits (voir figure 25).
- ◆ Fixer un revêtement insonorisant (généralement de la fibre de verre avec doublure spéciale) sur les parois intérieures des conduits en vue de diminuer la transmission. Il suffit normalement de revêtir les principaux conduits les plus proches du générateur. S'assurer que la section du conduit (une fois le revêtement mis en place) permet le débit d'air approprié.
- ◆ Placer le générateur d'air chaud le plus loin possible des pièces de repos.

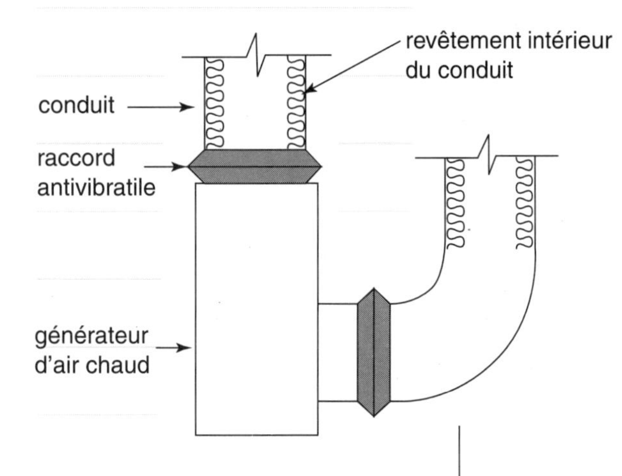

FIGURE 25
RACCORDS ANTIVIBRATILES ENTRE LE GÉNÉRATEUR ET LES CONDUITS D'AIR

PROBLÈME

GRINCEMENT OU COGNEMENT LORS DU DÉMARRAGE OU DE L'ARRÊT DU GÉNÉRATEUR

CAUSE

Dilatation et contraction

SOLUTIONS

Faire fonctionner le ventilateur continuellement réduit la dilatation et la contraction.

Modifier les conduits.

- Placer des matelas résilients entre les conduits et les points d'appui (voir figure 26).
- Ajouter des supports dotés de matelas aux points de déformation des conduits. Repérer ces endroits en ouvrant l'oreille ou avec la main.
- Fixer le revêtement insonorisant aux parois intérieures des conduits pour réduire les vibrations et la transmission du bruit sur leur longueur, selon les indications fournies précédemment.

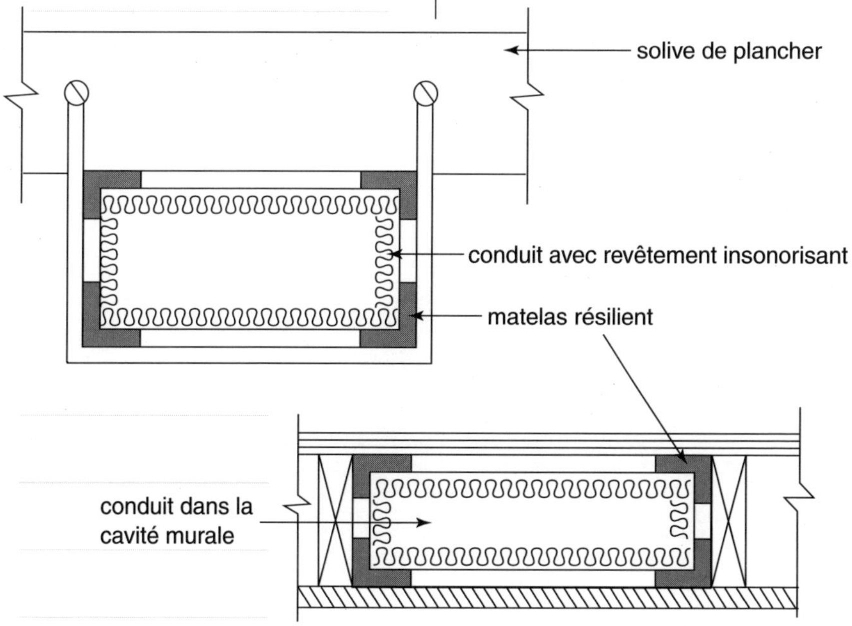

FIGURE 26
MODIFICATION DES CONDUITS D'AIR DU GÉNÉRATEUR

PROBLÈME

Appareils bruyants (lave-vaisselle, lave-linge)

Cause

Bruit intense, emplacement mal choisi ou installation mal faite

Solutions

Réduire la transmission jusqu'aux autres pièces.

- Fermer la cuisine et la buanderie par une porte pour atténuer la propagation du bruit jusqu'aux autres pièces.
- Éloigner les pièces où se trouvent normalement les appareils bruyants des aires où le bruit risque de déranger.

Améliorer l'installation.

- Poser un revêtement insonorisant sur les parois de toute enceinte de l'appareil.
- Éviter de fixer l'appareil au mur ou aux armoires, car leurs surfaces se comportent telle une caisse de résonance et transmettent encore plus le bruit.
- Placer tous les gros appareils (comme le lave-linge) sur une surface dense et rigide comme un plancher de béton, dans la mesure du possible.
- Monter les appareils sur des supports souples appropriés pour éviter de transmettre les vibrations au bâtiment. Des supports mal choisis peuvent amplifier les vibrations. Suivre les recommandations du fabricant ou d'un expert. Les supports résilients se révèlent beaucoup moins efficaces sur un plancher souple en contreplaqué sur solives de bois.

PROBLÈME
Installation de ventilation bruyante

Cause
Ventilateur

Solutions
- Installer un ventilateur de meilleure qualité. Les ventilateurs assortis d'un faible indice de bruit exprimé en sone sont généralement moins bruyants.
- Éloigner le ventilateur des pièces de séjour. Il vaut mieux installer le ventilateur au sous-sol et de poser des conduits du ventilateur à la cuisine ou à la salle de bains.

Cause
Conduits propageant le bruit.

Solutions
- Installer un manchon souple entre les conduits et le ventilateur.

Cause
Installation de ventilation directement reliée au bâtiment

Solutions
- Éviter de relier l'installation de ventilation directement au bâtiment. Monter l'équipement (ventilateur récupérateur de chaleur [VRC] ou ventilateur) sur des supports antivibratiles (supports de caoutchouc ou ressorts) en vente chez les distributeurs d'appareils de chauffage.

Section 6.7 Autres lectures

Source	Publication
Société canadienne d'hypothèques et de logement Bureau national 700, chemin de Montréal Ottawa ON K1A 0P7 613 748-2367	*Transmission des sons à travers les planchers : Phase III — Rapport sommaire*, 1993
	Nouveaux secteurs résidentiels à proximité des aéroports, 1981, LNH 5185 05/81
	Le bruit du trafic routier et ferroviaire : ses effets sur l'habitation, 1981, LNH 5156 10/81
	Transmission indirecte du son dans les constructions à ossature de bois, 1993
	Projet de recherche sur le bruit des appareils ménagers dans les immeubles multi-logements, 1992
	Projet de recherche sur les bruits de la plomberie dans les immeubles résidentiels, 1991
	Performance acoustique des assemblages plancher/plafond dans les constructions à ossature de bois (2e partie), 1990
	Dégradation de l'isolation acoustique des murs à ossature de bois par les prises électriques, 1993
	Transmission des sons par les plaques de plâtre, IRC, 1994

Source

Institut de recherche en construction
Conseil national de recherches du Canada
Section des publications
Ottawa ON K1A 0R6
À Ottawa : 613 993-2463
Ailleurs : 1 800 672-7990

Publication

«Introduction à l'acoustique du bâtiment», Digeste de la construction au Canada, 236F, 1985

«Facteurs modifiant la perte de transmission du son», Digeste de la construction au Canada, 239 F, 1985

«Comment réduire la transmission des bruits entre les logements», Note d'information sur la construction, BPN 44F, 1985

«L'insonorisation du sous-sol», Note d'information sur la construction, BP Note 25F, juillet 1982

«Calcul de l'insonorisation des bâtiments», Note sur la construction, PBN 56F, 1987

Annexe A Isolement acoustique des murs

Mur	Coupe	Description	Type Plaques de plâtre de type X, de 12,7 mm (1/2 po)	ITS Plaques de plâtre de type X, de15,9 mm (5/8 po)
Mur-1		• poteaux de 38 x 89 mm (2 x 4 po) espacés de 400 mm (16 po) ou de 600 mm (24 po) entre axes • matériau absorbant de 89 mm (3 1/2 po) d'épaisseur • une épaisseur de plaques de plâtre de part et d'autre	34	36
Mur-2		• poteaux de 38 x 89 mm (2 x 4 po) espacés de 400 mm (16 po) ou de 600 mm (24 po) entre axes • matériau absorbant de 89 mm (3 1/2 po) d'épaisseur • deux épaisseurs de plaques de plâtre de part et d'autre	38	38
Mur-3		• poteaux de 38 x 89 mm (2 x 4 po) espacés de 600 mm (24 po) entre axes • matériau absorbant de 89 mm (3 1/2 po) d'épaisseur • profilés métalliques souples d'un côté, espacés de 400 mm (16 po) ou de 600 mm (24 po) entre axes • une épaisseur de plaques de plâtre de part et d'autre	43	48
Mur-4		• poteaux de 38 x 89 mm (2 x 4 po) espacés de 600 mm (24 po) entre axes • matériau absorbant de 89 mm (3 1/2 po) d'épaisseur • profilés métalliques souples d'un côté, espacés de 400 mm (16 po) ou de 600 mm (24 po) entre axes • une épaisseur de plaques de plâtre fixées d'un côté à des profilés métalliques souples • deux couches de plaques de plâtre d'un côté	53	54
Mur-5		• 2 rangées de poteaux décalés de 38 x 89 mm (2 x 4 po) espacés de 400 mm (16 po) ou de 600 mm (24 po) entre axes, fixés à une lisse et sablière communes de 38 x 140 mm (2 x 6 po) • matériau absorbant de 89 mm (3 1/2 po) d'épaisseur d'un côté ou matériau de 65 mm (2 1/2 po) d'épaisseur de part et d'autre • une épaisseur de plaques de plâtre de part et d'autre	45	47

Mur-6		• 2 rangées de poteaux décalés de 38 x 89 mm (2 x 4 po) espacés de 400 mm (16 po) ou de 600 mm (24 po) entre axes, fixés à une lisse et sablière communes de 38 x 140 mm (2 x 6 po) • matériau absorbant de 89 mm (3 1/2 po) d'épaisseur d'un côté ou matériau de 65 mm (2 1/2 po) d'épaisseur de part et d'autre • une épaisseur de plaques de plâtre d'un côté • deux épaisseurs de plaques de plâtre de l'autre côté	50	52
Mur-7		• 2 rangées de poteaux décalés de 38 x 89 mm (2 x 4 po) espacés de 400 mm (16 po) ou de 600 mm (24 po) entre axes, fixés à une lisse et sablière communes de 38 x 140 mm (2 x 6 po) • matériau absorbant de 89 mm (3 1/2 po) d'épaisseur d'un côté ou matériau de 65 mm (2 1/2 po) d'épaisseur de part et d'autre • deux épaisseurs de plaques de plâtre de part et d'autre	55	56
Mur-8		• 2 rangées de poteaux décalés de 38 x 89 mm (2 x 4 po) espacés de 400 mm (16 po) ou de 600 mm (24 po) entre axes, fixés à une lisse et sablière communes de 38 x 140 mm (2 x 6 po) • matériau absorbant de 89 mm (3 1/2 po) d'épaisseur d'un côté ou matériau de 65 mm (2 1/2 po) d'épaisseur de part et d'autre • profilés métalliques souples d'un côté, espacés de 400 mm (16 po) ou de 600 mm (24 po) entre axes • une épaisseur de plaques de plâtre du côté des profilés métalliques souples	54	56
Mur-9		• 2 rangées de poteaux décalés de 38 x 89 mm (2 x 4 po) espacés de 400 mm (16 po) ou de 600 mm (24 po) entre axes, fixés à une lisse et sablière communes de 38 x 140 mm (2 x 6 po) • matériau absorbant de 89 mm (3 1/2 po) d'épaisseur d'un côté ou matériau de 65 mm (2 1/2 po) d'épaisseur de part et d'autre • profilés métalliques souples d'un côté, espacés de 400 mm (16 po) ou de 600 mm (24 po) entre axes • deux épaisseurs de plaques de plâtre de part et d'autre	60	62

Mur	Coupe	Description	Type Plaques de plâtre de type X, de 12,7 mm (1/2 po)	ITS Plaques de plâtre de type X, de15,9 mm (5/8 po)
Mur-10		• 2 rangées de poteaux décalés de 38 x 89 mm (2 x 4 po) espacés de 400 mm (16 po) ou de 600 mm (24 po) entre axes, fixés à des lisses et sablières distinctes de 38 x 89 mm (2 x 4 po), distancées de 25 mm (1 po) • matériau absorbant de 89 mm (3 1/2 po) d'épaisseur de part et d'autre • une épaisseur de plaques de plâtre de part et d'autre	57	57
Mur-11		• poteaux d'acier non porteurs de 31 x 64 mm (2 x 3 po) espacés de 600 mm (24 po) entre axes • matériau absorbant de 65 mm (2 1/2 po) d'épaisseur • une épaisseur de plaques de plâtre d'un côté • deux épaisseurs de plaques de plâtre de l'autre côté	50	50
Mur-12		• poteaux d'acier non porteurs de 31 x 92 (2 x 4 po) espacés de 600 mm (24 po) entre axes • matériau absorbant de 65 mm (2 1/2 po) d'épaisseur • une épaisseur de plaques de plâtre d'un côté • deux épaisseurs de plaques de plâtre de l'autre côté	51	53
Mur-13		• poteaux d'acier non porteurs de 31 x 152 mm (2 x 6 po) espacés de 600 mm (24 po) entre axes • matériau absorbant de 65 mm (2 1/2 po) d'épaisseur • une épaisseur de plaques de plâtre d'un côté • deux épaisseurs de plaques de plâtre de l'autre côté	54	55

Annexe B Isolement acoustique des planchers à ossature de bois

Plancher		Construction minimum proposé →	ITS 55	IIC 55	IMC 50
Solives Préf-1		• contreplaqué bouveté de 16 mm (5/8 po) • solives préfabriquées de 240 mm (10 po) de hauteur • deux épaisseurs de matelas en fibre de verre • profilés métalliques souples de 13 mm (1/2 po), espacés de 600 mm (24 po) entre axes • une épaisseur de plaques de plâtre de 16 mm (5/8 po)	48	40	43
		Solives Préf-1 + moquette et thibaude	50	66	55
		Solives Préf-1 + chape de béton de 40 mm (1/2 po) sur panneau en fibre de verre de haute densité de 25 mm (1 po)	60	52	51
Solives Préf-2		• contreplaqué bouveté de 16 mm (5/8 po) • solives préfabriquées de 300 mm (12 po) de hauteur • trois épaisseurs de matelas en fibre de verre • profilés métalliques souples de 13 mm (1/2 po), espacés de 600 mm (24 po) • une épaisseur de plaques de plâtre de 16 mm (5/8 po)	55	48	37
		Solives Préf-2 + moquette et thibaude	56	72	54
		Solives Préf-2 + chape de béton de 40 mm (1/2 po) d'épaisseur sur panneau en fibre de verre de haute densité de 25 mm (1 po)	62	59	55

Plancher		Construction minimum proposé →	ITS 55	IIC 55	IMC 50
Solives-1	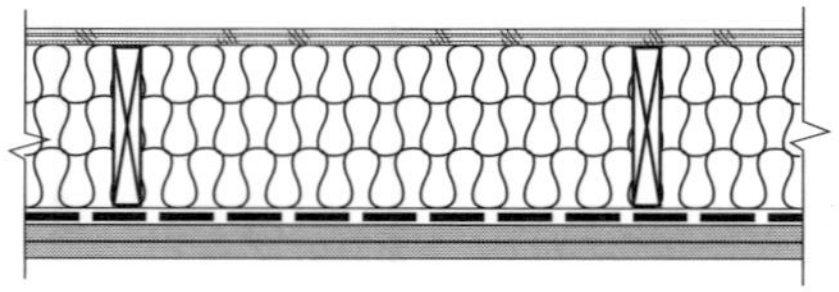	• contreplaqué bouveté de 16 mm (5/8 po) • solives de bois de 38 x 240 mm (2 x 10 po) • trois épaisseurs de matelas en fibre de verre de 90 mm (3 1/2 po) d'épaisseur • profilés métalliques souples de 13 mm (1/2 po), espacés de 600 mm (24 po) entre axes • deux épaisseurs de plaques de plâtre de 16 mm (5/8 po)	55	51	40
	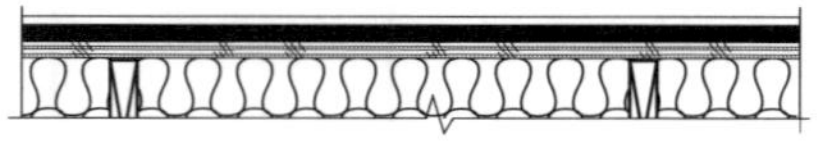	Solives-1 + thibaude en mousse de 9 mm (3/8 po) et moquette	58	80	72
	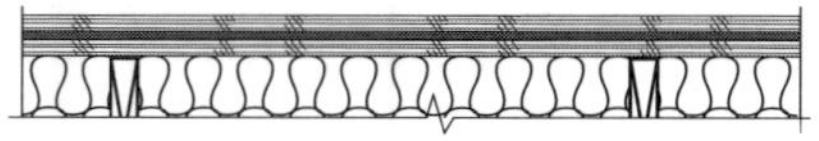	Solives-1 + contreplaqué de 16 mm (5/8 po) sur couche de feutre de 6 mm (1/4 po)	61	57	56
	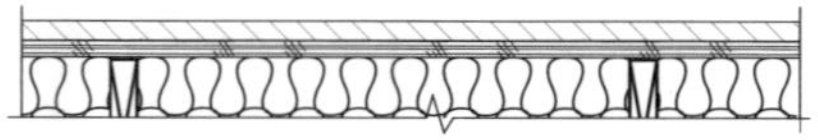	Solives-1 + panneaux Wonderboard de 18 mm (11/16 po) vissés au contreplaqué	62	53	53
Solives-2	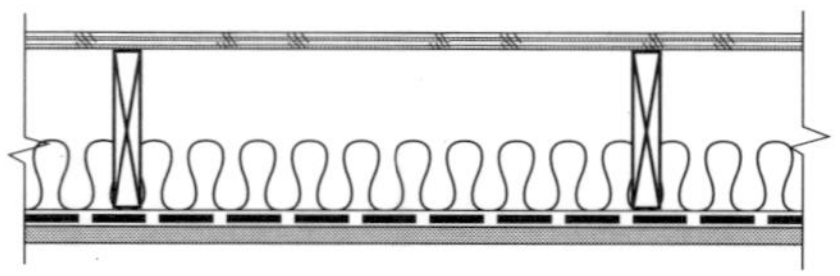	• contreplaqué bouveté de 16 mm (5/8 po) • solives des bois de 38 x 240 mm (2 x 10 po) • trois épaisseurs de matelas en fibre de verre de 90 mm (3 1/2 po) d'épaisseur • profilés métalliques souples de 13 mm (1/2 po), espacés de 600 mm (24 po) entre axes • deux épaisseurs de plaques de plâtre de 16 mm (5/8 po)	49	44	33
	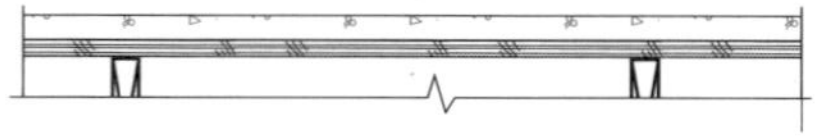	Solives-2 + chape de béton de 40 mm (1 1/2 po) sur papier de construction	59	40	54
	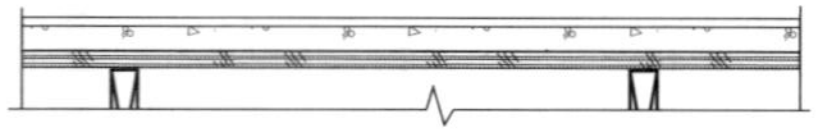	Solives-2 + moquette sur chape de béton de 40 mm (1 1/2 po) sur papier de construction	59	73	54
	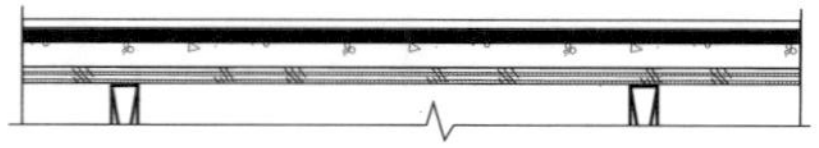	Solives-2 + moquette et thibaude sur chape de béton de 40 mm (1 1/2 po) sur papier de construction	58	84	65

Béton-1	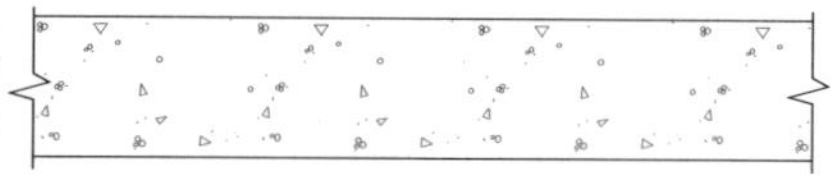	• dalle de béton de 150 mm (6 po) →	52	25	50
	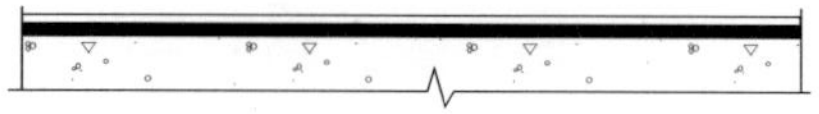	Béton-1 + moquette et thibaude	51	86	83
	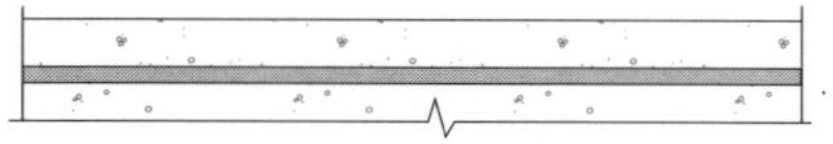	Béton-1 + dalle de béton de 40 mm (1 1/2 po) sur panneaux en fibre de verre de haute densité de 25 mm (1 po)	62	65	58
	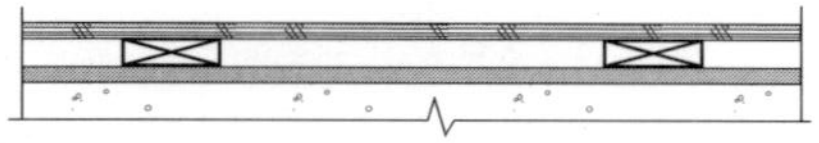	Béton-1 + contreplaqué de 16 mm (5/8 po) sur lambourdes de 38 x 89 mm (2 x 4 po) sur panneaux en fibre de verre de haute densité de 25 mm (1 po)	61	63	56